우루과이라운드

# 협상
# 실무대책위원회

우루과이라운드

# 협상
# 실무대책위원회

한국학술정보

# | 머리말

우루과이라운드는 국제적 교역 질서를 수립하려는 다각적 무역 교섭으로서, 각국의 보호무역 추세를 보다 완화하고 다자무역체제를 강화하기 위해 출범되었다. 1986년 9월 개시가 선언되었으며, 15개 분야의 교섭을 1990년 말까지 진행하기로 했다. 그러나 각 분야의 중간 교섭이 이루어진 1989년 이후에도 농산물, 지적소유권, 서비스무역, 섬유, 긴급수입제한 등 많은 분야에서 대립하며 1992년이 돼서야 타결에 이를 수 있었다. 한국은 특히 농산물 분야에서 기존 수입 제한 품목 대부분을 개방해야 했기에 큰 경쟁력 하락을 겪었고, 관세와 기술 장벽 완화, 보조금 및 수입 규제 정책의 변화로 제조업 수출입에도 많은 변화가 있었다.

본 총서는 우루과이라운드 협상이 막바지에 다다랐던 1991~1992년 사이 외교부에서 작성한 관련 자료를 담고 있다. 관련 협상의 치열했던 후반기 동향과 관계부처회의, 무역협상위원회 회의, 실무대책회의, 규범 및 제도, 투자회의, 특히나 가장 많은 논란이 있었던 농산물과 서비스 분야 협상 등의 자료를 포함해 총 28권으로 구성되었다. 전체 분량은 약 1만 3천여 쪽에 이른다.

2024년 3월
한국학술정보(주)

## | 일러두기

· 본 총서에 실린 자료는 2022년 4월과 2023년 4월에 각각 공개한 외교문서 4,827권, 76만여 쪽 가운데 일부를 발췌한 것이다.

· 각 권의 제목과 순서는 공개된 원본을 최대한 반영하였으나, 주제에 따라 일부는 적절히 변경하였다.

· 원본 자료는 A4 판형에 맞게 축소하거나 원본 비율을 유지한 채 A4 페이지 안에 삽입하였다. 또한 현재 시점에선 공개되지 않아 '공란'이란 표기만 있는 페이지 역시 그대로 실었다.

· 외교부가 공개한 문서 각 권의 첫 페이지에는 '정리 보존 문서 목록'이란 이름으로 기록물 종류, 일자, 명칭, 간단한 내용 등의 정보가 수록되어 있으며, 이를 기준으로 0001번부터 번호가 매겨져 있다. 이는 삭제하지 않고 총서에 그대로 수록하였다.

· 보고서 내용에 관한 더 자세한 정보가 필요하다면, 외교부가 온라인상에 제공하는 『대한민국 외교사료요약집』 1991년과 1992년 자료를 참조할 수 있다.

# | 차례

## 정 리 보 존 문 서 목 록

| 기록물종류 | 일반공문서철 | 등록번호 | 2019080081 | 등록일자 | 2019-08-13 |
|---|---|---|---|---|---|
| 분류번호 | 764.51 | 국가코드 | | 보존기간 | 영구 |
| 명    칭 | UR(우루과이라운드) 협상 실무대책위원회, 1992. 전3권 | | | | |
| 생 산 과 | 통상기구과 | 생산년도 | 1992~1992 | 담당그룹 | |
| 권 차 명 | V.1  1-3월 | | | | |
| 내용목차 | * UR 협상 실무대책위 등 협상 관련 자료 | | | | |

0001

# 경 제 기 획 원

우 427-760 / 경기도 과천시 중앙동1 정부제2청사 / 전화 503-9149 / 전송 503-9141

문서번호 봉조삼 10502-2

시행일자 1992. 1. 6.

수신 수신처참조

참조

| 선결 | | | 지시 | | |
|---|---|---|---|---|---|
| 접 | 일자<br>시간 | 92. 1. 8 | 결재·공람 | | |
| 수 | 번 호 | 729 | | | |
| | 처 리 과 | | | | |
| | 담 당 자 | | | | |

제목  UR대책 실무위원회 개최

　　　　표제회의를 아래와 같이 개최코자 하니 참석하여 주시기 바랍니다.

　　　　　　　　　　　　- 아　　　　래 -

1. 일　　시 : '92.1.7(화), 10:30
2. 장　　소 : 경제기획원 소회의실
3. 의　　제 : 최근의 UR협상동향 평가 및 대응
4. 참석범위
　　- 경제기획원 대외경제조정실장(주재), 제2협력관
　　- 외 무 부 통상국장
　　- 재 무 부 관세국장
　　- 농림수산부 농업협력통상관
　　- 상 공 부 국제협력관
　　- 특 허 청 기획관리관

　　　　　　경 제 기 획 원 장

수신처 : 외무부장관, 재무부장관, 농림수산부장관, 상공부장관, 특허청장

　　　　　　　　　　　　　　　　　　　　0002

〈참고〉 UR/농산물 협상관련 아국입장

| 구 분 | 종 전 입 장 ('90.10.29 Offer List) | 실제 결정내용 ('91.1.7 관세장관회의결과) | 대외협력위원회 결정내용 (청와대보고, 보도자료) | 1.15 TNC회의 발표내용 |
|---|---|---|---|---|
| **1. 관세화** | | | | |
| - 대상품목 | - 15개 중요품목(농가소득의 안정적 유지를 위한 중요품목, NTC대상 품목, GATT 11조2(C)대상이 되는 품목)을 제외한 수입제한품목 | - 쌀등(기초식량)를 제외한 수입제한품목<br>○ 위 해당되는 품목은 보리 외 1품목을 추가하여 농림 수산부가 결정, 단 쇠고기는 불가함 | - 협상이 막바지 단계에 이른 상황에서 주장했던 당초 협상안을 전개할 경우 현재의 협상분위기로 보아 매우 어려운 입장에 처할 것으로 예상<br>○ 앞으로의 협상과정에서 아국이 신축적으로 협상에서 소외될 우려가 있고 이렇게 될 경우 우리의 입장관철이 더욱 어려 위질 가능성 | - 수석대표(선준영체대사) 발언 내용<br>Although Korea's most serious difficulties exist in the area of agricultural trade, Korea is now, in a position to table a more flexible offer on agricultural negotiations. We will submit such an offer in due course depending upon future developments in the agricultural negotiations. |
| - 이행기간 | - '91~'97부터 10년간 최대 30% (품목별로 최대 6년간 유예기간) | - 선진국 이행기간의 2배수준 (감축폭보다는 감축기간에서 우대) | | |
| **2. 최소시장접근** | | | | |
| - 대상품목 | - 쌀등 기초식량을 제외한 품목 | - 쌀을 제외한 품목 | ○ 농산물협상이 우리의 의사와 관계없이 미국,EC등 협상주도국 들의 합의에 의해 타결될 경우 에도 협상결과 수용 불가피 | |
| - 보장방법<br>○ 수입이 있는 경우 | - '86~'88 평균수입량 | - 현 수준 시장접근보장 | | |

| 구 분 | 추 진 입 장 ('91.10.29 Offer List) | 실제 결정내용 ('91.1.7 관세장관회의결과) | 문 제 점 1.9 대외협력위원회 결정내용 (청와대보고, 보도자료) | 1.15 TNC회의 발표내용 |
|---|---|---|---|---|
| o 수입이 없는 경우 | - '86~'88 국내소비의 1%, 다만 15개 품목중 쌀등 기초식량을 제외한 품목은 국내수급동향을 보아가며 결정 | - 선진국의 1/2 수준 | - 따라서 앞으로의 협상에서는 우리의 핵심관심사항의 반영을 계속 주장하되 협상의 기본틀내에서 실리가 확보될 수 있도록 대응<br><br>o 쌀등 최소한의 식량안보 대상 | * 미국, 일본에 대해서는 '91.1.7 관세장관회의시 결정내용을 중심으로 구체적으로 설명 |
| 3. 국내보조 | | | | |
| - 대상품목 | - 15개 중요품목을 제외한 농산물 | - 쌀을 제외한 농산물 | 품목의 개방에의 입장 선회 | |
| - 이행기간 | - '97년부터 10년간 30%(6년간 유예 기간) | - 선진국 이행기간보다 2배수준 (감축폭 보다는 감축기간에서의 우대) | o 우리가 개발도상국 우대적용 대상국이 되도록 협상력을 집중 함으로써 시장개방과 국내보조 감축에 있어 장기이행기간의 확보에 주력<br><br>o 국내생산통제와 수입제한을 연결시킬 수 있는 현재 GATT 규정을 최대한 원용함과 동시에 동조항의 합리적 개선을 위하여 이해관계국과의 공동노력 강화 | |

| 구분 | 종전입장 ('91.10.29 Offer List) | 실제 결정내용 ('91.1.7 관세장관회의결과) | 현재입장 | |
|---|---|---|---|---|
| | | | 1.9 대외협력위원회 결정내용 (청와대보고, 보도자료) | 1.15 TNC회의 발표내용 |
| | | | ○ 수입을 개방하더라도 국내생산 기반이 최대한 유지될 수 있도록 하는 범위내에서 최소시장 접근 허용<br>○ 개방화에 따른 국내피해를 최소화할 수 있도록 관세인상과 함께 수량제한이 가능한 긴급수입제한제도마련에 협상력집중 | |

쌀 問題 關聯 向後 UR 協商 日程 및 對策

1992. 1. 17.

0006

## 1. 向後 UR 協商 日程 (1.13 TNC 會議 結果)

o 下記 協商 戰略에 따라 數週間 兩者, 多者間 協商 推進

   ⅰ) 農產物等 分野의 讓許協商 (農產物의 補助金 減縮 計劃 包含)

   ⅱ) 協定 草案 內容中 特定事項의 調整 必要性 檢討

o 1.13 TNC 會議에서는 UR 協商 終結時限을 명시적으로 정하지 않았으나,
Dunkel 總長은 4月中旬을 協商 終結 時限으로 정하고 있는 것으로 觀測

## 2. 向後 農產物 協商 日程

가. 農產物 讓許計劃 提出

o 3.1 以前 Dunkel 草案에 따라 市場接近, 國內補助, 輸出補助에 대한
讓許計劃 提出

o 3.31 以前 同 讓許 計劃에 따른 兩者, 多者協商 完了

나. 協定 草案 內容 修正 協商

o TNC 會議를 통해 수정 可能性 協商

   - 단, 전체 package를 와해시키지 않는 制限된 範圍內에서 參加國間
合意 前提

## 3. 上記 協商 日程을 감안한 쌀문제 관련 對策

o 國內의 여러가지 事情을 考慮, 2月末 提出할 讓許計劃에는 쌀 不包含

o 3月中 進行될 讓許協商 結果와 美.EC間 農產物 協商 妥結 動向을 보아가면서
3月下旬中 쌀에 대한 讓許計劃을 提出한 것인지 與否 決定

   - 다만, 美.EC間 農產物 交涉이 妥結되어 例外없는 關稅化가 確定的인
것으로 될 境遇 쌀에 대한 最小 關稅 相當値 適用을 통해 쌀 輸入
開放으로 인한 충격 最小化 必要

添 附 : 1. 農產物 讓許計劃 提出時 我國 該當事項.

    2. 쌀에 대한 例外없는 關稅化 適用時 關聯 統計.　　　　끝.

0007

# 첨부 1 : 농산물 양허계획 제출시 아국 해당사항

## 1. 시장접근

○ 쌀등 수입제한 품목의 관세상당치(TE) 감축

- '93-'99년간 평균 36%(품목별 최소 15%) 감축

- 단, 개도국 우대를 완전히 적용받을 경우 1993-2002년간 평균 24% (품목별 최소 10%) 감축 가능

○ 수입이 없던 품목에 대해 국내소비의 3%(쌀의 경우 약 120만석, 5,500만불 상당)를 93년에 개방하여 최종년도(99년)에 5%를 개방

## 2. 국내보조

○ 쌀에 대한 추곡수매 보조금등 감축대상 보조금을 '93-'99년간 20% 감축

- 단, 개도국 우대를 완전히 적용받을 경우 1993-2002년간 16.6% 감축 가능

## 3. 수출보조 : 해당사항 없음.

0008

## 첨부 2 : 쌀에 대한 예외없는 관세화 적용시 관련 통계

## 1. 최소 시장접근 허용에 따른 쌀 수입량

　ㅇ 적용 관세율 : 최저 관세율 (현행 아국 관세율 : 5%)

　ㅇ 예상 수입량 (추정) :

> 93년 : 약 15만톤, 5,500만불 상당

> 99년 : 약 25만톤, 9,000만불 상당

## 2. 년도별 관세 상당치

　ㅇ 기본전제

　　- 아국 경기미와 미국 캘리포니아 쌀을 가격 기준으로 사용

　　- '86-'88년 기준 (약 500%) 및 '88-'90년 기준 (약 730%)시 산출되는

　　　가격차의 평균(약 600%)을 관세 상당치로 적용

　　※ 아국 경기도 이천 쌀 1가마당 가격(91년 기준) : 약 14만원

　　　미국 캘리포니아산 쌀 1가마당 가격(91년 기준) : 약 2만원

0009

ㅇ 년도별 관세 상당치 (추정) :

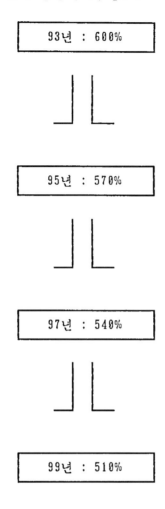

93년 : 600%

95년 : 570%

97년 : 540%

99년 : 510%

ㅇ 결   론

- 99년도에 510%의 관세를 적용하더라도 유통 마진등을 고려할때 국내미와
  수입미와의 가격차는 거의 없을 것으로 예상되므로 이론적으로는 어느정도
  쌀 수입 억제 효과가 있을 것으로 전망

- 다만, 소비자가 국내 가격보다 높은 가격을 지불하더라도 질이 우수한
  수입쌀 선호시 문제 소지.                    끝.

# 1.20. UR 대책 실무위 회의 참고자료

1992. 1.20.
통상기구과

1.  1.13. TNC 회의시 채택된 four track approach 요지

    1) 상품분야의 양허협상 (농산물 분야 보조금 감축계획 포함)

    2) 서비스 분야의 양허협상

    3) 협정 초안의 법적인 정비작업

    4) 협정 초안 내용중 특정사항의 조정 필요성 검토


2.  1.7. 시장접근 분야 비공식 회의시 Denis 의장 제안 향후 협상 일정

    ○ 1.28-2.6, 2.20-28 : 집중적 협상 진행

    ○ 2.7 : 협상그룹 비공식 회의 개최 (진전사항 평가)

    ○ 3.1까지 : 협상 종료 및 결과 제시

      - 농산물 분야의 국내보조, 수출보조 관련 협상 결과 포함

    ○ 3월중순 (15일경) : 협상 결과 평가

    ○ 3.31 : 각국의 양허 schedule을 protocol에 첨부

      ※ Dunkel 협정 초안상의 농산물 협상 일정

        - 3.1까지 : 양허계획 (list of commitment) 제출

        - 3.31까지 : 각국별 최종 양허표 (final schedule) 확정


3.  시장접근 분야 협상 관련 주 제네바 대표부 건의사항

    ○ 농산물을 포함한 시장접근 분야 협상 사전 대비

      - 아국의 농산물 분야 양허계획 제시 여부에 불문하고 상대측이 특정품목에
        대한 시장접근 개선등을 요구해 올 가능성에 대비

      - 화학제품 관세 조화 방안에 대한 입장 정립

      - 미국등 최근 새로운 Request List를 제시한 국가에 대한 대책

0011

- 비관세 offer중 양허 가능 분야 선별 및 양허 불가능 분야에 대한 구체적 설명 자료 준비
- 농산물 관세 offer를 포함시켜 계산한 협상 상대측과의 양허 균형 비교 분석

o 대표단 구성 및 파견시기
- 관련부처(농수산부 포함) 합동의 본부대표 파견
- 주요국과의 양자협상 일정을 1.28-31 사이로 추진하고 있음을 참고하여 파견시기 결정
   . 대미 양자협상은 1.29로 기합의


4. 대    책 (외무부 의견)

o 주 제네바 대표부 건의대로 관련분야 협상에 대비, 자료등 철저 준비
- 특히, 농산물의 경우 쌀등 극소수 민감품목에 대한 양허계획 제출이 제반 사정상 당장은 어렵더라도 동 민감품목을 제외한 여타품목에 대한 양허 계획만이라도 가급적 빠른 시일내 제출하는 것이 아국의 협상에 임하는 credibility 면에서 필요하며, 또한 동 양허 계획 제출 이전이라도 상대측 요구시 협의에 성실히 임하는 것이 긴요

o 1.28-2.6 시장접근 분야 협상에는 재무부, 상공부, 농수산부등 관련부처 본부대표 파견 필요
- 동 협상이 막바지 협상이고 여러부처가 관련되어 있음을 감안, 수석대표는 김삼훈 주 제네바 차석 대사로 임명하는 것이 바람직.                    끝.


0012

# UR協商關聯 向後 作業推進課題

- 92. 1. 21 -

## I. 向後協商日程

- TNC회의이후 던켈 事務總長이 제시한 협상추진방식에 따라
向後協商日程 결정

  ① 市場接近(농산물 포함)分野

  ○ 讓許協商期間 : 1.28~2.6, 2.20~2.28
  ＊同 期間中 수시로 비공식 협상그룹의장 개최
  ○ 3. 1 : 협상종료 및 결과제시
  (각국의 農産物 國家履行計劃書 제출)
  ○ 3月中旬 : 협상결과 평가
  ○ 3. 31 : 각국의 讓許表 協定文에 첨부

  ※ 우리나라의 兩者協議日程(暫定)
  · 1. 29 : 韓·美 兩者協議 개최
  · 기타국가와의 兩者協議日程 : 미정

  ② 서비스 讓許協商

  ○ 제1차 讓許協商 : 1.20~1.31
  ○ 제2차 讓許協商 : 2.17~2.28
  ○ 제3차 讓許協商 : 3. 9~3.20

  ※ 우리나라 1次 讓許協商日程(暫定)
  · 1. 28 : EC, 스웨덴
  · 1. 29 : 美國, 핀랜드
  · 1. 30 : 뉴질랜드
  · 1. 31 : 濠洲

  ③ 1.23이후 法制化 作業推進
  ④ 마지막 折衷作業(TNC on Call)

- 향후 3월말까지 市場接近과 서비스분야 國家別 讓許協商을
완결시키고 4월중순 각료급 TNC회의에서 協商參加國들이
受容與否를 표명하는 일정으로 협상추진
(adoption, implementing 하여)

0013

Ⅱ. 向後 協商關聯 課題檢討

1. 市場接近分野

① 農産物分野 協商關聯課題

- 「減縮約束履行計劃書」(3.1까지) 작성을 위한 기본지침 확정(별도안건)

- 美國, EC, 카나다등 主要國과의 실질협상 추진필요성 검토
  , 일본

② 市場接近(關稅 및 非關稅) 讓許協商(별도안건)

- 關稅無稅化 및 關稅調和協商 대응방안

- 非關稅分野 讓許協商에 대비하여 양허가능한 非關稅措置의 選定 및 記述方法 등에 대한 대책 마련

③ 協商推進體制 정비

〈 第1案 〉

○ 현재대로 財務部에서 대표(經企院, 外務部, 農林水産部, 商工部등 참가)

〈 第2案 〉

○ 財務部, 農林水産部에서 공동대표(經企院, 外務部, 商工部 등 참가)

※ 각국의 代表團構成에 따라 필요시 대표단직급 상향조정등 대표단구성 조정검토

0014

## 2. 서비스 讓許協商 對策樹立

### ① 國別 讓許協商對策

- 현재 1월 27일 주간에 美國, EC, 濠洲, 뉴질랜드, 스웨덴,
 핀랜드등 6개국과 讓許協商 예정

- 앞으로 있게될 3차례의 讓許協商過程을 고려하여 우리의 최종
 입장을 정립하되 이를 업종별로 상황변화에 따라 伸縮性있게
 대처

  i) 기본적으로 initial offer 수준에서 대응하며 분야별로
   상대방의 요구가 불명확한 사항에 대해서는 相對側의
   要求를 보다 정확하게 파악

  ii) 그간 1~4회의 兩者協議를 통하여 제기된 각국의 主要
   關心事項인 보건관리, 산업폐기물 처리, 자연과학 연구
   용역, 법무, 회계, 엔지니어링등에 대해서는 現行規制
   制度下에서 새로운 協商代案을 마련하여 전향적으로
   대처

### ② 追加 Request List提示

- '91년 11월 우리에게 Request List를 제시한 美國, EC, 日本,
 카나다, 濠洲, 스웨덴, 핀란드, 스위스등 8개 先進國에
 대하여 1차로 Request List를 제출

- '92년 1월 27일 주간부터 개최될 主要國과의 讓許協商에서
 우리의 2차 Request List를 提出

  ㅇ 우리에 대한 Request 제시여부와 관계없이 우리의 進出
   可能性이 있는 東南아시아등 개도국에 대한 分野別
   Request List 제시

  ㅇ 기왕에 우리가 Request를 제시한 선진국에 대하여도
   재무부, 건설부등 關係部處가 추가적으로 제시한 사항을
   토대로 추가 List 제시

0015

③ 修正讓許表 作成

- 2월 1일까지 : 各部處가 송부한 분야별 Offer를 바탕으로
  서비스 總括作業班에서 작성한 韓國의 修正
  Offer List 草案에 대한 각부처의 의견수렴

- 2월 10일주 : 對外協力委員會등을 통한 修正 Offer List
  확정

- 2월 17일주 : GATT에 提出 및 각국에 배포

  ※ 1.23(木) 관계부처 UR對策 實務委員會 개최 細部對策 確定


3. 法制化作業 參與

- 駐제네바 代表部를 중심으로 법제화작업에 대처하되 필요시
  본부에서 검토의견 송부

- 主要分野(농산물, TRIPs등) 本部代表 참여


4. 마무리 折衷作業(Fine Tuning)에 대한 參與問題

- TNC 및 Green Room會議 대책


5. 國內弘報對策

- 향후 美·EC間의 협의가 이루어지고 日本등의 UR협상에 대한
  立場表明이 있을 경우 국내언론이 크게 혼란을 보일 가능성

- 이에 대한 政府의 종합적인 대응필요


0016

# UR농산물협상
# 국별이행계획서 작성추진계획

## 1992. 1. 21

농림수산부
농업협력통상관실

① 각국계속 2계
② 쌀 + 역
   11 : 2 (c).
③ 대내정책기준3,6 대우을

0017

# 목       차

Ⅰ. 국별이행계획서 작성대책

1. 주요국 최근동향

┌─────────┐
│ 미  국 │
└─────────┘

○ 1.9 하원농업위원회(House Agricultural Committee)에서 14개 생산자단체대표 증언

  - 북미 수출곡물협회만 협정초안을 지지, 나머지단체는 반대 또는 수정필요성 제기

  - Katz USTR 대표보는 양허협상후에야 전체협상 내용을 평가할 수 있다고 전망

  웨이버포기에 대해서는 생산자단체 및 정치권에서 반대하고 있음

○ 전자, 철강, 제약, 흥행업계등에서는 협정초안의 수정을 강력히 요구하고 있음

○ 대통령선거가 가까와질수록 현 협정초안의 의회통과 가능성은 점점 낮아질 것으로 보이며,
Baucus 상원의원등 민주당 지도자들은 의회통과가 어려울 것이라고 논평하였음

┌─────────┐
│ E  C │
└─────────┘

○ 지난 12.23 일반각료이사회에서 농산물협정초안은 받아들일 수 없으며 수정되어야 한다(not
acceptable, and therefore has to be modified)는 입장을 표명하였으며,

  - 이러한 입장을 1.10 외무, 농업 및 통상 합동각료이사회에서도 재확인 하였음

○ 프랑스가 가장 격렬하게 반대하고 있으며, 프랑스가 지방선거(3월) 또는 미국대통령선거
(11월)까지 강경입장을 계속 고집할 것이라는 전망도 있음

○ EC입장은 협정초안제시 이전보다 더 경직되고 있으며, EC내부 입장조정도 어려움을 겪고
있음(De Pascale UR담당 총괄과장)

일 본

O 일부정치권에서는 12.20 협정초안의 내용이 관세화에 융통성을 부여하고 있어 받을 수 있다는

주장도 있으나 농림수산성에서는 기존입장을 계속 고수하면서 관세화예외를 주장하고 있음

O 외무성은 던켈총장이 제시하고 있는 협정초안의 수정, 보완에서도 관세화예외가 인정될

가능성은 희박하다고 보고 있음(연도 대사)

 - 4월까지 성공적으로 타결될 가능성을 50%정도로 전망

〈 종 합 분 석 〉

O 미국은 내부적으로는 서비스,반덤핑,지적재산권등에 많은 문제가 있으나 조기타결

의지를 과시함으로써 협상이 결렬될 경우 1차적인 책임을 미국이 지지 않으려는

의도를 보이고 있음

O EC는 UR을 계기로 그동안 부담이 되어온 공동농업정책(CAP)을 개혁하겠다는

계획이었으나 던켈협정초안의 내용에 EC의 주장이 반영되지 않아 현재대로 농산물

협정초안을 받아 들이기는 어려울 것으로 보임

O 일본은 미.EC간의 대결의 추이를 관망하면서 미.EC간 극적인 합의가 이루어지는

만약의 사태에 대비하고 있는 듯한 인상임

⇒ 우리도 협상동향을 면밀히 파악하여 대처하되, 미.EC간의 극적 타협이 이루어져

협상이 급진전되는 만약의 사태에도 대비하여야 함

## 2. 국별이행계획서(Country Plan) 작성개요

O 농산물협상의 결과를 이행하기 위한 각국의 향후 이행기간동안의 실천계획임

 - 농산물협상그룹에서만 별도로 국내보조, 시장개방, 수출보조 세분야의 이행계획을 제출함

O 국별이행계획서는 '91.12.20 제시된 농산물협정초안에 의거하여 작성하며, '92.3.1까지 제출하여야 함

 - 제출된 후 이를 기초로 이해관계국끼리 수차의 양자협의가 있을 예정이며, 이 과정에서 주고받기식(give and take)의 협상이 이루어질 것임

O 양자협상이후 확정된 내용은 UR협상 최종의정서에 포함되며, 각국은 향후 이행기간동안 국별이행계획을 준수할 의무가 있음

 - 의무이행여부는 UR협정초안에 의해 구성되는 농업위원회(Agricultural Committee)의 감시대상이 되며,

 - 의무를 이행치 않을 경우 이해관계국은 GATT에 규정된 분쟁해결절차에 따라 상대국가를 제소할 수 있음

O 향후 우리나라가 국제사회에 약속하는 의무이행이므로 그 작성과정에서 우리의 정책방향과 주어진 작성지침에 대한 세밀한 검토가 있어야 하며, 신중한 작성이 철저히 요망됨

- 4 -

0021

## 3. 국별이행계획 작성시 사전고려 사항

### 가. 국별이행계획서의 작성 방향

O 협정초안에 제시된 대로 이행계획서를 작성할 경우 우리의 기존입장(예:관세화예외)과 상충하는 부분이 있음

O 이러한 부분에 대해서는,

( 제1안 ) 협정초안에 충실하게 작성하는 방법

( 제2안 ) 우리의 기존입장에 따라 작성하는 방법

의 두가지 대안을 생각 할 수 있음

O 제1안에 따를 경우, 이행이 아주 곤란하거나 불가능한 부분(예:양곡관리법 개정)이 있으므로 협정초안을 원칙으로 하여 작성하되 민감한 부분에 대해서는 우리의 기존입장 대로 작성

- 단, 협정초안의 수정보완 가능성을 고려하여 2-3개의 대안을 준비

### 나. 국별이행계획서의 작성 및 제출시기

O 협정초안의 수정보완이 마무리되지 않은 상태에서 국별이행계획을 작성하기에는 어려움이 있음

O 따라서, 현단계에서 우리로서는

- 우선적으로 협정초안 수정작업에 주력해 나가며, 내부적으로는 국별이행계획서를 준비하되,

- 다른 국가들의 국별이행계획서 작성과정 및 제시동향을 파악하여 제출시기 및 방침을 결정하도록 해야 함

- 5 -

0022

다. 협정초안 수정의 추진

O 협정초안에 반영되지 않은 분야에 대한 입장 정리

O 수정 및 보완가능성에 대한 주요국 동향파악

  - 일본 농림성 협상관계자들과 협의 및 의견교환(1.27주간)

  ※ 일본 협상담당자들이 현재 미.EC를 접촉하고 있음

O 수정작업 추진을 위해 관심국가들과 적극 교섭

  - 재외 아국공관 및 서울주재 외국공관 활용

  - 주요국에게 아국입장 이해 및 수정, 보완의 중요성을 강조하는 장관친서 발송


라. 시장접근 양허협상 참여

O Denis 시장접근그룹 의장은 1-2월중의 양허협상에 농산물도 포함된다는 점을 명시하고
  있으나, 국별이행계획서가 제출되지 않은 상태이므로 사실상 협상이 곤란함

O 따라서, 다음과 같은 이유로 3월이전의 농산물양허협상에는 참여할 수 없다는 입장을 제시

  ① 협정초안의 수정, 보완이 선결되어야 국별이행계획서 작성이 가능함

  ② 국별이행계획서가 없는 상태에서 농산물 양자협상은 무의미 함

  ③ 국별이행계획서는 향후 이행을 위한 약속이므로 신중을 기해야 하고, 국내적으로
     의견수렴 및 합의절차가 필요하므로 상당한 시간이 소요됨

- 6 -

0023

## 4. 국별이행계획서 작성시 문제점

*(손글씨: 듣록 2222)*

### 가. HTC 15개품목('90.10)대책

*(우측 손글씨: ① 91. 1. 쌀+α ② 11:2(c) 대상품목)*

O 향후 협정초안 수정 및 보완과정에서 예상될 수 있는 시나리오는

  (i) 식량안보 및 11조2C에 의한 관세화 예외인정

  (ii) 11조2C에 의한 관세화 예외만 인정

  (iii) 예외없는 관세화의 세가지로 볼 수 있음

```
┌─────────┐
│ 협상대책 │        — 각국동향 타악 토론.
└─────────┘
```

O (i)의 경우 : 우리의 기존입장과 일치하므로 별문제 없음

O (ii), (iii)의 상황하에서도 쌀은 관세화 할 수 없고, 최소시장접근도 허용할 수 없다는

  것이 우리의 입장임

   - 국별이행계획서 작성시 기존입장 반영

O 기타 주요품목에 대해서는 별도대책 수립 필요

   - (ii), (iii)의 경우 주요품목에 대해 11조2C의 적용가능성, 고율의 관세상당치 부과와

     특별긴급구제제도활용에 의한 수입억제 가능성 검토

O 대책수립시 공청회등을 통해 각계의견 수렴

*(손글씨: UR대책 → 위원회)*

- 7 -

0024

## 나. BOP품목의 포함문제

### 논의배경

O '89.10 GATT의 제18조B항(국제수지조항) 졸업

- 이에따라 97년까지.단계적으로 모든상품(농산물포함)의 수입을 자유화 할 의무를 가지고 있음

O '92-'94 자유화예시계획

- '92-'94 기간동안 자유화품목(농산물 132개품목)을 선정하여 '91.3 GATT에 통보하였음

O '91.3 자유화 예시계획 통보시 우리는 UR협상타결 시점에 자유화되지 않은 품목은 UR협상 결과에 따르겠다고 명시한 바 있음

- 이에 대해 미국,호주, 뉴질랜드등은 이의를 제기하고 있음

### 양측의 입장

| 우리측 입장 | 이의 제기국들의 입장 |
|---|---|
| O GATT의 운영은 지금까지 체약국간의 합의가 기본적으로 존중되어 왔으므로 '97까지 제소를 자제하겠다는 합의사항을 지켜져야 함 | O BOP문제는 '89.10 18조B항 졸업과 동시에 끝난 문제이며,BOP품목에 대한 수량규제근거는 없음 |
| O 한국은 18조B항 졸업시 약속사항을 성실히 이행하고 있음 | O '97까지 단계적 자유화를 허용한 것은 단순한 양해사항일 뿐이며, BOP조항 졸업을 단계적으로 하는 것은 아님 |
| O UR은 GATT의 새로운 체제인바 이데 따르는 것이 GATT의 기본정신에 합치한다고 봄 | O 따라서, BOP품목은 관세화대상이 아니며 기본관세로 자유화 해야 함 |

- 8 -

---
### 검토 및 대책
---

O 현시점까지 자유화되지 않은 품목은 잔존수입제한 품목으로 보는 것이 타당

  - 선진국도 BOP를 졸업해도 장기간 잔존수입제한 품목을 유지해 왔으며, 이러한 잔존

    수입제한 품목은 현재 관세화 대상임(예:일본의 수입제한 농산물)

O 따라서, UR협상타결시점에서 자유화되지 않은 품목을 관세화한다는 우리의 입장대로

  국별이행계획서의 관세화 계획에 포함하고 구체적 협상대책은 별도 준비

※ 만약의 경우 현행관세로 자유화 하더라도 비양허품목의 경우 관세조정은 체약국의 권리

  이므로 자유화 하더라도 관세을 대폭 올릴 수 있으며, 자유화가 어려운 양허품목에 대해

  서는(예:쇠고기) 양허재협상을 하는 방법도 검토할 필요가 있음

다. 개도국우대 적용

  O 우리의 경우 상대적으로 낙후된 농업현실을 감안할때 개도국우대를 100%확보하는 것이

    필요함

  ⇒ 개도국우대 100% 적용원칙아래 국별이행계획서 작성

라. 최소시장접근 허용

  O 현행관세로 최소시장접근을 허용할 경우 국내시장 유통에 혼란초래가 예상됨

  ⇒ 쌀이외의 품목에 대해 최소시장접근을 허용하더라도 수입창구를 일원화하여 국내유통 및

    가격안정을 해치지 않도록 하는 방안 강구

기2423

- 9 -

0026

5. 향후추진과제 및 일정

   가. 향후 추진과제

      ○ 1,2월중 시장접근 양허협상에 대한 우리입장 통보(외무부)

      ○ 협정초안 수정협상·적극참여

      ○ 주요국동향 파악

         - 주요국 협상담당자들과 실무접촉

      ○ NTC 15개품목 대책관련 농민단체와 협의

      ○ BOP품목에 대한 협상대책 준비

      ○ 국별이행계획서 작성시 2-3개 대안 준비

   나. 국별이행계획서 작업일정

      ○ 1. 22 : 국별이행계획서 작업지침 시달(농업협력통상관실)

      ○ 1.23-30 : 자료취합 및 점검(해당 국과)

      ○ 2.1-2.10 : 1차시안 완성(해당 국과, 농업협력통상관실)

      ○ 2.11-2.15 : 2차시안 작성(해당 국과, 농업협력통상관실)

         - 1차시안에 대한 검토 및 수정

   ※ 최종안 확정 및 GATT 사무국 제출시기는 각국동향 및 협상동향을 감안하여 결정

- 10 -

0027

Ⅱ. 협정초안 수정협상 대책

1. 배경 및 현황

    O 1.13 TNC회의에서 던켈총장이 제시한 네가지 협상전략중 협정초안의 수정보완(Fine tuning) 가능성을 제시하였음

    O 현재까지 구체적 협상일정은 제시치 않고 있으며,

       - EC가 가장 강력하게 수정필요성을 강조하고 있고, 예외없는 관세화에 반대하는 국가들도 동조하고 있음

       - 미국의 국내에서는 수정해야 한다는 의견이 많이 있으나 USTR은 명백한 태도를 밝히지 않고 있음

    ※ 수정에 찬성하는 국가

       - EC

       - 한국, 일본, 캐나다, 멕시코, 스위스, 이스라엘등 예외없관 관세화에 반대하는 국가

       - 일부개도국(초안수정의 참여 및 초안수정의 공개성 확보 주장)

    ※ 수정에 반대하는 국가 : 케언즈그룹 국가


2. 향후 조치계획

    O 협정초안 수정협상에 적극 참여

    O 우리의 기본입장에 입각한 협상지침 훈령 조치

3. 향후 중점반영 필요사항

〈 참 고 〉

　　A : 아국입장이 반드시 반영되어야 할 분야
　　B : 향후 협상과정에서 중점대처해야 할 분야
　　C : 협상동향을 보아 탄력적으로 대응 가능한 분야

## 시장개방 분야

O 관세화예외 인정(식량안보 및 11조2C) (A)

O 쌀에 대한 최소시장접근 예외 (A)

O 전품목 관세 및 TE양허 (B)

O 최근년도를 기준년도로 사용 (A)

O 최소시장접근에 대한 개도국우대 (A)

O 관세 및 관세상당치 감축에 있어서 R/O (C)

O 특별긴급피해구제제도시 물량규제 허용 및 TE인상폭 확대 (C)

## 국내보조

O 쌀에 대한 보조금은 감축대상에서 제외 (B)

O 최근년도를 기준년도로 사용 (A)

O AMS중 시장가격지지는 재정지출로 계산 (B)

O 생산조정효과 인정 (C)

## 수출보조

O 감축대상정책 확대 (B)

O 감축폭 확대 (B)

O 수출보조대상품목 확대 및 세분화 (C)

O 매년 균등한 비율로 감축 (C)

O Cease-Fire 조항 강화 (C)

O 우회수출보조의 엄밀한 규제 (C)


## 개도국 우대

O 개도국 차등분류 배제 (A)

O 개도국은 최근년도를 기준년도로 사용 (A)

O 이행기간, 감축폭의 완화 (B)

  - 이행기간은 선진국의 2배

  - 감축폭은 선진국의 1/2

O 품목특정적 투자보조 허용 (C)

# UR協商 關聯對策(案)

────────〈 檢 討 課 題 〉────────

Ⅰ. 向後 主要協商日程關聯 對應課題

Ⅱ. 向後 追加協商課題(案)

Ⅲ. UR/海運서비스 事務局 提案關聯 對應

經 濟 企 劃 院
對外經濟調整室

0031

# Ⅰ. 向後 主要協商日程關聯 對應課題

① '92.1.5 韓 · 美 頂上會談 關聯對策

  - '91.12.26 靑瓦臺 報告資料를 중심으로 대응
  - 長官 個別面談資料는 별도작성중


② '92.1.13 TNC會議 대책

  - 1월초 各國의 動向을 파악하여 우리의 최종입장을 정리하되
    기본적으로 다음방향으로 대응

    ○ 農産物分野에서 例外없는 關稅化原則과 기준년도 등에
      異見이 있음을 명백히 표명

    ○ 餘他 協商議題에 있어서 우리가 再論이 필요하다고 판단
      되는 사항을 개진

    ○ 이러한 문제들이 最終協商段階에서 균형있게 반영된다면
      韓國으로서는 현재의 협상문서를 기초로 한 協商妥結에
      적극 협조할 것임을 표명

  - 그러나 美國 · EC가 1.13이전 합의를 도출하거나 餘他國에
    責任轉稼를 하고자 하는 경우등에 대비한 별도 대응방안 준비

    ○ 農産物分野의 「例外없는 關稅化原則」 반대국가들과의 공동
      대응방안 강구

    ○ 우리의 立場이 전체협상의 진전에 障碍要因이 되지 않도록
      할 수 있는 伸縮性있는 代案 개발

  - 上記方案을 중심으로 具體案 마련('92.1.7 實務委) 對外協力
    委員會에 상정


③ 市場接近, 서비스 讓許協商 대안마련 추진

  - 市場接近分野의 경우 관세인하 및 비관세조치 양허와 관련
    수정 IRP의 작성등 關係部處와 함께 共同對應 필요

  - 서비스 讓許協商 대안관련 修正讓許表 作成(1월말 예정),
    주요국에 대한 추가 Request 작성등 추진중

  - 市場接近, 서비스分野에 대한 종합적인 양허협상 대안마련
    UR對策 實務委員會 上程(1월중순)

0032

# II. 向後 追加協商課題(案)

◇ 앞으로 追加的인 協商이 가능할 경우 반영이 필요한 사항과 여타 분야에서의 立場強化를 위하여 입장견지가 필요한 사항을 선정

◇ 同 課題에 대해서는 우리의 입장을 보다 명료하고 합리적으로 주장할 수 있는 論理를 추가 개발·대응

## 〈 農産物 〉

- 基礎食糧으로써 국가별 민감품목에 대한 關稅化 例外認定 (쌀에 대해서는 最小市場接近保障 제외)
- 開發途上國에 대해서는 關稅減縮 및 國內補助減縮에 있어 기준년도를 최근년도 적용
- 韓國에 대한 開發途上國(最小市場接近 포함) 인정

## 〈 規範制定 〉

- 構造調整關聯 補助金의 허용보조 인정
- 상계조치 제소의 恣意的 運用防止를 위한 제도적장치 반영
- 일정기준이하의 덤핑마진율 및 市場占有率에 대한 덤핑조사 종결기준의 上向調整(덤핑마진율 2% → "x"%, 시장점유율 개별국 1% → "x"%)
- 緊急輸入制限措置에 있어 Quota Modulation의 완전폐지

## 〈 其他 提起可能事項 〉

- 市場接近分野에서 關稅引下, 關稅無稅化 및 關稅調和, 非關稅措置讓許의 균형있는 책임분담
- 서비스分野에서는 MFN逸脫의 最小化 및 讓許協商의 균형 확보
- 其他 反덤핑, 金融附屬書, 知的財産權 협상에서 美國등이 현재의 協定文案에서 자국의 이익을 추가 반영코자 할 경우 이에 대한 대응방안 마련 대비
- * 上記課題를 감안하여 具體的인 課題選定 및 對應論理를 開發 '92.1.6까지 최종안 제출

0033

# Ⅲ. UR/海運서비스關聯 事務局 提案關聯 對應

< 經緯 >

- 海運附屬書가 美國, 北歐 및 餘他國家들과 합의를 이루지
  못함에 따라 GATT 事務局에서 代案提示('91.12.15)

- 事務局案의 主要內容

  ① 海運서비스 自由化는 서비스협정 발효이후 일정기간경과후
     履行(예: 10년)

     ㅇ 國際海運規制事項의 현수준동결 및 10년내 철폐
        · 貨物分割 및 一方的 貨物留保措置 10년내 철폐
        · 國際海運航路 협정발효 5년후 자유화

     ㅇ 海運補助서비스에 대한 規制凍結 및 10년내 점직적 철폐

     ㅇ 협정발효 5년후 항만서비스에 대한 合理的, 非差別的
        接近保障등

  ② 個別國家의 MFN逸脫은 自由化 約束履行과 동일한 기간으로
     허용

< 對應方案 >

- 海運서비스分野에 있어 我國政府의 基本立場은 다음과 같음.

  ㅇ MFN原則은 다자화 규범의 초석으로 自由化約束에 대한
     협상에 앞서 우선적으로 적용

  ㅇ 海運補助서비스에 대해서는 현존규제동결 및 점진적 철폐

  ㅇ 港灣施設에 대해서는 즉각적인 접근 및 사용보장

- 금번 事務局이 제안한 단계적인 海運分野 自由化約束과 MFN
  原則 적용상의 猶豫期間認定은 아국의 기본입장보다 보수적
  이기 때문에 기본적으로 이를 받아들일 수는 없음.

- 다만, 앞으로의 協商에서 여타서비스와의 협상연계등을 고려
  하여 事務局案을 검토할 용의가 있다는 방향으로 대처하고
  세부적인 검토결과는 앞으로의 附屬書 協議過程에서 제시할
  것임을 표명

0034

報 告 畢

# 長 官 報 告 事 項

1992. 1. 22.
通 商 局
通 商 機 構 課 (5)

題 目 : UR 對策 實務委 會議 結果

1. 會議日時 및 參席者

   o 9Y.1.21(火) 15:00-18:00, 經濟企劃院, 外務部(通商局 審議官), 農林水産部等

   關係部處 局長等 參席

2. 會議 結果

   가. 市場接近 分野 協商 對策

   o 1.28-2.6 集中的 協商에 財務部 商工部 本部代表 派遣

   -~~農産物 分野는 現地 農務官 參席~~

   o 今番 日 總理 訪韓時 日側이 UR 協商에서 考慮키로 한 對日 16個

   關稅 引下 要請 品目에 대하여는 韓.日 兩者協議時 積極 擧論

   나. 農産物 分野 協商 對策

   o 讓許計劃은 各國 提出 動向等을 감안하여 3.1 이전 提出하되, 旣存

   立場에 따라 作成 (통일러 계획 계출이전에는 농산은 향허 협상 추진(보완))

   - 쌀에 대한 關稅化 및 最小 市場接近 例外

   - 減縮 基準년도는 最近 年度를 使用

   - 開途國 優待 適用 (최소시장접근, ~~성장박노는~~ ceiling binding 기초등)

   o 下記 重要事項은 關聯部處別로 檢討, 追後 協議

   - (我國과 立場이 비슷한 國家들과의 共同補助 强化 方案 등)

   - Tracking 에 대비한 協商 대책

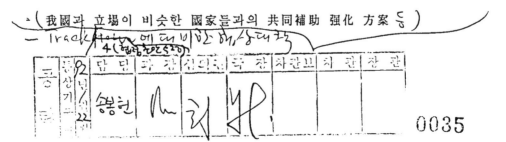

0035

- 關稅化 對象에서 除外될 쌀이외의 食糧安保 品目, 갓트 11조 2항 C
  對象品目 決定 問題
- 對外協力委員會 開催等 對內 政策 決定 日程

다. 國內 弘報 對策

ㅇ 經濟企劃院 主管으로 全體 UR 協商 動向에 대한 對言論 定例 briefing
  問題(外務部 提起)等은 各 部處別로 檢討, 追後 協議

3. 外務部 措置事項

ㅇ 市場接近 分野 韓.日 兩者協議에 對備, 駐 제네바 大使 statement 準備
  및 訓令 措置

- 韓.日 頂上會談 結果等을 감안, 積極 對處

ㅇ 1.23 以後 進行될 協定 草案에 대한 法的 整備 作業 推進 日程 把握

4. 言論 및 國會對策 : 別途 措置 不要.　　　　　　　　　　끝.

# 長官報告事項

報告畢

1992. 1. 22.
通商局
通商機構課(5)

題目 : UR 對策 實務委 會議 結果

1. 會議日時 및 參席者

   ○ 91.1.21(火) 15:00-18:00, 經濟企劃院, 外務部(通商局 審議官), 農林水産部等

   關係部處 局長等 參席

2. 會議 結果

   가. 市場接近 分野 協商 對策

   ○ 1.28-2.6 集中的 協商에 財務部, 農水産部, 商工部 本部代表 派遣

   ○ 今番 日 總理 訪韓時 日側이 UR 協商에서 考慮키로 한 對日 16個

   關稅 引下 要請 品目에 대하여는 韓.日 兩者協議時 積極 擧論

   나. 農産物 分野 協商 對策

   ○ 讓許計劃은 各國 提出 動向等을 감안하여 3.1 이전 提出하되, 旣存

   立場에 따라 作成(同 讓許計劃 提出以前에는 農産物 讓許 協商 推進 困難)

   - 쌀에 대한 關稅化 및 最小 市場接近 例外

   - 減縮 基準년도는 最近 年度를 使用

   - 開途國 優待 適用等 (最小 市場接近, ceiling binding에도 適用)

   ○ 下記 重要事項은 關聯部處別로 檢討, 追後 協議

   - Track 4 (協定 草案 修正)에 對備한 協商 對策

   (我國과 立場이 비슷한 國家들과의 共同補助 强化 方案等)

0037

- 關稅化 對象에서 除外될 쌀이외의 基礎食糧 品目, 갓트 11조 2항 C
  對象品目 決定 問題
- 對外協力委員會 開催等 對內 政策 決定 日程

다.  國內 弘報 對策

   ○ 經濟企劃院 主管으로 全體 UR 協商 動向에 대한 對言論 定例 briefing
   問題(外務部 提起)等은 各 部處別로 檢討, 追後 協議


3.  外務部 措置事項

   ○ 市場接近 分野 韓.日 兩者協議에 對備, 駐 제네바 大使 statement 準備
   및 訓令 措置
   - 韓.日 頂上會談 結果等을 감안, 積極 對處
   ○ 1.23 以後 進行될 協定 草案에 대한 法的 整備 作業 推進 日程 把握


4.  言論 및 國會對策 : 別途 措置 不要.                   끝.


0038

# 경 제 기 획 원

우 427-760 / 경기도 과천시 중앙동1 정부제2청사 / 전화 503-9149 / 전송 503-9141

문서번호 통조삼 10502-18

시행일자 1992. 1. 20

(경유)

수신 수신처참조

참조

| 선결 | | | 지시 | |
|---|---|---|---|---|
| 접수 | 일자<br>시간 | 92. 1. 20 | 결재·공람 | |
| | 번호 | 2288 | | |
| | 처리과 | | | |
| | 담당자 | | | |

제목  UR대책 실무위원회 개최

        1월 27일 주간에 있을 UR서비스 양허협상 및 앞으로의 서비스협상대책을 논의하기
위한 UR대책 실무위원회를 다음과 같이 개최코자 하니 이번회의의 중요성에 비추어
반드시 위원들께서 직접 참석하여 주시기 바랍니다.

                         - 다         음 -

가. 일    시 : '92. 1.23(목), 15:00~17:00
나. 장    소 : 경제기획원 대회의실
다. 참석범위 : (별첨참조)
라. 의    제 : ① 1월 27일 주간의 서비스 양허협상 추진대책
              ② 수정 Offer List 제출계획
              ③ 추가 Request List 제출계획

별첨 : 참석

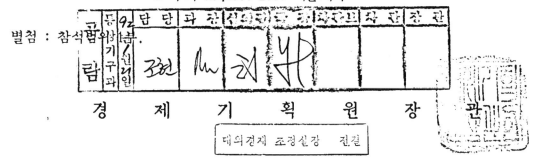

# 경  제  기  획  원  장

대외경제 조정실장 전결

수신처 : 외무부장관, 재무부장관, 법무부장관, 건설부장관, 보사부장관, 노동부장관,
         교통부장관, 과기처장관, 환경처장관, 대외경제정책연구원장, 한국개발연구원장

0039

( 別添 )

## 參 席 範 圍

| 所 屬 | 職 責 |
|---|---|
| 經濟企劃院 | 대외경제조정실장<br>제2협력관 |
| 外 務 部 | 통상국장 |
| 財 務 部 | 국제금융국장 |
| 法 務 部 | 국제법무심의관 |
| 建 設 部 | 건설경제국장 |
| 保 社 部 | 의정국장 |
| 勞 動 部 | 직업안정국장 |
| 交 通 部 | 수송정책국장 |
| 科 技 處 | 기술협력국장 |
| 環 境 處 | 조정평가실장 |
| KIEP | 박태호, 성극제 연구위원 |
| KDI | 김지홍 연구위원 |

0040

# 경 제 기 획 원

우 427-760  /  경기도 과천시 중앙동1 정부제2청사  /  전화 503-9149  /  전송 503-9141

문서번호  봉조삼 10502-24

시행일자  1992. 1. 24

(경유)

수신  수신처참조

참조

| 선결 | | | 지시 | | |
|---|---|---|---|---|---|
| 접수 | 일자시간 | 42.1.2 | 결재·공람 | | |
| | 번호 | 303 | | | |
| | 처리과 | | | | |
| | 담당자 | | | | |

제목  UR대책 실무위원회 개최결과 통보

　　　UR대책 실무위원회 개최('92.1.21)결과를 별첨과 같이 통보하니 결정사항의
이행에 만전을 기해 주시기 바랍니다.


첨부 : UR대책 실무위원회 개최결과 1부.　　끝.


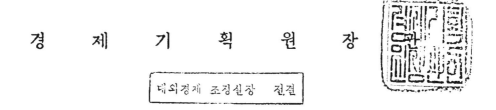

경 제 기 획 원 장

수신처 : 외무부장관(통상국장), 재무부장관(관세국장), 농림수산부장관(농업협력
　　　　통상관), 상공부장관(국제협력관), 특허청장(기획관리관)


0041

# UR對策 實務委員會 開催

## Ⅰ. 會議槪要

- 日時(場所) : '92. 1. 21(火), 15:00～18:00
  (經濟企劃院 小會議室)

- 參 席 : 經濟企劃院 對外經濟調整室長
      〃      第2協力官
    外 務 部  通商審議官
    財 務 部  關稅局長
    農林水産部 農業協力通商官
    商 工 部  國際協力擔當官
    特 許 廳  國際協力官

- 會議案件

  ① 최근의 UR協商動向點檢 및 向後主要課題(經濟企劃院)
  ② 市場接近 協商對策(財務部)
  ③ 農産物 協商對策(農林水産部)

## Ⅱ. 會議結果

〈 主要決定事項 〉

① 최근의 UR協商動向點檢 및 向後主要課題

  - TNC會議에서 제시된 향후 협상추진방식과 관련한 協商
    推進體制 整備問題에 대해서는 원칙적으로 기존추진
    체제를 중심으로 대응하되, 협상추이에 따라 신축적으로
    대응토록 함.

    ㅇ 다만, 法制化 作業推進分野는 주제네바 대표부를
      중심으로 대처하되 向後作業日程이 제시될 경우
      知的財産權, 農産物등 분야에서는 本部代表를 파견

0042

· 특히 앞으로 法制化作業 推進日程 및 同 作業參與
  可能性, 제네바 대표부와 본부와의 연계작업등에
  대하여 상세한 정보를 파악토록 제네바 代表部에
  훈령조치(外務部)

ㅇ 마지막 절충작업 추진과정에서의 우리입장반영이
  필요한 과제 및 추진방법에 관해서는 追加的인 檢討
  를 거쳐 추후협의 결정


② 市場接近

- 市場接近分野 協商計劃은 기본적으로 재무부안에 따라
  대응하되

  ㅇ 非關稅 讓許範圍와 관련하여 상공부가 제시한 수용
    가능한 분야는 원칙적으로 讓許토록 함.(필요시
    關係部處 협의)

- 市場接近 讓許協商 推進體系와 관련 당분간 기획원,
  상공부, 농림수산부등 관계부처 참여하에 현재대로
  재무부를 중심으로 대처하되 農産物이 본격 논의되는
  단계에서의 協商體制는 상황을 보아 추가 논의토록 함.


③ 農産物分野

- 農水産部는 우리의 입장을 보다 명확히하기 위하여
  既存立場에 따라 國別履行計劃書를 作成하되 시한내에
  제출할 수 있도록 조기에 작성추진

- 이번 市場接近 讓許協商에서 우리의 농산물협상에 대한
  입장은 農林水産部案대로 훈령조치하여 대응토록 함.

  ㅇ 협정초안의 수정, 보완이 선결되어야 國別履行計劃書
    作成이 가능함.

  ㅇ 國別履行計劃書가 없는 상태에서 農産物 兩者協商은
    무의미함.

  ㅇ 國別履行計劃書는 향후이행을 위한 약속이므로 신중
    을 기해야 하고 국내적으로 의견수렴 및 합의절차가
    필요하므로 상당한 시간이 소요됨.

0043

- 다음사항에 대해서는 농수산부등 關係部處는 豫想效果를 보다 면밀히 검토후 별도협의를 거쳐 결정

  ① 美國, 日本, EC등 주요국과의 실질적인 절충을 위한 구체적인 협의추진계획

  ② 關稅化 例外認定主張 對象品目 결정(GATT규정 11조 2C관련 포함)

  ③ 國別履行計劃書 제출과 관련한 정부정책 결정시기 및 절차문제

④ 其他

- 市場接近議定書 署名時限 및 UR全體協商 Package 署名 時限등은 국내추진일정과 관련 매우 중요한 의미를 갖고 있는 바, 상세 검토하여 그 結果를 별도 논의토록 함. (經濟企劃院, 外務部)

0044

# 외    무    부

110-760  서울 종로구 세종로 77번지    /  (02)720-2188    /  (02)725-1737 (FAX)

문서번호  통기 20644-3ⱽ
시행일자  1992. 1.30. **04876)**

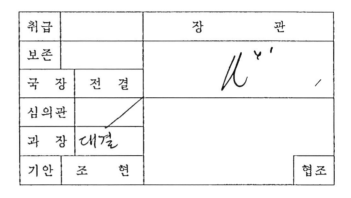

| 취급 | | 장          관 |
|---|---|---|
| 보존 | | |
| 국장 | 전결 | |
| 심의관 | | |
| 과장 | 대결 | |
| 기안 | 조  현 | 협조 |

수신  주 제네바 대사
참조

제목   UR 대책 실무위원회 회의 결과

　　　1992.1.23(토) 개최된 UR 대책 실무위원회 회의 결과(UR/서비스 협상 관련)를
별첨 송부하니 관련업무에 참고하시기 바랍니다.

첨  부 : 상기 회의 결과 보고서 1부.      끝

　　　　　　외  무  부  장  관

0045

고 (2과 3과 통보)

# 경 제 기 획 원

우 427-760 / 경기도 과천시 중앙동1 정부제2청사 / 전화 503-9149 / 전송 503-9141

문서번호 통조삼 10502-26
시행일자 1992. 1. 27
(경유)
수신 수신처참조
참조

| 선결 | | | 지시 | | |
|---|---|---|---|---|---|
| 접수 | 일자 시간 | 92. 1. 29 : | 결재·공람 | | |
| | 번호 | 3445 | | | |
| 처리과 | | | | | |
| 담당자 | | | | | |

제목 UR대책 실무위원회 결과통보

UR대책 실무위원회(1.23) 결과를 별첨과 같이 통보하니 결정사항의 이행에 만전을 기해 주기 바랍니다.

첨 부 : UR대책 실무위원회 결과 1부. 끝.

경 제 기 획 원 장

대외경제 조정실장 전결

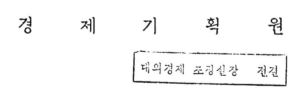

수신처 : 외무부장관, 재무부장관, 법무부장관, 건설부장관, 보사부장관, 상공부장관, 노동부장관, 환경처장관, 교통부장관, 과기처장관, 해운항만청장, 대외경제정책연구원장, 한국개발연구원장

0046

# UR對策 實務委員會 結果

I. 會議槪要

- 日　時 : '92. 1.23(木), 15:00~17:30

- 場　所 : 經濟企劃院 大會議室

- 參席者
  - ○ 經濟企劃院　對外經濟調整室長(會議主宰), 第2協力官
  - ○ 外　務　部　通商機構課長
  - ○ 財　務　部　國際金融課長
  - ○ 法　務　部　國際法務審議官室 擔當檢事
  - ○ 商　工　部　國際協力擔當官
  - ○ 建　設　部　海外協力課長
  - ○ 保　社　部　醫療政策課長
  - ○ 勞　動　部　職業安定局長
  - ○ 交　通　部　國際協力課長
  - ○ 科　技　處　技術用役開發課長
  - ○ 環　境　處　政策審議官
  - ○ 海運港灣廳　運航課長
  - ○ KIEP　박태호, 성극제 研究委員
  - ○ KDI　김지홍 研究委員

- 會議案件

  1. UR/서비스協商 關聯對策
     ① 讓許協商對策
     ② 修正 Offer 提出對策

  2. 相對國에 대한 追加 Request 事項

0047

II. 主要決定事項

1. UR/서비스協商 關聯對策

① 協商代表團 構成

- 1월 27일 주간 讓許協商에는 경제기획원 제2협력관을 수석대표로 재무부, 법무부관계관 및 KIEP, KDI전문가로 구성하여 對處토록 함.

② 協商代案關聯

- 다음사항을 제외하고는 UR/서비스 協商關聯對策(經濟企劃院)을 중심으로 向後協商에 대처토록 함.

  ○ 公認會計士의 略式試驗節次를 수정 Offer에서 삭제할 것인지 여부에 대해서는 經濟企劃院과 財務部가 별도 협의하여 결정

  ○ EC가 주장하는 單獨代表者(Sole representative)가 우리가 약속할 예정으로 있는 서비스 販賣者(Service seller)의 범주에 포함되는지 여부를 구체적으로 확인한 후 이에 포함될 경우 人力移動 許容範圍에 포함.

  ○ 선박폐기물(폐유) 처리업은 산업폐기물 처리업에 포함되는 것으로 간주하여 대응

- 協商代案을 제시하는 시기에 대해서는 앞으로의 協商 動向을 파악하여 首席代表(經濟企劃院 第2協力官)가 신축성있게 대처토록 함.

0048

## 2. 修正 Offer 提出對策

- UR/서비스協商 關聯對策(經濟企劃院)을 중심으로 추진토록
  함.

- 특히 各部處는 2.1까지 기일 엄수하여 분야별 수정 Offer
  초안(해당부처에게 既送付)에 대한 검토의견 및 분야별
  수정 Offer의 영문을 EPB에 송부토록 함.


## 3. 相對國에 대한 追加 Request List 事項

- 同 報告案件을 중심으로 Request를 작성 금번 兩者協商中
  關係國에 제시토록 함.

- 추가 Request List에 所管事項이 포함된 부처는 추가적인
  요구논리를 國·英文으로 1월 24일(金)까지 제출토록 함.

'소득은 정당하게, 소비는 알뜰하게'

# 주 인 도 대 사 관

1992.1.31.

인도(경) 20354- 97

수신 : 외무부장관

참조 : 통상국장

제목 : UR협상 동향


연호 보고서를 별첨 송부합니다.



첨부 : 던켈협정안의 각 분야별 인도에 대한 긍정적 측면과 부정적 측면. 끝.

주 인 도 대 사

| 선 결 | | | 결<br>재<br>(공란) | | |
|---|---|---|---|---|---|
| 접수일시 1992. 2. 11 | | | | | |
| 처리 08509 | | | | | |

0050

# 각 분야별 의도에 대한 장단점

| 분야 | 긍정적 측면 | 부정적 측면 |
|---|---|---|
| 1. 시장접근 | o UR협상 실패는 다자주의보다 양자주의에 더욱 의존케 함으로서 인도같은 개도국은 세계시장에서 발판을 얻을 수 있는 기회를 위협할 것임.<br><br>o 시장접근에 있어 과거 선진국이 취해온 강경입장이 많이 탈피되어, 보다 많은 조항이 개방적이게 되 우여함.<br><br>o 수입수량 제한에 있어 제한할 것이 아 "가능한 조속히"해제 시기를 명료해야 하는데 "가능한 조속히"단는 규정 해석이 각국의 공복성을 부여하고 있다는 점.<br><br>o 개도국이 서로 다른 상품에 대해 서로 다른 관세율의 있는 권리를 갖고 있는데 이것이 개도국의 관수품이 아니 산품의 과다 수입 막을수 없고 인도와 같은 개도국 일시적서는 비재의 수입대신 자본재나 중간재의 수입촉진이 가능하다는 점. | o 인도는 관세율의 저부적 30% 이하를 Offer 하였으나 인도가 관심을 갖고 있는 특정품목에 대해 특별대우를 받는데는 실패하였음. |
| 2. 섬유 | | o 인도의 가장 관심있는 분야는 MFA이바, 예정방안은 2003 년까지 MFA를 서서히 촬영시키다는 것임. 그러나 2000년이 되어야 겨우 MFA가 촬영폐기 시작한다는 맹힐 수 있으므로 섬유와 Coithing분야에서의 인도의 시장 접근은 끝마추슬마련 것임. |

| 분야 | 긍 정 적 측 면 | 부 정 적 측 면 |
|---|---|---|
| 3. 농산물 | ○ 농산물분야 Part A 8항에서 개도국에 대한 특별대우를 규정하고 있는데, 특히 최빈국과 식량수입 개도국에서 최소한의 현실적인 면제규정이 있음.<br><br>○ Part B에는 시장접근, 국내지원 및 수출 보조금에서 감축하는 그 개도국에 있어서 14항에서 20항까지가 개도국의 특별조치 대우를 규정하고 있음.<br>- 개개 농산물 생산총액의 1%까지 정부에서 지원하는 경우 감축의무가 없음.<br>- 저소득 국가에게 농업에 제공되는 보조금 및 input 보조금을 약속에서 제외함. 그러나 기본면제가 부여되는 지역에 대한 기준이 정확해져 있는데 이것이 개도국의 부자농민에게는 혜택을 받지 못할 것임.<br><br>○ 17항에서 시장접근, 국내지원 및 수출 보조에 관한 특별한 개도국의 필요(needs)와 조건을 충분히 고려할 것을 규정하고 있음.<br><br>○ 20항에서는 1999년까지 개도국은 약속을 준수하기만 하면 되고 약속에 대해 이부와 완화하지 않아도 됨.<br>- 농산물 수출 마아케팅, 핸들링, upgrading 및 통합정치 등에 소요되는 경비를 줄이기 위해 제공하는 각종보조금.<br>- 수출수지에 대한 국내 운송비 및 화물비<br>- 국제수지 문제가 있는 개도국(인도)은 농산물 수입에 대한 비관세의 관세화에서 제외시킬수 있다만 이것은 부작농산물 수입을 규제할 수 있음.<br><br>○ 농산물의 수입에 따른 심각한 농산물 국내시장 질서교란시 부과할 수 있는 특별세이프가아드 규정으로 될 수 있음. | ○ 이는 농업개발 장래를 잠식하는 농산물에 대한 가격지지를 낮추고 Buffer Stocks를 유지하려는 정부의 능력을 제약할 것임.<br><br>○ 사식생산 보급을 위해서 비료와 기타 inputs에 대한 보조금을 정폐하려게 할 것임.<br><br>○ 비료 및 기타 inputs에 대한 보조금 정폐하게 될 것임.<br><br>○ 농업기술을 낮게 유지하여 농가가 능가하여야 할 것임.<br><br>○ 현행 인도의 수입독점 판매체제의 유지가 능하하여야 할 것임.<br><br>○ 인도가 농산물 수입국으로 시장을 개방해야 할 대응인데 농산물 수입대우를 규정하고 있다는 것임.<br><br>○ 정부는 농업분야에서 최빈개도국에 대당되는 것임.<br><br>○ 명시하지만 이것은 최소한에 해당되는 것임. |

| 항목 | 잠정적 초안 | 잠정적 초안 부 |
|---|---|---|
| 4. 규범제정<br>가. 관세화 | ○ 보완개도국은 관세에 대한 ceiling binding을 할수 있는 facility가 주어졌는 바, 이것은 개도국의 자유롭게 수입을 통제할수 있다는 것을 의미함.<br><br>○ 33항이 제일 중요하다고 평가하는 바, 개도국이 있는 현실상의 의무로부터 전적이는 부분적이 있는 특별기가 범위내에서 한정히 맺제될 수 있다고 규정하고 있음. 이것은 개도국이 급부상, 무역상, 개발상의 고려를 할수 있다는 것을 의미함. | |
| 나. 보조금<br>상계관세 | ○ 국내시장이 너무 적을 경우 제3국 판매가격이 기준이 되는 점<br>- 국내시장에서의 판매액이 덤핑을 제소하는 국가에 대한 판매액의 5%이하이 경우에는 덤핑을 제소할 수 없음.<br><br>○ 보복 덤핑을 제소하는 여러 국가로 부터의 덤핑가격의 수입이 수입국에서 속시 산출수입의 1%이하의 경우에는 속시 산출됨. 그러나 덤핑국가로 부터의 덤핑 수입총액이 2.5%의 경우에는 반덤핑 조사는 계속됨. 이점안 개도국에 다소 유리하다 것으로 보임.<br><br>○ Part 2의 3항에서 금지된 보조금을 규정하고 있으나 Part 8의 27.2항에서는 개도국에 대한 특별의무 면제를 규정하고 있음. 속 3.1(a)항은 자국에 적용되지 않는다 선언하는 것으로 중요함.<br>- 그러나 최빈국과 개도국 사이에 차이는 있음<br><br>○ 아도는 개도로서 27.2항은 8년간만 적용됨 | |

| 관 항 | 규 정 적 측 면 | 부 정 적 측 면 |
|---|---|---|
| 다. 세이프 가드 | o 일국 또는 몇개국가 group의 수입에 대해 선별적 세이프가드 발동은 불가능함. 이것은 선별적 무역제재를 자유로이 하였던 일부 선진국을 보호할 수 있을 것임.<br><br>o 세이프가드 발동기간이 개도국의 경우 8년 에서 10년으로 여장<br><br>o 또한 14항에서 개도국이 특정상품에 대해 세이프가드 발동한 경우, 동 발동한 내수 관련 재발동이 없으나, 개도국은 발동기간의 1/2만큼 재발동이 가능함. | o 세이프가드 19항은 한 개도국으로부터 특정 상품의 수입 점유율이 3%를 초과하지 않으면 기개도국에 대해 세이프가드를 발동할수가 없음. 그러나 개도국이 부터의 점유 상품은 세이프가드 발동으로서 부터의 점유 상품은 9%가 된다면 세이프가드는 발동할수 있음. 이것은 값은 개도국으로서는 불리한 즉면스러움. |
| 라. 무역관련 투자조치 | o 단 개발국은 수입수량 제한과 내국민 대우에 한정됨 본 세로운 의무로 조건도 없음. 외국내 부자자에 대한 무조건도 없음.<br><br>o 2항에서는 수입수량 제한지를 내국 민 대우하고 그 의무가 있으나. 4항에서는 개도국이 정정적으로 2항에서 이탈할 수 있다는 규정. 4항은 그 이탈의 범위와 방법을 제한하기 때문에 내국기업에 의존한다는 규정이 있음.<br><br>o TRIMs를 받아들이는 것이 상승을 가져온다나 단기적 수수의 국제적이 이득을 보다 이익이 이율은 가진 향상되어 외국 수수의 종대를 가져올 것임. | o 경제적 기술적 차립을 보사하는 것임.<br><br>- 5나내 모든 TRIMs정폐를 요구하고 있고, 본한 외국인 부자가에게 내국인과 동등한 대우를 제공한다는 것은 개도국에 대한 선진국의 지배를 의미.<br><br>- 국내외 내수, 부총, 경비, 수출 외화소득, 기술이전은 제조건의 정폐를 요구하는 것은 외국부자가들이 내내 부자가 보다 사싱상 다출은 대우를 의미.<br><br>- 외국자 부, 참여군 아들의 정폐는 경제적 주권의 훼손 임. |

| 분야 | 확정적 품목 | 불확정적 품목 |
|---|---|---|
| 5. 제도분야 | | ○ 다결정한은 cross-retaliation제를 인정하는데 이것은 미국의 special 301조 같은 규정을 합법화하려는 세계무역복화 시키는 것임. |
| 6. 지적재산권 | ○ 물질특허 과도기가 10년은 인도 산업계가 충분히 적응할 수 있는 기간임.<br>- 꽠수의 약품경우 95%가 특허없이 생산되고 있음. | ○ 특허보장기가 20년은 너무 길으며, 무역이나 제조업에 대한 세계 다자기업의 장기간 지배를 의미함.<br>○ 특허 독점권을 군민을 해야 하며 5년이내가 되어야 함.<br>○ 농업부문의 genes, plant varieties및 living organism은 특허의 인정 대상 개도국의 다양한 가격의 지적 대해 인구개발의 중단을 초래, 선진국의 개도국 농업지배 의미함.<br>- 개도국은 식량자급, 의약품 및 화학제품 등에 대한 특허제외.<br>○ 특허권을 무역 및 개발품을 통해 대하여 물질 특허하는 것은 보다 나은 선진과정을 통해 값싼 제품을 하는 것을 막는 것임. |
| 7. 서비스 | | ○ 다결정이 요구하는 기술의 수출이 아니라 이미 발의 입장에 포함되지 않았는 바, "technical service"와 "technical service"의 혜택이 수출하는 것이 차이점이 충분히 전의피되어야 함.<br>○ 단자가의 차이의 의해 의 차자가에 의해 기준함 마의 기피가 충분하지 않음.<br>- 단자가업에 의한 산업운하, 멀티 커뮤니케이션 미디아, 교통, 보험 등의 국가기반의 개방 군으로 개도국을 단자가업의 지배를 가져오며 개도국 위한 자유의 원동, 이의 존재 상품의 해외 진출 면에서 기업을 가져오는 것임. |

# 최근의 우루과이라운드(UR) 협상 동향 및 전망

　　1986.9월 출범하여 1990년말까지의 당초 협상 시한을 넘기면서 5년째 계속되고 있는 우루과이라운드(UR) 협상은, 91.12.20. 개최된 무역협상위원회(TNC)에서 의장인 던켈 갓트 사무총장이 최종 협정 초안을 제시하였고, 92.1.13 TNC에서 협상 참가국들이 이 최종 협정 초안을 기초로 마무리 협상을 추진키로 합의 함으로써, 막바지 단계에 돌입 하였습니다.

　　UR 협상의 성공적인 타결은 G-7 정상회담, 최근 부쉬대통령의 방한시에도 언급된바와 같이 세계경제의 최우선 과제가 되어 있으며 우리나라로서도 중.장기적인 수출진흥과 농산물 시장개방 문제와 관련하여 큰 관심의 대상이 되고 있는 바, UR 협상의 현황과 전망을 살펴보고 정부의 대책에 관하여 설명드리고자 합니다.

0056

1

## 협상 현황

o  91.2월 UR 협상이 재개된 이후, 협상 참가국들은 협상의 조기 타결을 위한 노력을 강화 하였으나, 농업보조금 감축 문제등 핵심쟁점에 대한 이견이 지속되었고, 걸프전쟁, 동구권의 개혁등 무역외적 요인이 부정적으로 작용하여 91년중반까지는 협상이 큰진전을 보지 못하였습니다.

o  91년 하반기부터 각 협상 참가국들은 91년말 협상 타결을 목표로 협상분야별로 협정초안을 작성하기위해 집중적인 협상을 진행 하였으며, 던켈 GATT 사무총장은 이를 기초로 협상의 조기 타결을 유도하기 위해 91.12.20 모든 협상 분야에 걸쳐 최종 협정 초안을 제시 하였습니다. 동 협정 초안은 많은 부분이 지난 5년간 각 분야별 협상에서 합의된 사항들을 포함하고 있으나 합의가 없었던 일부 주요쟁점에 대해서는 의장이 중재안을 제시하여 완전한 협정의 형태로 정리한 것입니다.

o  던켈 총장은 동 최종협정 초안 제시후 참가국에 2주간의 검토 시일을 제공 하였으며, 92.1.13에는 무역협상위원회(TNC)을 개최하여 네가지 접근방식 (Four-Track Approach)으로 마무리 협상을 진행하고 92.4월까지는 협상을 종결토록 한다는 일정을 제시하였고 이에 협상 참가국들이 합의 하였습니다.

o  이러한 마무리 협상 계획에 따라 지난 1.20부터 상품분야와 서비스 분야의 양허협상이 시작 되었으며 협정 초안의 법적 정비작업도 2월초부터 시작될 계획으로 있습니다.

0057

2

(금후 협상 일정)

○ 92.2월-3월 : 상품 및 서비스 분야에서 각국의 양허표(자유화 계획)를
　　　　　　　확정하기 위한 참가국간 양허협상 진행

○ 92.3.31 : 각국의 최종 양허표 제출

○ 92.4.15경 : UR 협상의 공식 종결을 위한 각료급 무역협상위원회를
　　　　　　　개최하여, 각 분야별 UR 협상 결과(최종의정서, 협정문
　　　　　　　및 시장개방 양허표)를 채택하고 이를 각국의 비준절차에
　　　　　　　회부

(협상 방식 : 아래의 4가지 접근 방식을 통해 마무리 협상 진행)

① 상품분야 양허협상
　- 각 참가국의 농산물, 공산품에 대한 관세인하와 비관세장벽 철폐 내용에
　　관해 관심국간 상호 양자교섭을 통해 교섭, 확정하는 양허협상 추진
　　(농산물의 경우에는 양허범위에 국내 및 수출보조금 감축 약속도 포함)

② 서비스 분야 양허협상
　- 각 참가국의 서비스 시장 자유화 계획에 관해 관심국간 상호 양자교섭을
　　통해 교섭, 확정하는 양허협상 추진

③ 협정 초안의 법적정비 작업
　- 각 협상 분야별로 상이한 용어를 일치시키는등 현 협정 초안에 대한 법적
　　정비작업

④ 협정 초안의 수정 작업
　- 협상 참가국들이 합의하는 경우 현 협정 초안중 일부 내용에 대한 수정 작업

0058

3

o 현재 UR 협상은 금년 4월중순 타결 목표하에 마무리 협상이 진행되고 있으나, 무엇보다도 농산물 분야에서의 미.EC간 입장 절충 여부에 따라 성패가 좌우될 것으로 예상됩니다.

o 미국은 농산물 분야에서 당초의 대폭적인 감축목표에는 미치지 못하나 '93년부터 '99년까지 국내보조금의 20%를 감축하고 수출보조금의 재정 지출 기준 36%, 물량기준 24%를 동시에 감축한다는 현 농산물 분야 협정 초안의 내용을 대체로 수용하는 입장인 반면, EC는 이 협정 초안을 받아들이는 경우 현재 연간 3,000만톤에 달하는 곡물 수출량을 2,000만톤으로 줄여야 하며, EC 공동농업 정책(CAP) 개혁안의 골격이 되고 있는 생산감축에 따른 보상 수단인 직접 소득 보조를 시행할 수 없게 되므로 도저히 협정 초안을 그대로 수용할 수 없다는 강한 입장을 보이고 있어 미국과의 막후 절충 협상이 난항을 거듭하고 있으며 타결 전망도 매우 불투명한 상태에 있습니다.

o 또한 협정 초안 수정 작업과 관련하여 한국, 일본, 스위스, 멕시코, 카나다등도 농산물 분야에서 예외없는 관세화에 대한 반대 입장을 분명히 하고 이의 수정을 요구하고 있습니다. 농산물 협정 초안외의 협상 분야에서도 미국 의회 청문회 과정에서 반덤핑 제소 요건이 강화된 점, 제약특허등 물질 특허보호 의무가 개도국의 경우 10년간 유예되는점, 금융등 서비스 시장 자유화 정도가 만족스럽지 못한 점등에 대한 관련업계의 반발로 이들 분야의 협정 초안 수정 요구가 제기되고 있습니다.

o 그러나 어느 한분야에서 수정 요구가 받아들여지면 여타분야에서의 수정 요구를 거부하기 어렵게 되므로 일단 수정이 시작되면 전체 협상 초안이 와해되고 협상이 결렬될 것을 우려한 던켈 총장은 4번째 접근 방식인 협정 초안 수정 작업은 다른 마무리 협상이 종료되고 난후에 일부 분야에 국한하여 시행 하겠다는 조심스런 입장을 취하고 있어서 이러한 협정 초안의 수정 여부와 폭이 향후 협상 타결의 큰 변수로 작용할 것으로 보입니다.

4

0059

o 또한 현재 제네바에서 시장접근과 서비스 분야의 양자간 양허협상이 활발히
   진행되고 있으나, 이 양허 교섭의 지침이 되는 협정 초안이 상기와 같이 아직
   합의되지 않은 상태라서 양자간 양허협상 과정에서 각국이 기존 입장을 고수할
   것이 예상되고 있어 양허협상이 원만히 진행될 수 있을지도 의문시 됩니다.
   UR 협상에 대한 평가는 협정 초안과 함께 양허협상을 통해 각 협상 참가국의
   실제 시장개방 약속 내용이 나와야만 가능함을 감안할때, 양허협상의 진척도
   UR 협상의 성패에 큰 영향을 미치게 될 것입니다.

o 그러나 이러한 협상의 어려움에도 불구하고 미국.EC를 포함 모든 협상 참가국들이
   UR 협상을 조속히 종결지어야 한다는 필요성에 공감하고 있으며, UR 협상이
   실패할 경우 협상 실패의 책임이 자국에 있다는 비난을 피하기 위해서도 남은
   협상 과정에 적극 참여하고 쟁점 해소를 위한 막후 교섭을 계속할 것으로
   예상됩니다. 그 과정에서 돌파구가 마련되면 UR 협상은 급진전 되어 계획대로
   4월중순 부활절 이전까지 모든 협상이 종결될 가능성도 있습니다.

o 이와관련 미국과 EC가 농산물 분야에서 타협점을 찾는 경우 미.EC간 합의된
   조항만을 수정하고 전체 협정 초안을 와해시키지 않기 위해 다른 분야는 현 협정
   초안 수정에 소극적인 자세를 보일 가능성도 예견되고 있습니다.

o 일단 4월중순까지 협상이 종결될 경우, 협상 결과를 확인하는 회의를 개최하고,
   그 결과의 수락을 위한 각국의 국내절차를 거쳐 93.1.1부터(그 이후 수락하는
   국가에 대해서는 수락하는 시점부터) UR 협상 결과가 발효하게 될 것으로
   예상됩니다.

5

## 우리의 대책

o 정부는 기본적으로 UR 협상의 성공적 타결이 전체적으로 보아 무역의존도가
  큰 우리나라의 국익에 도움이 된다는 판단하에 협상 타결을 위해 주요 협상
  분야에서 우리의 이익을 반영키 위해 노력하는 한편, 우리의 능력이 허용하는
  범위내에서 기여한다는 적극적 자세로 협상에 참가하여 왔습니다.

o 현재의 협정 초안을 검토하여 보면 관세인하, 비관세 조치의 완화, 섬유교역의
  자유화등은 우리의 수출 여건을 향상시킬 수 있을 것이며 지적재산권 보호, 무역
  관련 투자조치, 서비스등 새로운 분야는 그동안 우리가 꾸준히 추진해온
  국제화 및 개방 조치 결과 상대적으로 부담이 가벼운 반면, 장기적으로는
  이 분야에서 우리의 해외 진출 기회를 확보할 수 있을 것으로 평가됩니다.
  또한 반덤핑 규율의 강화, 수출자율 규제등 회색조치의 철폐, 선진국의 일방조치
  억제등 갓트체제와 기능의 강화는 우리의 무역이익 확보에 크게 도움이 될 것으로
  기대됩니다.

o 반면 농산물 분야에서 현 협정초안 대로 쌀을 포함하여 모든 품목을 관세화하고
  국내 소비량의 최소 3%의 수입을 허용해야 한다는 점등은 우리의 취약한 농업
  구조상 수용할 수 없는 내용인바, 앞으로 일부 조항에 국한시켜 진행하게될
  협정 초안 수정 작업 과정에서 기초식량에 대한 관세화와 최소 시장접근의
  예외를 확보하여야 하는 어려운 협상 과제를 안고 있습니다.

o 앞으로 정부는 농산물 협상에서 상기 우리의 핵심 관심사항이 협정 초안에
  반영될 수 있도록 남은 협상 과정에서 모든 협상력을 경주하고자 합니다.
  또한, 시장접근과 서비스 분야의 양허협상과 협정 초안의 법적 정비작업에도
  적극 참여하여 우리 입장 반영과 이익 확보를 위해 최선의 노력을 경주할
  계획입니다.

6

0061

# UR 협상 현황과 전망

## (외교지 기고문)

1992. 2. 6.
통상기구과

"쌀"은 금년도에도 북한의 "핵"과 함께 우리 외교의 핵심 단어가 될 것으로
보인다. 연초 방한한 부시 대통령도 쌀과 핵에 관한 언급을 빠뜨리지 않았다.
흥미로운 것은 쌀에 대해서는 체한기간중 단한마디도 언급하지 않았다고 기자회견에서
단언한 것이 바로 쌀에 관한 부시 대통령 발언의 전부였다는 점이다.
그러나 양국정상은 성공적인 UR 협상의 타결이 세계자유무역 질서의 확립을 위해
긴요하다는 점에 원칙적으로 합의 함으로써 UR 협상이 전세계는 물론 한.미 양국의
최대 경제 현안임을 확인하였다. 반면, 부시 대통령의 방한 기간중에 농협은
미측에 4.5본이나 되는 쌀 수입개방 반대 서명록의 전달을 시도한 바 있다.
이 서명록은 우리 국민 전체 인구의 30%에 달하는 12,928,000여명이 단 40일 동안에
만들어낸 것으로서 쌀 수입 개방에 대한 국민적 거부감을 잘 나타낸 것이었다.
15개의 복잡하고 전문적인 협상 분야를 포함하는 UR 협상은 그동안 쌀 수입 개방
문제에 가려져서 UR 협상 전체의 모습과 협상이 타결되는 경우 우리 국익에 미치는
영향등 정확하고 객관적인 평가는 간과되어 왔다. 이 글에서는 UR 협상의 출범
배경, 전체적인 협상 내용, 최근의 협상 진행 현황과 전망, 그리고 협상 결과가
우리나라에 미칠 영향과 정부의 대처 방안등에 관해 개괄적으로 설명 함으로써
UR 협상에 대한 전체적인 조망을 시도해 보고자 한다.


(UR 협상의 출범 배경 및 의의)

UR 협상은 GATT(관세 및 무역에 관한 일반협정)(주1)에서 그 설립 목적인 무역
자유화의 지속적인 추진과 무역규법을 제정하기 위해서 갓트 가입국들이 포괄적으로
벌여온 8번째의 다자간 무역협상이다(주2). 2차대전 종료직후 1930년대의 세계경제의
불황과 이에 따른 각국의 보호무역 주의가 2차대전의 원인의 하나로 작용했다는
인식과 전후 자유무역을 기조로 하는 전후 세계경제 질서의 재정립 필요성에 의해
1947년 제정된 갓트는 40여년 동안 IMF와 함께 세계경제의 양대축으로서 시장경제
체제의 발전에 큰 기여를 해왔다(주3)

1

0062

1980년대에 들어서면서 부터 세계경제는 선진국에 의한 수출 자율규제 협정 (VER)등(주4) 보호주의 현상이 두드러지기 시작하였고, EC의 단일시장 설립 추진, 미.카나다 FTA등 지역주의 현상도 심화되기 시작하였다. 이러한 신보호주의와 지역주의 현상의 대두는 자유무역 주의를 근간으로 하고 있는 갓트의 약화를 가져 왔으며, 이에 따라 갓트로서는 보호주의와 지역주의에 대처할 새로운 체제의 변화를 필요로 하게 되었다.

또한, 과학과 기술의 비약적인 발전은 과거 갓트가 다루지 못한 숱한 문제들이 무역의 영역안에서 새롭게 제기되는 결과를 가져와서 갓트로서도 이에 대응할 필요가 있게 되었다. 즉, 과거 무역에 있어서는 수입국의 관세와 위생 검역, 원산지 규정등의 비관세 장벽이 문제가 되었으나, 최근에는 다국적 기업의 출현으로 투자가 무역을 선도하기 시작함에 따라 투자와 관련된 국내 제한 조치의 중요성이 커졌으며, 위조상표, 특허권 침해등의 확산으로 지적재산권 보호 문제도 중요한 통상문제로 등장하게 되었다. 아울러 상품교역만을 대상으로 하는 갓트체제의 밖에 있던 서비스 교역도 1980년대에 들어서 급속히 성장하여 1989년에는 전세계 서비스 교역이 전체 교역의 16%, 5,600억불에 달함으로써 교역으로서의 중요성을 갖게 되었으며 이에 따른 국제규범의 필요성도 절실하게 되었다.

한편, 전후 세계경제를 갓트체제를 통해 이끌어온 미국이 80년대에 들어서 무역수지와 정부 재정의 쌍둥이 적자에 시달리게 되어(주5) 이를 타개하기 위해서는 자국의 경쟁력이 강한 서비스와 농산물 교역을 갓트체제로 끌어들여 자유화를 추진할 필요성이 그 어느때 보다 커지게 되었으며 이런 필요성에 따라 미국은 새로운 다자간 무역협상을 적극 추진하게 되었다.

이와같은 미국의 New Round 협상 추진에 대해 처음에는 개도국들은 물론 EC, 일본도 소극적인 입장을 취하였으나 EC는 단일시장 추진과 관련한 갓트체제의 재편 필요성과 서비스, 지적재산권, 투자등 신분야의 교역자유화에 대한 기대에서 곧 New Round 협상 추진을 지지하고 나섰으며, 일본도 일부 신분야의 교역자유화를 통한 이익 확보와 미국으로부터의 301조 위협, 반덤핑 제소등 양자조치의 예봉을 효과적으로 막아내는 수단으로서 다자간 협상의 출범을 지지하게 되었다. 갓트 중심의 다자간 교역 체제 자체에도 신뢰감이 부족했던 개도국들은 New Round의

2

0063

필요성에 대해 부정적적인 입장을 취하고 특히 서비스, 외국인 투자, 지적재산권에 대해 국제규범을 제정하는 것은 주권을 제한하는 효과와 개도국의 새로운 부담을 가져올 것으로 우려하여 강한 반대를 하였으나 1982.11월 제네바 각료회의를 비롯한 수차의 국제회의를 통해 New Round 협상에 개도국 우대 원칙을 포함하는등 보상을 얻어내고 UR협상에 동참하게 되었다. 무역의존도가 큰 우리나라는 세계무역환경을 개선하게될 New Round의 출범을 환영하고 90년대 이후 적용될 세계 무역규범을 제정하는 등 협상에 처음부터 적극적으로 참여하였다.

그러므로 UR 협상은 다자간 무역체제의 개선과 강화를 통해 80년대에 들어 팽배하고 있는 쌍무주의와 지역주의등 보호무역 주의의 확산을 저지하는데에 그 의의가 있다. 또한 지금까지 갓트의 적용을 받지 않았던 서비스, 지적재산권, 투자등 신분야와 농산물 교역을 사실상 최초로 다자간 무역체제로 포함시켜 90년대 이후의 포괄적 국제무역 질서를 정립한다는 데에도 중대한 의미가 있다고 하겠다.

(협상의 경과)

UR 협상을 출범시킨 것은 1986.9.15-20간 우루과이의 휴양도시 Punta del Este에서 개최된 갓트 특별총회겸 각료회의였으며, 우루과이라운드는 이름도 이 회의 개최국인 우루과이에서 연유하게 되었다. 출범당시 UR 협상 참가 자격은 92개 갓트 회원국과 31개 사실상의 갓트 적용국중 협상 참여 희망국, 갓트 가입 교섭 과정에 있던 중국에게 주어져서 총 108개국이 UR 협상에 참가하게 되었으며, 이는 참가국의 수효면에서도 갓트 역사상 가장 대규모의 다자간 협상이 되었다.

UR 협상은 출범 당시 그 목표를 시장개방 확대, 갓트 기존 규범의 강화, 신분야에 대한 규범 정립을 통한 다자간 무역체제의 강화 및 세계교역의 확대에 두었다. 협상 체계는 무역협상위원회(TNC)를 협상의 상부 구조로 하고 산하에 협상 대상별로 15개의 협상위원회를 갖춘 체제로 출범 하였으나, 협상의 효율성을 높이고자 91.4.25. 비슷한 협상그룹을 한데 묶어 7개의 협상그룹으로 재편한 바 있다.

협상 개시후 처음 3년간은 협상 참가국들의 활발한 참여속에 주로 협상 대상,
협상 방법, 협상의 기본원칙등에 관한 집중적인 논의가 진행되었다.
1988.12월 몬트리올에서 개최된 각료급 TNC와 1991.4월 고위급 TNC에서는 UR 협상의
중간평가를 시행하고 후반후 협상의 기본방향에 대해 합의하였다. 또한 갓트
분쟁해결 절차의 강화, 갓트 체약국의 무역정책 검토 제도(주6) 도입, 개도국을 위한
열대산품의 관세인하 조기 시행등 일부 가시적 성과도 거두었다.

이후 1990.7월 TNC에서는 당초 목표했던 15개 협상 분야별로 최종 합의의 윤곽을
도출하지는 못하였으나 각 분야별로 협상 진전상황을 중간 점검한 의장 보고서가
제출되어 협상의 기초를 마련하였다. 미.EC간의 농산물 보조금 삭감과 관련한
대립으로 농산물 분야가 전체 UR 협상의 성패를 좌우할 최대 관심분야로 등장하기
시작한 것도 이때 부터이다. 또한 선진국들의 관심속에 선진국 위주로 진행되어온
서비스, 지적재산권 분야에서도 포괄범위, 자유화 추진 방식등에서 선.개도국간
의견 접근이 이루어져서 협상이 본 궤도에 오르게 되었다.

당초 협상의 종결을 목표로 개최된 90.12월 브랏셀 각료급 TNC 회의에서는
합의되지 못한 많은 쟁점을 각료들이 최종 결정, UR 협상을 종결짓도록 미합의
사항을 괄호로 처리한 협상 초안이 제시 되었으나 농산물 보조금 삭감폭에 대한
미국과 EC간의 이견 대립으로 협상은 결렬 되었다. 즉, 미국과 농산물 수출국으로
이루어진 케언즈그룹(주7)은 10년동안 농산물의 수출보조금 90% 삭감, 여타 국내
보조금 75% 삭감을 주장한 반면, EC는 EC 통합의 기초가 되는 공동농업정책(CAP)
(주8)을 와해시킬 이러한 농업보조금의 삭감을 도저히 받아들일 수 없는 입장
이었으며, 1986년을 기준으로 수출.국내보조금을 합한 전분야에서 30%(미국의
기준년도를 기준으로 하면 사실상 15%)의 삭감안을 제시함으로써 타협점을 찾기에는
거리가 먼 것이었다. 이러한 미.EC간의 큰 입장 차이에도 불구하고 브랏셀 각료회의
기간중 참가국들은 협상 타결의 희망을 버리지 않았는바 이는 대개 마지막 단계에서
미국의 정치적 압력으로 EC등 여타국이 일부 양보하고 미국도 이에 타협함으로써
협상이 타결되었던 과거 갓트의 다른 라운드의 선례가 있었기 때문이었다.
그러나 1990년은 동구권의 개혁 바람과 독일의 통일과 선거, 그리고 무엇보다도
걸프전쟁등의 무역외적 요인으로 미국이 EC의 양보를 받아내어 타협점을 찾기에는
어려운 형편이었다.

4                                              0065

그러나 미국.EC등 모든 참가국들은 한결같이 세계경제의 회복을 위한 UR 협상 타결 필요성을 강조 하였으며, 실질적인 협상 결렬에도 불구하고 협상 기한의 설정없이 협상을 연장하기로 합의하고 각료회의를 종결하였다.

이후 91.2월 고위급 TNC 회의에서 UR 협상이 공식 재개 되었으며 구체적 시한 설정없이 가급적 조속히 협상을 종결짓는다는 데에 합의 하였으나, 91.5월 미국 행정부가 의회로부터 UR 협상을 계속할 협상 권한을 위임받게되는 신속 승인절차 (Fast-track)(주9) 연장 결정시까지는 UR 협상은 일부 기술적 사항에 관해서만 협상을 계속하는등 명맥만을 유지하였다.  미 의회가 93.5월까지 Fast-track의 시한을 연장함으로써 사실상의 UR 협상 기한이 2년간 연장되어 91.6월부터는 협상이 본격화되기 시작 하였으나 협상의 진전은 91.10월경까지도 큰 진전은 이룩하지 못하였다.  91년말까지 UR 협상이 타결되지 않으면 92년도의 미 대통령 선거, EC의 단일시장 출범 등으로 UR 협상 타결의 기회를 영영 놓치게 된다는 우려속에 G-7 정상회담, 미.EC 정상회담등 주요회의 때마다 세계정상은 UR 협상 타결의 필요성과 이에 대한 자국의 노력을 다짐하게 되었다.

(최근의 협상 진행현황)

91년 하반기부터 각 협상 참가국들은 91년말 협상 타결을 목표로 각 협상 분야별로 협정 초안을 작성하기 위한 협상을 집중적으로 진행 하였으며, 이러한 분위기와 협상의 진전 상황을 배경으로 던켈 갓트 사무총장은 협상의 조기 타결을 유도하기 위해 91.12.20 모든 협상 분야에 걸쳐 최종 협정 초안을 제시하였다.  이른바 Dunkel Text로 불리우는 이 협정 초안은 많은 부분이 지난 5년간 각 분야별 협상에서 합의된 사항들을 포함하고 있으며 90.12월 브랏셀 각료회의에 제출된 협정 초안과는 달리 괄호로 처리하지 않고 의장의 중재안을 그대로 수용함으로써 완전한 협정 형태로 정리된 것이다.  던켈 총장은 91.12.20 이 최종 협정 초안을 제시하고 협상 참가국들이 2주간의 검토 기간을 갖은후인 92.1.13 TNC에서 협정 초안에 대한 자국의 평가와 입장을 밝히도록 요청하였다.  당초 던켈 총장은 미합의 사항에 대한 중재안을 망라한 협정 초안을 제시하고 이 협정 초안에 대해 각 협상 참가국이 협정 초안을 받아들이거나 UR 협상에서 떠나는 두가지 방법(take-it-or-leave-it)중의 택일을 강요함으로써 보다 강력하게 협상을 밀고 나가고자 하였으나, 협상에서 사실상

5

0066

거부권(veto power)을 갖고 있는 미국과 EC가 농산물 보조금등 핵심 분야에서
합의점을 찾지 못하고 있음에 따라 약간 후퇴하여 협정 초안에 대한 평가만을
밝히도록 요청하였다. 그러나 92.1.13 TNC에서 협정 초안의 거부는 UR 협상
결렬의 책임과 비난을 떠맡는 결과가 되는 점을 모두 인식하고 있는 협상 참가국들은
협정 초안에 대한 만족 여부에 상관없이 UR 협상 타결 필요성이라는 당위론을 재삼
강조하고 협정 초안상의 일부 문제점만을 지적 하였을뿐, 어느 한 국가도 협정 초안을
전면 거부하지는 못하였다. 아울러 각 협상 참가국은 던켈 총장이 제시한 향후
UR 협상의 진행 및 종결 계획에 관한 아래의 협상 일정과 네가지 접근방식(four-Track
Approach)에 관해서도 합의하였다.


(금후 협상 일정)
○ 92.2월-3월 : 상품 및 서비스 분야에서 각국의 양허표(자유화 계획)를
           확정하기 위한 참가국간 양허협상 진행
○ 92.3.31 : 각국의 최종 양허표 제출
○ 92.4.15경 : UR 협상의 공식 종결을 위한 각료급 무역협상위원회를
           개최하여, 각 분야별 UR 협상 결과(최종의정서, 협정문 및
           시장개방 양허표)를 채택하고 이를 각국의 비준절차에 회부


(협상 방식 : 아래의 4가지 접근 방식을 통해 마무리 협상 진행)
① 상품분야 양허협상
   - 각 참가국의 농산물, 공산품에 대한 관세인하와 비관세장벽 철폐 내용에
     관해 관심국간 상호 양자교섭을 통해 교섭, 확정하는 양허협상 추진
     (농산물의 경우에는 양허범위에 국내 및 수출보조금 감축 약속도 포함)
② 서비스 분야 양허협상
   - 각 참가국의 서비스 시장 자유화 계획에 관해 관심국간 상호 양자교섭을
     통해 교섭, 확정하는 양허협상 추진
③ 협정 초안의 법적정비 작업
   - 각 협상 분야별로 상이한 용어를 일치시키는등 현 협정 초안에 대한 법적
     정비작업

6                                            0067

④ 협정 초안의 수정 작업

　　- 협상 참가국들이 합의하는 경우 현 협정 초안중 일부 내용에 대한 수정 작업

　상기 마무리 협상 계획에 따라 지난 1.20부터 상품분야와 서비스 분야의 양허
협상이 시작 되었으며, 협정 초안의 법적 정비작업도 2월초부터 시작될 계획이다.


　(향후 협상 전망)

　그러나 UR 협상이 과연 앞서 소개한 계획대로 금년 4월에 타결될 것인가?
이에 대해서는 미국.EC등 주요국의 협상 대표는 물론 제네바의 갓트 전문가등 아무도
타결 혹은 결렬 어느쪽으로도 단언하지 못하고 있는 상태이다. 그렇다면 협상
참가국들이 4월중순까지 협상 타결 계획에 합의 하였음에도 불구하고 무엇때문에
협상의 성패가 아직도 불확실한가 ? 이것은 던켈 총장의 최종 협정 초안상에
중재안이 제시 되었음에도 불구하고 미국과 EC가 가장 중요한 핵심쟁점인 농산물의
수출보조금 삭감폭과 국내보조금의 허용 정도에 대해 아직 합의하지 못하고 있기
때문이다. 따라서 전체 UR 협상의 성패는 사실상 미국과 EC간에 별도로 계속되고
있는 막후 절충 협상에서 이 핵심쟁점에 대한 합의 여부에 따라 결정될 전망이다.

　미국은 농산물 분야에서 당초의 대폭적인 감축목표에는 미치지 못하나 '93년부터
'99년까지 국내보조금의 20%를 감축하고 수출보조금의 재정 지출 기준 36%, 물량기준
24%를 동시에 감축한다는 현 농산물 분야 협정 초안의 내용을 대체로 수용하는 입장인
반면, EC는 현재의 협정 초안을 받아들이는 경우 현재 연간 3,000만톤에 달하는 곡물
수출량을 2,000만톤으로 줄여야 하며, EC 공동농업정책(CAP) 개혁안의 골격이 되고
있는 생산감축에 따른 보상 수단인 직접 소득 보조를 시행할 수 없게 되므로 도저히
협정 초안을 그대로 수용할 수 없다는 강한 입장을 견지하고 있는 것이다.

　또한 협정 초안 수정 작업에도 난관이 예상된다. 우리나라를 비롯한 일본,
스위스, 멕시코, 카나다등은 농산물 분야에서 예외없는 관세화에 대한 반대 입장을
분명히 하고 이의 수정을 요구하고 있다.

우리나라와 일본은 국내농업의 현실상 쌀 수입개방이 곤란하며 카나다는
퀘벡주에서 주로 생산되는 가금류와 달걀의 보호가 필요하고, 스위스는 낙농제품,
멕시코는 대두가 국내 형편상 수입개방을 하기 곤란하므로 이런 나라들이 각기
이유는 다르지만 예외없는 관세화의 수정을 요구하고 있는 것이다. 반면 미국도
농산물 분야이외의 일부분야의 협정 초안에 대한 수정 필요성을 제기하고 있다.
미국은 의회 청문회 과정에서 반덤핑 제소 요건이 강화되어 자국업계의 반덤핑
제소에 제약을 받게 되는점, 제약특허등 물질 특허보호 의무가 개도국의 경우 10년간
유예되어 사실상 미국 업계의 특허권 보호가 장기간 유예되는점, 금융등 서비스
시장 자유화 정도가 만족스럽지 못하여 서비스 분야의 개도국 진출이 용이치 않은
점등과 관련하여 업계의 반발과 요청으로 이들 분야의 협정 초안 수정 요구가
논의되고 있다.

그러나 어느 한분야에서 수정 요구가 받아들여지면 여타분야에서의 수정 요구를
거부하기 어렵게 되므로 일단 수정이 시작되면 전체 협상 초안이 와해되고 협상이
결렬될 것을 우려한 던켈 총장은 4번째 접근 방식인 협정 초안 수정 작업은 다른
마무리 협상이 종료되고 난후에 일부 분야에 국한하여 시행 하겠다는 조심스런
입장을 취하고 있다. 따라서 이러한 협정 초안의 수정 여부와 폭이 향후 협상
타결의 큰 변수로 작용할 것으로 보인다.

또한 현재 제네바에서 시장접근(주10)과 서비스 분야의 양자간 양허협상이 활발히
진행되고 있으나, 이 양허 교섭의 지침이 되는 협정 초안이 상기와 같이 아직
합의되지 않은 상태라서 양자간 양허협상 과정에서 각국이 기존 입장을 고수할
것이 예상되고 있어 양허협상이 원만히 진행될 수 있을지도 의문시 된다. 각 협상
참가국으로서는 UR 협상에 대한 평가가 협정 초안과 함께 양허협상을 통해 여타
협상 참가국의 실제 시장개방 약속 내용이 나와야만 가능한 것이므로 양허협상의
결과가 매우 중요한 의미를 갖는다. 따라서 양허 협상의 추이도 UR 협상의 성패에
큰 영향을 미치게 될 것이며, 양허 협상에서의 주요국간 이견 대립은 UR 협상의
새로운 복병이 될 수도 있을 것이다.

그러나 이러한 협상의 어려움에도 불구하고 미국.EC를 포함 모든 협상 참가국들이 UR 협상을 조속히 종결지어야 한다는 필요성에 공감하고 있으며, UR 협상이 실패할 경우 협상 실패의 책임이 자국에 있다는 비난을 피하기 위해서도 남은 협상 과정에 적극 참여하고 쟁점 해소를 위한 막후 교섭을 계속할 것으로 보인다. 그러므로 이 과정에서 협상의 돌파구가 마련되면 UR 협상은 급진전 되어 계획대로 4월중순 부활절 이전까지 모든 협상이 종결될 가능성도 있다.

또한 미국과 EC가 농산물 분야에서 타협점을 찾는 경우 전체 협정 초안을 와해시키지 않기 위해 미.EC간 합의된 조항만을 수정하고 다른 분야는 현 협정 초안의 수정에 소극적으로 임하여 다른 부분의 수정은 매우 어렵게 될 가능성도 배제하기 힘들 것으로 예견된다.

일단 4월중순까지 협상이 종결될 경우, 곧이어 협상 결과를 확인하는 회의를 개최하고, 그 결과의 수락을 위한 각국의 국내절차를 거쳐 93.1.1부터(그 이후 수락하는 국가에 대해서는 수락하는 시점부터) UR 협상 결과가 발효하게 될 것으로 예상된다.


(UR 최종 협정 초안에 대한 평가)

정부는 기본적으로 UR 협상의 성공적 타결이 전체적으로 보아 무역의존도가 큰 우리나라의 국익에 도움이 된다는 판단하에 협상 타결을 위해 주요 협상 분야에서 우리의 이익을 반영키 위해 노력하는 한편, 우리의 능력이 허용하는 범위내에서 기여한다는 적극적 자세로 협상에 참가하여 왔다.

그러면 여기서 4월중순 UR 협상이 타결되는 경우 거의 그대로 채택이 될 최종 협정 초안의 내용을 7개 협상 분야별로 우리나라의 이해 득실과 관련하여 살펴보도록 하겠다.

ㅇ 시장접근
   - 우리나라의 주요 수출시장인 선진국들의 관세는 평균 3분의 1, 개도국 관세도 상당수준 인하될 것으로 전망되는바, 현재 진행중인 양허협상이 종결되면 구체적 내용이 밝혀질 것이다.

9

0070

- 우리나라는 1991년 실행 관세율 수준으로 양허하여 실질적으로 관세를
  추가 인하할 필요가 없으므로 UR 협상의 결과는 각국의 관세인하폭 만큼
  아국에 유리한 영향을 미칠 것이다.
- '79년 동경라운드까지는 각 협상 참여국이 약속된 관세인하를 8년에
  걸쳐 이행키로 하였으나 금번 UR에서는 이행기간을 5년으로 단축
  하였으므로 조속히 아국에 유리한 결과를 수확할 수 있을 것으로 기대된다.

o 섬  유

- 섬유협상의 결과는 다음과 같은 점에서 우리에게 유리한 면을 제공할 수
  있을 것으로 예상된다.
  첫째, 섬유 교역에 대한 다자간 규율 강화로 쌍무적 불이익의 극복이
  가능할 것이다. 즉, 현행 다자간 섬유협정(MFA)(주10) 체제는 기본 골격만
  다자간 규율하에 두고 제한 대상품목, 쿼타량등 주요내용은 쌍무협정에
  의해 결정토록 함으로써, 아국의 경우 대부분의 중요한 품목이 쿼타에
  의한 규제 대상이 되고 있으며, 선진 수입국은 한국, 홍콩등 대규모 쿼타
  보유국의 쿼타 증량은 억제 함으로써 우리나라는 여타 개도국에 비해 쿼타
  증량에서 불리한 취급을 받아 왔다.  그러나 새로운 섬유협정 하에서는
  섬유교역의 주요 내용인 품목 대상범위, 쿼타 증가율(growth rate),
  규제품목의 자유화 비율(integration ratio)등이 다자간 규범에 의해 규율
  됨으로써 우리에게 유리한 결과가 될 것이다.
  또한 기본쿼타(base level)를 현 쿼타량을 기초로 함으로써 쿼타 최대
  보유국의 하나인 우리나라는 기득권을 계속 향유할 수 있게 된다.
  둘째, 섬유교역의 완전 자유화가 10여년에 걸쳐 점진적으로 이루어짐으로써
  우리 섬유산업의 구조 조정을 촉진하고 이에 필요한 충분한 기반을 확보할
  수 있을 것으로 보인다.

o 농 산 물

- 예외없는 관세화, 보조금 감축폭등 민감사항에 대한 협정 초안 내용 수정
  가능 여부가 확실치 않은 현단계에서 우리나라에 대한 득실 여부를 분석하는
  것이 용이치 않으므로 일단 협정 초안이 그대로 채택된다는 가정하에
  예견될 수 득실을 살펴보도록 하겠다.  다만, 쌀에 대한 관세화 및 최소

10

0071

시장접근 허용 불가 입장이 우리 정부의 확고한 입장이며 이를 관철하기 위해 최대의 노력을 계속 경주할 방침이므로 아래 득실 분석은 단순한 가정에 입각한 것임을 거듭 밝혀두고자 한다.

- 첫째로, 예외없는 관세화에 따라 우리나라가 수입제한을 해오고 있는 모든 농산물에 대해 수입개방을 하는 대신 국내.외 가격차만큼의 높은 관세(관세 상당치)를 부과하여 시장을 보호할 수 있게 된다. 관세 상당치는 '93-'99년간 품목별 최소 15% 삭감하여 평균 36% 감축하게 되며, 수입이 없던 품목에 대하여는 국내소비의 3%를 최소 시장접근으로 93년에 수입 허용하고, 최종적으로 국내소비의 5%를 99년에 수입 허용해야 한다. 따라서, 그간 수입제한을 받아오던 외국의 모든 농산물이 우리나라에 일단은 수입된다고 가정해야 할 것이므로 우리 농업과 농민에 큰 부담이 될 것임은 부인할 수 없다. 그러나, 수입이 되는 대신 높은 관세를 부담하고 수입되는 것일뿐만 아니라 수입량이 일정 수준 이상 증가할 경우에는 관세를 추가적으로 부과할 수 있으므로 우리가 잘만 대비한다면 우리나라 농산물이 외국 농산물과 충분히 경쟁할 수 있고 피해 또한 일부에서 우려하는만큼 그리 크지 않을 가능성도 전혀 배제할 수 없다.

- 둘째로, 이중곡가제등 생산과 무역에 영향을 주는 국내보조금은 93-99년간 20% 감축해야 하므로 정부가 수매할 수 있는 농산물의 양과 가격에 영향을 줄 것으로 예상된다. 그러나, 구조 조정 보조금등이 허용 보조금으로 분류되어 있으므로 정부가 그간 꾸준히 추진해 오고 있는 우리 농업 현대화를 위한 제반 사업에는 별 영향을 주지 않을 것으로 보며 허용보조금 운용을 효율적으로 추진해 나간다면 오히려 우리 농업 현대화 및 국제 경쟁력 제고를 위한 전화위복의 계기가 될 수 있을 것으로 본다

- 셋째로, 수출보조금은 우리나라가 거의 지급하는 사례가 없으므로 감축 의무가 없는 반면 선진국의 경우 수출보조금을 93-99년간 예산기준 36%, 물량기준 24%를 동시 삭감해야 하므로 우리 농산물이 해외에서 경쟁할 수 있는 유리한 여건을 제공할 수 있을 것으로 예상된다.

- 끝으로, 개도국 우대를 적용받을 경우 관세 상당치, 국내보조 감축에서 선진국의 2/3 수준만 감축하면 되고 또한 이행기간도 3년 연장될 수 있으므로 국내 농업에 대한 피해를 최소화하고 국내 보완대책의 철저한 수립과 시행에 도움이 될 것이다.

11

0072

o 규범제정

(보조금.상계관세)
- 허용보조금의 범위가 연구.개발 보조금과 지역 불균형 해소를 위한
보조금으로 한정되고 그 요건 또한 엄격하므로 국내산업에 다소간의
부담이 되는 면도 있으나, 상계관세 부과 절차를 다소 강화함으로써
우리나라의 수출 환경 개선에 도움이 되는 측면도 있다.

(무역관련 투자)
- 외국인 투자의 인가등과 관련하여 국산부품 사용 의무, 수입부품 사용
제한등이 금지될 것인바, 우리나라는 외국인 투자와 관련하여 현재 이러한
의무를 부과하고 있지 않으므로 새로운 부담은 없으며, 아국 기업의
해외투자 특히 대개도국 투자시 많은 부담이 경감되는 혜택이 있을 것이다.

(반 덤 핑)
- 대체적으로 보아 우리의 협상 목표인 반덤핑 조치 발동 기준 엄격화와
우회덤핑 규정 도입등 수입국의 입장이 균형을 이루고 있는 것으로
평가할 수 있다. 우회덤핑과 관련하여 그 동안 수입국이 관련 규정을
자의적으로 운영해온 것을 감안할때 이에 관한 다자간 규범을 설정하여
객관적인 규범을 제정한 것과, 기타 제소자 자격 엄격화, 덤핑 관세
부과후 5년내 자동소멸 조항 도입등은 우리나라등 수출국 입장이 반영된
것으로서 기존 반덤핑 규범이 상당부분 개선되어 반덤핑 조치의 남용을
억제할수 있는 근거가 마련된 것으로 평가된다.

(세이프가드 <긴급 수입제한 조치>)
- 우리나라는 그동안 협상을 통해 수입 급증시 국내산업 보호를 위해 수입
물량을 제한할 수 있는 조치인 긴급 수입제한 조치(세이프가드) 발동시
피해를 받은 수입국이 수출국에게 할당하는 수입쿼타를 일정한 범위내에서
수입국이 삭감할 수 있도록 하는 소위 "Quota Modulation" 조항을 갓트
긴급 수입제한 조치 체제에 도입치 말것과 동시에 수출 자율 규제등
회색조치의 철폐를 주장하여 왔다.

- Quota Modulation 개념 도입 반대는 동 개념이 긴급 수입제한 조치
  발동시 수입국에 대하여 수출국의 쿼타를 임의 삭감할 수 있게 하여 향후
  우리나라의 수출에 위해로운 요소가 될 것임을 고려한 것이며, 회색조치
  철폐를 주장한 것은 회색조치가 갓트를 일탈한 무역조치로서 대개 선진
  수입국에 의해서 중소 수출국에 대한 수입제한 수단으로 사용되어 왔기
  때문이다.

- 회색조치는 협상 과정에서 이미 철폐키로 합의에도 달하였으나 Quota
  Modultation은 협상 마지막까지 입장 대립을 보였는바, 우리나라는 당초에
  의장 초안에 포함되어 있던 동 조항 삭제를 위하여 막바지 협상시까지
  이를 강력히 주장 하였으며, 이러한 우리의 노력의 결과, 최종 협정안에
  Quota Modulation 개념은 도입시 세이프가드 위원회에 통보하여 심사를
  거치도록 함으로써 사실상 도입이 어렵게되는 결과가 되었으며,
  회색조치는 철폐키로 결정되었다.

o 분쟁해결
- 우리의 주요 관심사항인 일방조치 억제를 위해 여타 협상 참가국과 함께
  반대 입장을 끝까지 견지한 결과, GATT 관련 모든 무역분쟁은 GATT 분쟁해결
  절차에 의해서만 처리하도록 하고, 앞으로 설립될 다자무역기구(MTO) 설립
  협정에 GATT등 제반 국제협정에 배치되는 무역관련 국내법령을 갓트에
  일치시키도록 노력할 것을 약속하는 규정을 명기 함으로써, 미국의 301조등
  우리의 교역 상대국의 일방조치 발동을 어렵게 하는 효과가 있을 것으로
  기대된다.

o 지적재산권
- 우리의 주요 관심사항인 반도체 칩 설계(Layout-designs) 보호와 관련
  수차에 걸친 우리나라의 서면 제안과 끈질긴 주장에 따라 반도체 칩의
  선의 구매자(innocent purchaser)는 반드시 보호하도록 동 협정문에
  규정하고 권리자로부터 반도체칩 침해 사실 통보전에 구입하여 보관중인
  재고품 또는 주문품은 침해 사실 통보후에도 당해 반도체 칩 설계
  (Layout-designs)에 대한 객관적으로 인정되는 적정한 로얄티(reasonable
  royalty)를 지불하고 사용할 수 있게 되었다.

13

0074

따라서 반도체칩(IC) 침해 사실 통보전에는 IC가 내장된 최종제품은
합법적으로 통관 및 유통이 가능하며 만약 세관에서 국경조치가 발동된
경우에는 일정한 공탁금(Security)을 예치하면 통관이 가능하도록 되었다.

- 컴퓨터 프로그램 보호와 관련 보호 범위에서 아이디어, 수학적 개념의
  운영방법 및 절차등을 제외하고 컴퓨터 프로그램의 재생(reproduction)
  및 개작(adaptation 즉 engineering)에 관한 예외 규정이 인정 됨으로써
  우리나라 컴퓨터 산업의 발전을 도모할 수 있게 되었다.

- 86년 한.미 양해각서에 의해 미국에 취해주고 있는 pipeline products
  보호 조치가 타국가에의 자동 확산 문제는 경과 규정에서 기 공지된
  (public domain) 대상(Pipeline products)은 TRIPs 협정에 의해 보호하지
  않도록 규정 됨으로써 우리의 입장이 충분이 반영된 것으로 평가된다.

ㅇ 서 비 스

- 현재의 서비스 협정 초안과 분야별 부속서는 우리나라의 입장에 비추어
  만족할 만한 수준으로 평가된다. 특히 자유화 추진 방식 관련 우리나라등
  개도국들이 주장한대로 각국이 개방할 분야를 제시하고 개방시에도 조건을
  첨부할 수 있게 됨으로써 자유화 추진에 구조적 안정장치가 마련 되었으며,
  쌍무협상에 의하여 우리의 경쟁력이 취약한 분야의 자유화가 선택적으로
  조기에 추진되는 것을 예방할 수 있을 것이다. 또한 다자간 규칙에 의한
  "이익의 균형" 원칙하에 점진적으로 개방을 추진하고 우리나라 기업의
  해외진출 기회도 확대될 것으로 기대된다.

- 특히 해운, 항공분야(보조서비스)에 무차별 원칙이 적용됨으로써 우리나라
  운송기업의 영업환경이 개선되는 효과를 가져오고 건설분야도 해외 진출
  기회가 확대될 것이다.

앞서 살펴본 각 협상 분야별 내용의 평가를 종합해 볼때, 무역의존도가 크고
앞으로 우리 경제의 새로운 도약도 결국 무역을 통해 달성해야 하는 우리나라에게는
협정 초안의 내용이 전체적으로 보아 긍정적인 요소가 많은 것으로 평가된다.

즉, 관세인하, 비관세 조치의 완화, 섬유교역의 자유화등은 우리의 수출 여건을 향상시킬 수 있을 것이며 '90년도의 경우 우리 수출액의 28%인 182억불에 달하는 전자, 건설장비, 철강등이 관세 무세화 대상품목이 됨으로써 이 분야의 수출이 상당히 확대될 전망이다. 또한 지적재산권 보호, 무역관련 투자조치, 서비스등 새로운 분야는 그동안 우리가 꾸준히 추진해온 국제화 및 개방 조치 결과 상대적으로 부담이 가벼운 반면, 장기적으로는 이 분야에서 우리의 해외 진출 기회를 확보할 수 있을 것으로 평가된다. 반덤핑 규율의 강화, 수출자율 규제등 회색조치의 철폐, 선진국의 일방조치 억제등 갓트체재와 기능의 강화도 우리의 무역이익 확보에 크게 도움이 될 것이다.

반면 농산물 분야에서 현 협정초안 대로 쌀을 포함하여 모든 품목을 관세화하고 국내 소비량의 최소 3%의 수입을 허용해야 한다는 점등은 우리의 취약한 농업 구조상 수용할 수 없는 내용인바, 앞으로 일부 조항에 국한시켜 진행하게될 협정 초안 수정 작업 과정에서 기초식량에 대한 관세화와 최소 시장접근의 예외를 확보하기 위하여 어려운 협상을 하여야 하는 과제를 안고 있다.

앞으로 정부는 농산물 협상에서 상기 우리의 핵심 관심사항이 협정 초안에 반영될 수 있도록 남은 협상 과정에서 모든 협상력을 경주하여야 할 것이다. 또한, 시장접근과 서비스 분야의 양허협상과 협정 초안의 법적 정비작업에도 적극 참여하여 우리 입장 반영과 이익 확보를 위해 최선의 노력을 경주하여야 할 것이다.


주1) GATT(General Agreement on Tariffs and Trade:관세 및 무역에 관한 일반협정)
무역확대를 통한 세계경제 전체의 번영을 목적으로 1947.10월 제네바에서 발족했으며 한국은 1967년 4월에 정식 가입하였음. GATT는 상호주의 및 무차별주의를 기본원칙으로 하고 있으며, 국내산업의 보호는 원칙적으로 관세에 의해 행해져야 하고, 기타의 방법 특히 수입 수량제한은 원칙적으로 금지하고 있음.

0076

주2)

| 회수 | 명 칭 | 기 간 | 참 가 국 | 결 과 |
|---|---|---|---|---|
| 1 | 일반적 관세 교섭 | 47.4-47.10 | 23 | 45,000 품목 관세양허 |
| 2 | 일반적 관세 교섭 | 49.4-49.10 | 32 | 5,000 품목 관세양허 |
| 3 | 일반적 관세 교섭 | 50.9-51.4 | 34 | 8,799 품목 관세양허 |
| 4 | 일반적 관세 교섭 | 56.1-56.5 | 22 | 25억불상당의 관세인하 |
| 5 | Dillon Round | 61.5-62.7 | 31 | 4,400 품목 관세양허 |
| 6 | Kennedy Round | 64.5-67.6 | 56 | . 주요선진국 제조업<br>　분야 관세율 35%인하 |
| 7 | Tokyo Round | 73.9-79.7 | 99 | . 주요선진국 제조업<br>　분야 관세율 33%인하<br>. 비관세 장벽완화를<br>　위한 9개 협정(MTN)<br>　체결 |
| 8 | Uruguay Round | 86.9- | 107 | |

주3) 갓트체제하의 세계상품 교역의 확대 및 관세인하

도표 생략

주4) VERs (Voluntary Export Restraints : 수출자율제도)

수입국이 수입제한 조치를 하지 않고 수출국 스스로 수출물량을 제한하는 조치로서 미국, EC등 선진국들이 주로 신흥공업국들의 주종 수출품목인 철강, 전자제품, 자동차, 신발등에 대해서 양자간 협상을 통하여 수입을 제한하는 수단으로 쓰이고 있으며 이는 발동 요건이 엄격한 GATT 19조(긴급 수입제한 조치)를 회피하는데 그 목적이 있음.

주5) 미국의 쌍둥이 적자

(단위 : 10억불)

| 연도 | 1979 | 1980 | 1981 | 1982 | 1983 | 1984 | 1985 | 1986 | 1987 | 1988 |
|------|------|------|------|------|------|------|------|------|------|------|
| 재정적자 | 36.0 | 76.2 | 78.7 | 125.7 | 202.5 | 178.3 | 212.1 | 212.6 | 147.5 | 155.5 |
| 무역적자 | 35.9 | 31.4 | 34.6 | 38.4 | 64.2 | 122.4 | 133.7 | 155.1 | 170.3 | 137.1 |

(근거 : 1991, 한국무역협회 발간 한국경제의 주요지표)

주6) TPRM (Trade Policy Review Mechanism : 무역정책 검토 제도)

UR의 GATT 기능 강화부문에서 조기 이행분야로 합의하여 1989.12월부터 실시하고 있는 제도로서 무역액 기준으로 4대 무역국인 미국, EC, 일본, 카나다에 대해서는 매 2년마다, 16개국(5-20위)은 매 4년마다 그리고 기타국은 매 6년마다 GATT 특별이사회에서 각국의 수출입제도, 무역정책 수단, 무역자유화 계획, 무역정책 관계법 및 무역정책의 배경이 되는 경제현황 등을 토의, 검토함.

주7) Cairns Group (케언즈그룹)

농산물 수출국중 농산물 수출보조금을 지급하지 않는 국가들의 그룹으로서 1986년 호주의 Cairns시에서 공식 결성 되었으며 호주, 캐나다, 뉴질랜드, 아르헨티나, 브라질, 우루과이, 칠레, 콜롬비아, 인도네시아, 말레이지아, 필리핀, 태국, 헝가리등 13개국으로 구성되어 있음.

주8) CAP (Common Agricultural Policy : EC 공동농업정책)

EC 역내 농산물 시장 안정과 농업소득 증대를 위한 EC의 농업정책을 지칭하며 역내 농업보호 정책과 잉여농산물 수출촉진 정책으로 구성되어 있음.

17

0078

주9) 신속승인절차 (Fast-Track)

　신속승인절차는 미 행정부가 대외적으로 교섭 체결한 각종 무역협정을
미 의회에서 수정없이 승인할 수 있도록 한 의회의 신속한 심의 절차를
의미함. 88년 미 종합통상법에 따라 행정부는 91.6.1 이전 체결할 UR 협상은
무역협정에 신속승인절차를 적용하고자 할 경우 또는 협상기간 연장이 필요할
경우 91.3.1까지 의회에 동 의사를 통보하도록 되어 있는바, 91.5월 미 의회는
신속승인절차 시한 연장 반대 결의안을 부결 함으로써 미 행정부가 향후 교섭,
체결할 UR 협상 결과를 포함한 무역협정에 신속승인절차를 적용받을 수 있는
시한이 93.5.31까지 연장됨.

주10)시장접근 (Market Access)

　상품이나 서비스 판매업자가 그 상품이나 서비스를 수요하는 시장에 접근할 수
있는 권리를 의미. 서비스의 경우에는 서비스 공급자가 원하는 공급형태에
따라 외국서비스 시장에 진입하는 것을 의미

주11)MFA (Multi-Fiber Arrangements : 다자간 섬유협정)

　1974년 체결된 섬유류 교역에 대한 국제협약으로 3회 연장을 거쳐 현재 MFA
Ⅳ(1986.8-1992.12.31)에 이름. 수출국과 수입국간 쌍무협상을 통하여
교역량을 제한하고 수입국의 일방적인 수입제한 조치를 가능케 함으로써
개도국 수출에 대한 선진국의 규제 수단으로 활용됨.　　　　끝.

18　　　　　　　　　0079

# 주 호 주 대 사 관

113 Empire Circuit, Yarralumla A.C.T. 2600          /(06)273 3044          /(06)273 4839

문서번호  호주(경) 20644- 7/

시행일자        (        )

수신  장 관

참조  통상국장

| 선결 | | | 지시 | | |
|---|---|---|---|---|---|
| 접수 | 일자시간 | | 결재공람 | | |
| | 번호 **09230** | | | | |
| 처리과 | | | | | |
| 담당자 | | | | | |

제목  UR 협상 동향

대 :  WAU-0005

통기 20644-7

대호. UR협상 Dunkel 초안과 관련, 주재국 외무.무역부에서 발간한 각 협상 분야별 주재국의 평가와 입장을 별첨 송부하오니, 참고하시기 바랍니다.

첨 부 :  동 자료 1건.  끝.

주  호  주  대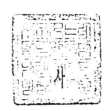

0080

# AUSTRALIA AND THE URUGUAY ROUND

URUGUAY ROUND: MEDIA KIT

CONTENTS

OVERVIEW

1670e

0081

# AUSTRALIA AND THE URUGUAY ROUND

## Uruguay Round Package

The Australian Government today gave a positive initial
response to the package of measures included in the proposed
final agreement to the five-year Uruguay Round negotiations.

Trade and Overseas Development Minister Neal Blewett said the
440-page document tabled by the GATT Director-General, Arthur
Dunkel, in Geneva on Friday appeared to offer significant
benefits for Australia and for the structure and direction of
world trade.

But Dr Blewett cautioned that Australia, like other countries,
would need to take a long hard look at the detail of the
comprehensive package before deciding whether to accept it.

It was clear, however, that although the proposals on
agriculture did not go as far as Australia wanted, they did
embrace genuine and irreversible reform of world trade in
agriculture, bringing significant long-term benefits for
Australian farmers.

"In this and other areas, the negotiations have broken new
ground and offer the prospect of rejuvenation and redirection
of the GATT and the broader world trading system," he said.

Main features of the package from Australia's perspective are:

* AGRICULTURE - specific commitments on cuts over six
  years of 36 percent in border protection, 20 percent
  in domestic support and 36 percent in budgetary terms
  and 24 percent in quantity terms in export subsidies.

* a fundamental change from non-tariff to tariff only
  protection, providing increased access opportunities
  for Australian products, and the binding of new and
  existing tariffs, to be reduced through formula cuts;

* MARKET ACCESS - a bound one-third reduction target in
  tariffs, bringing benefits to Australian exporters
  across the board; (tariff reductions already being
  implemented by the Australian Government since the
  beginning of negotiations in 1986 are likely to exceed
  our obligations in meeting this target);

* from Australia's perspective, results well in excess
  of this target are possible for some priority markets
  and sectors (such as steel and non-ferrous metals);

/2.

0082

* SERVICES - negotiations in this, the fastest growing area of global trade, offer a result exceeding original expectations, including a framework agreement on rules to apply to all trade in services, together with negotiated access commitments in specific sectors;

* INTELLECTUAL PROPERTY - the package offers additional protection internationally for Australian patents, trademarks and copyright and provides an improved system for the settlement of bilateral disputes on contentious issues;

* INVESTMENT MEASURES - are aimed at limiting the scope for governments to impose conditions on investment which have adverse trade effects. Australia will have to examine how these might affect industry programs;

* OTHER AREAS - include more effective international rules on dispute settlement, subsidies, anti-dumping and countervailing rules, safeguards (temporary protection) and technical barriers to trade (standards), and creates a Multilateral Trade Organisation (MTO) to integrate the outcome of the negotiations in all areas of the Round.

Dr Blewett said he had briefed the Minister for Primary Industries and Energy, Mr Crean; the Federal Opposition, the National Farmers' Federation and the Government's peak industry advisory body, the Trade Negotiations Advisory Group (TNAG) on the package this morning.

Dr Blewett said that the Government, in consultation with other interested parties, would consider Australia's detailed reaction to the package between now and January 13 when formal responses had to be provided to Mr Dunkel. He would also be closely coordinating Australia's response with that of the Cairns Group.

He congratulated Mr Dunkel for his courage and determination in bringing down the package as a means of saving the Round from failure.

"His proposals provide the key political decisions necessary to bring the negotiations to a successful conclusion.

"They contain costs as well as benefits for all, and I hope that all countries, and particularly the major nations, will give careful and positive consideration to the proposed outcome," he said.

Dr Blewett paid tribute to Australia's negotiating team in Canberra and Geneva for their outstanding efforts.

"Their contribution to the Uruguay Round as a whole, and to the agriculture negotiations in particular, has been recognised around the world," said Dr Blewett.

Canberra: December 22 1991

0083

URUGUAY ROUND MEDIA KIT

## OVERVIEW

From Australia's point of view, a worthwhile package of results
is likely to emerge from Uruguay Round, begun under GATT
auspices in 1986.  All the key elements of the proposed outcome
are set out in a five-hundred page document tabled in Geneva on
20 December by GATT Director-General Arthur Dunkel.

This package contains measures to overcome long-standing
problems in world trade, especially the corruption of world
agricultural markets; it offers agreed rules for trade in
services to bring stability to this the fastest growing sector
of world trade; it outlines the kind of liberalization of
markets for both goods and services which will be finalized in
the next couple of months; and it is designed to improve the
scope and effectiveness of current GATT rules and operations.

These results are consistent with the objectives Australia has
pursued in these five-year long negotiations.  105 countries
have participated, all trying to get their priorities into the
final package.  There have had to be compromises: for example,
all participants including Australia will be required to reduce
protectionist intervention by Governments in the market place
for goods, services and intellectual property.

On the other hand, the benefits of more predictable market
conditions and falling trade barriers should compensate for the
adverse effects of such disciplines on particular highly
protected industry sectors.  This will certainly be the case
for Australia, but the final assessment of the value of the
package to each participant must await the conclusion of more
detailed negotiations in the early months of 1992.

The Final Stage

Dunkel has called negotiators to meet again on 13 January, with
a view to concluding the Round.  In this final stage, the
schedules and technical details needed for a binding agreement
must be completed.  And that is what will happen next, provided
all participants are prepared to accept the document tabled on
20 December as the basis for taking that step.

Governments will only be able to accept or reject the whole
package.  They will not be able to sign on to parts they see as

0084

beneficial, and reject others. Assuming all Governments accept
the package on that basis, two or three months work will be
needed to finalize the Uruguay Round. If the package is
rejected, the Round will be widely seen to have failed, since
the Presidential elections in 1992 will increasingly inhibit
effective US participation in the negotiations. It may be
unrealistic to expect that the negotiations can be picked up
again in 1993.

The proposed outcome is very much a single package, with
constituent agreements on a number of issues. It is being put
to participating countries as the best possible result, so that
it is not possible to pick and choose between issues. The
terms are that "nothing is agreed until everything is agreed".

**Major Outcomes**

The attached papers introduce the package, and describe the
proposed outcome on all the issues, set out in terms of their
importance to Australia. In summary, these outcomes are as
follows:

In agriculture, steps towards a fairer and more market oriented
trading system envisage improved access to markets, limits on
the kinds of measures used to support domestic producers, and
cuts in damaging export subsidies. For example, this would
mean cuts in European Community export subsidies on wheat from
21 million tonnes in 1991 to a maximum of 13 million tonnes.

The Uruguay Round agreement on trade in services is a major
achievement in bringing trade in this sector under a single set
of multilateral rules. A basis has also been established to
liberalize access to markets, and Australia has already put
forward a substantial offer and a list of requests for these
negotiations.

Much of the final detail on reductions in tariffs and
non-tariff measures (NTMs) remains to be negotiated in early
1992. Although the target for reductions is 30 percent, some
cuts made by particular countries or in specified sectors will
exceed that figure, and others may not reach it. Australia is
looking to benefit from trade liberalization affecting natural
resource-based products e.g. reductions in coal production
subsidies in Germany.

Another sector to benefit from the Uruguay Round will be
textiles and clothing, although not in ways which have a major
direct effect on Australia. Australia is not currently a party
to the Multi-fibre Arrangement (MFA), which has been used to
manage textiles trade; and the principal achievement of the
Uruguay Round will be to phase out the MFA.

The intended agreement on intellectual property rights creates
substantial new GATT rules to protect intellectual property
rights, and makes arrangements to settle disputes. This has

0085

important benefits for Australia, in an area in which over $300 million was earned in 1989/90, but where there were increasing concerns about piracy e.g. with regard to copyright works.

The future use by Governments (including Australia) of certain trade-related investment measures will be constrained by the proposed agreement. There will also be a clearer and stronger agreement which will constrain the use of subsidies for certain industry assistance programs, and the extent to which countervailing measures can be used for protectionist purposes.

A number of the Codes negotiated in the Tokyo Round will be improved. The Anti-Dumping Code has been revised to prevent countries using it as disguised protectionism or circumventing it altogether. The so-called Standards Code (on Technical Barriers to Trade) has also been revised to prevent the creation of unnecessary barriers to trade. Australia has not been a member of the Standards Code but is considering joining.

The GATT articles themselves will also be strengthened in a number of areas, e.g. to steer countries away from the use of measures like "voluntary" export restraints as safeguards in the face of surges in imports. A number of other loopholes by which countries attempted to avoid their obligations have been blocked. In addition, the operations of the institutional mechanisms of the GATT will be enhanced through more effective dispute settlement processes. The basis has also been laid to work towards a Multilateral Trade Organization, which will give the GATT a solid institutional framework in which to carry forward the results of the Round.

1712e

0086

# AUSTRALIA AND THE URUGUAY ROUND

Paper 1

## WHAT IS THE GATT?

In essence, the GATT is no more - and no less - than a large group of countries which believe that their best economic interests are served through a trading system based upon open markets and fair competition secured through agreed multilateral rules and disciplines.  They are bound together through a contract called the General Agreement on Tariffs and Trade - so they call each other "contracting parties".

The GATT is not a club that everyone can join merely by paying a cash fee.  Countries negotiate their way in through complex and sometimes lengthy negotiations - securing benefits but offering them also to the other contracting parties.  There is a sensitive balance of rights and obligations among the members.

Some 103 countries have become full contracting parties in the past forty years - all the industrialized (OECD) countries are members together with some 70-plus developing countries and several which have had centrally-planned economic systems.

Why do they bother?  Largely because when the multilateral system has worked most effectively, world trade, economic growth and employment have reached their highest levels.  As members of GATT, countries have a stake in the multilateral trade system and can influence it.  They can seek to ensure that the GATT rules operate credibly.  They can take part in negotiations which amend or extend the rules.  And they can negotiate to maximise their trading advantages within the system - to end the unfair trading practices of others and to secure new opportunities for their exporters.

At the same time, an effective multilateral trade system should give governments the capacity to keep their own domestic markets open - or to liberalize them further.  Experience shows that, in the long term, this is the only way in which private producers will attain the competitiveness to be successful overseas and, with that, the opportunity and confidence to expand their businesses through further investment.

While there are many complicated rules which make up the GATT and its associated agreements, there are relatively few, simple principles and objectives which underlie them.

Non-discrimination.  There should be no special favourites and no particular victims associated with the trading policies of any country.  This means that GATT members should not be subject to special trade restrictions which are not applied generally.  More positively, it means that trade advantages

0087

negotiated between any two GATT countries must be immediately
made available to all others - permitting small and poor
countries to benefit substantially from GATT membership.

Fair competition.  The General Agreement seeks to ensure
that the world's exporters have the chance to compete with each
other on fair terms.  If dumping or subsidization takes place,
then the GATT sets the basis on which a reasonable competitive
balance can be re-established.

Protection limited to tariffs.  Although various new kinds
of quantitative restrictions have become fashionable in recent
years, the intention of the GATT (which is now a "free trade
charter") is to permit protection almost soleley through the
least damaging and most transparent mechanism - the customs
duty or tariff.

Trade liberalization.  The GATT is not a static book of
rules.  It envisages perpetual effort by governments to
negotiate new and better marketing opportunities for their
companies and products.  This has been achieved, particularly,
through seven trade "rounds".  It is currently being pursued
through the eighth round, the Uruguay Round.

Special treatment for developing countries is an integral
part of the GATT.  Less-developed countries have some
negotiating advantages and the possibility of securing special
trading conditions with industrial countries.  Nevertheless,
they have been hit hard in recent years by protectionism in
these countries.

Settlement of trade disputes takes place through a unique
system developed over the lifetime of the GATT.  This system
has assisted the resolution of several hundred disputes.

Stability and predictability in trading conditions should
be encouraged if GATT rules are observed.  Tariffs, in
particular, are often "bound" within the GATT contract.  More
generally, governments should be constrained from subjecting
importers, or exporters, to constant changes in market access,
import regulations, technical standards and so on.

0088

**Paper 2**

## THE URUGUAY ROUND - ITS PROGRESS

Negotiations in the Uruguay Round are based upon the mandate given by ministers in the Punta del Este Declaration in 1986. The declaration was a carefully-constructed and balanced package which required progress in all its elements through the anticipated four-year period of the round, originally due to be completed at the end of 1990.

This need for negotiating balance was reflected in the initial organization of the Round. The Punta del Este Declaration established the three principle organs - the Trade Negotiations Committee (TNC), the Group of Negotiations on Goods (GNG) and the Group of Negotiations on Services (GNS) - reflecting the political and legal structure of the Declaration.

The GNG oversaw the work of the 14 negotiating groups which were established in January 1987 to conduct the work outlined in Part I of the Declaration. Thus, the groups on agriculture, subsidies, tropical products, textiles and clothing, tariffs, intellectual property and so on all reported to the GNG, which sought to ensure balanced progress and the smooth running of all negotiations in the goods area. The work of each of the 14 groups was based upon the relevant text in the Punta del Este Declaration together with the more detailed negotiating plans, also agreed in January 1987.

The GNS was a single body covering the Punta del Este mandate on trade in services which formed Part II of the Declaration by Ministers. This negotiation has a separate basis from those in the goods area.

Both the GNG and the GNS reported to the Trade Negotiations Committee (TNC), the senior body overseeing the Uruguay Round. The TNC at Ministerial level was originally chaired by Mr Enrique Iglesias, then Uruguay's Foreign Minister. Mr Hector Gros Espiell, Uruguay's current Foreign Minister, is now the chairman. When the TNC meets at officials level it is chaired by Mr Arthur Dunkel, who is the Director-General of the GATT.

All negotiating bodies in the Uruguay Round are serviced by the GATT Secretariat in Geneva. Representatives of other international organizations (for example, the United Nations, the IMF and the World Bank) are able to attend meetings of certain negotiating groups.

After the Ministerial meeting in Brussels which was unable to conclude the Round, the TNC re-organized the negotiating structure in April 1991 to take account of agreements reached

0089

and to focus on the remaining differences.  The GNS continued,
and the GNG and its 14 associated groups was replaced by six
negotiating groups as follows: market access, agriculture,
textiles and clothing, rules issues including trade-related
investment measures (TRIMs), trade-related aspects of
intellectual property rights (TRIPs), and institutional issues.

The papers put forward on the 20 December 1991 reflect this
negotiating structure, each group being responsible for the
subjects as shown on the following diagram.

URUGUAY ROUND:  <u>Negotiating Groups and their Responsibilities</u>

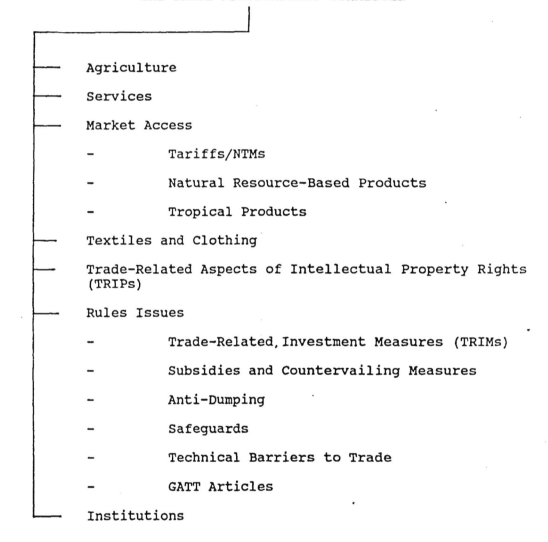

THE TRADE NEGOTIATIONS COMMITTEE

- Agriculture

- Services

- Market Access

    - Tariffs/NTMs

    - Natural Resource-Based Products

    - Tropical Products

- Textiles and Clothing

- Trade-Related Aspects of Intellectual Property Rights
  (TRIPs)

- Rules Issues

    - Trade-Related, Investment Measures (TRIMs)

    - Subsidies and Countervailing Measures

    - Anti-Dumping

    - Safeguards

    - Technical Barriers to Trade

    - GATT Articles

- Institutions

0090

# AUSTRALIA AND THE URUGUAY ROUND

## AGRICULTURE

Australian agriculture will benefit substantially from the international acceptance of the Uruguay Round reform proposals which include wide-ranging cuts in border protection, domestic support and export subsidies.

Such reforms would give Australia improved and more secure access to key markets. Together with the expected increases in world market prices of agricultural commodities which are likely to follow the reforms, this should provide a more predictable environment for investment decisions by the rural sector.

Specific commitments involving cuts over the 6-year implementation period starting in 1993 have been proposed in the areas of border protection, export subsidies and domestic support, and the result would now integrate agriculture more fully into the general system of GATT rules and disciplines. The cuts envisaged are 36% in border protection, 20% in domestic support, and for export subsidies 36% on a budgetary basis as well as 24% on a quantity basis. The continuation provision in the agreement provides for negotiating further cuts following the initial reform period. While the Cairns Group and the United States had proposed larger cuts over a 10-year period, if the reductions now proposed were to be sustained over a further 6-year period, the reform targets of the Cairns Group and the United States would be largely met.

United States and EC export subsidies would be reduced, including those covered by the US Export Enhancement Program and EC export restitutions for wheat and other grains.

A fundamental change from non-tariff to tariff only protection would provide increased access opportunities and make agriculture everywhere more responsive to international market conditions. For example, in the United States the Meat Import Law would be eliminated as would the United States' Section 22 quotas on dairy products. The EC's variable import levies would also be replaced by tariffs. Realization of the full benefits of these changes will require negotiation of the effective implementation of the commitment schedules to the agreement.

0091

The new tariffs on all agricultural products as well as existing tariffs would be bound and reduced through formula cuts. Current access opportunities would be maintained and increased over the implementation period. Minimum access levels will be established where non-tariff measures have severely inhibited or precluded trade in the past, expanding from 3% to 5% of domestic consumption.

The details of market access increases in particular markets subject to tariffication have yet to be finalized. These details will be important in assessing the shorter term benefits to Australian industry.

Australia will be required to comply with general reform and reduction commitments. This will affect Australia's dairy industry arrangements which are the subject of an Industry Commission Report currently under consideration by the Government. In the market access area, across-the-board binding commitments will also be required.

The Uruguay Round outcome also provides for effective reductions in trade distorting forms of domestic support. It provides for commitments to prevent export subsidies being extended to new products and commitments may be negotiated on the scope of export subsidies to individual or regional markets. For the first time in a multilateral negotiation, the Uruguay Round outcome will deliver negotiated reductions in subsidized exports on both a quantity and budget basis. There is also an agreement to ensure that sanitary and phytosanitary measures are not used as unjustified barriers to trade.

Background

The international trading environment for agriculture is severely distorted by the support and protection policies of the world's major industrialized countries. In the OECD countries, total transfers to agriculture reached $US 299 billion in 1990, with the bulk of this support provided by the EC ($US 133 billion), the U.S. ($US 74 billion) and Japan ($US 59 billion).

In important respects general GATT rules and disciplines have essentially not been applied to agriculture. This has contributed to the proliferation of quantitative restrictions and other non-tariff barriers to access for agricultural products. Moreover the general GATT rule prohibiting export subsidies has not been applied to agriculture. Important country specific derogations have also applied to agriculture, most significantly the United States' Section 22 waiver, which allows the United States to maintain quotas on imports of a range of agricultural products, and the corresponding effect of the EC variable import levy in protecting the internal EC market.

0092

The distortions and disruptions to world agricultural trade resulting from these departures from GATT rules have had a significant adverse effect on efficient, competitive producers. Trading tensions between the EC, the United States and other major exporters such as Australia caused byagricultural trade disputes, have been particularly evident in recent years through the aggressive use of export subsidies on world grain markets.

The Cairns Group coalition of agricultural exporting countries, which is chaired by Australia, (Argentina, Australia, Brazil, Canada, Chile, Colombia, Fiji, Hungary, Indonesia, Malaysia, New Zealand, Philippines, Thailand, Uruguay) was formed in August 1986 to ensure that agriculture was firmly on the agenda for the Uruguay Round. The Cairns Group's persistent struggle, together with the United States, to achieve a substantial result on agriculture in the Round has made agriculture a key issue on which the success of the Round depends.

While the United States is also a major subsidizer, it has been prepared to put its policies on the negotiating table. This contrasts with the EC, Japan, Korea and other Western European countries which have resisted negotiating commitments that would have a positive, lasting impact in liberalizing international agricultural trade. In particular while most countries were prepared to negotiate some commitments on domestic support, the debate has also focussed on what they would also do on border protection and export subsidies. The nature of the commitments envisaged on domestic support meant that in the absence of commitments in the other two areas, there would be minimal long term impact on Australian marketing opportunities. Most importantly for liberalization has been the acceptance of the necessity for effective disciplines on export subsidies, given their pernicious and damaging impact on third countries.

A further important area of the agriculture negotiations is that aimed at achieving more effective disciplines to minimize the use of sanitary and phytosanitary measures as unjustified barriers to trade, i.e. using the excuse of risks to human, animal or plant life or health to block or impede trade without scientific justification.

For further information: Phil Sparkes     06-2612545 (o)
                                          06-2583585 (h)

0093

## SERVICES

Australia's services industries will benefit from a Uruguay
Round international services agreement which establishes clear
rules and removes discrimination in services trade.

The Agreement, known as the General Agreement on Trade in
Services (GATS), should overcome barriers often encountered by
new entrants to foreign markets and should provide Australian
services exporters with increased international trading
opportunities in the telecommunications, financial services,
insurance, business and professional services sectors.

Australia is among more than 40 countries to have tabled
offers and requests in the Uruguay Round negotiations aimed at
binding market access to substantial areas of their services
economies.

The Australian offer includes most significant services
sectors, including financial services, insurance,
telecommunications, international shipping, professional
services, construction and consultancy.

Australia is looking to its major trading partners to
liberalise barriers affecting its trade in such areas as
banking, insurance, telecommunications, shipping, tourism,
consulting and professional services.

The Uruguay Round services outcome will consist of a framework
agreement of rules with general obligations to apply to all
trade in services, and obligations on market access and
national treatment in services where a country takes on these
commitments; additional rules to ensure effective application
of the general rules in key sectors like banking, and country
schedules setting out the commitments made by each GATS
member.

Services is the fastest growing Australian export sector,
accounting for over $A13.2 billion in exports in 1990-91.
World services trade is valued at around $US810 billion and,
as the fastest growing sector of world trade, is of increasing
importance to the global economy.  Services include sectors
such as banking, insurance, shipping, telecommunications,
tourism, construction, distribution and professional services.
Previously, services have been subject to a patchwork of
bilateral agreements and arrangements.  Absence of rules has
meant greater bilateral trade friction and resort to
discriminatory and unilateral action which can cause
acrimonious disputes.  The GATS represents a major achievement
in bringing trade in services under a single set of
multilateral trade rules.

0094

The Uruguay Round services outcome will consist of:

A Framework Agreement of rules: with general obligations (MFN, transparency) to apply to all trade in services and specific obligations on market access and national treatment which apply in sectors where a country has made "specific commitments" in its national schedule.

Sectoral annexes: additional rules to ensure effective application of the general framework rules in key sectors (telecommunications, financial services, aviation) and in respect of important aspects of services trade (temporary movement of personnel).

Country schedules: setting out commitments by each GATS member on market access and national treatment in individual services sectors which will be the mechanism for progressive liberalisation and increased market access.

MFN is an unconditional obligation on all parties to accord the same treatment to all foreign services providers from member countries in all sectors, regardless of whether a commitment on market access and national treatment has been scheduled. MFN ensures that where market access is restricted (eg. a limit on the number of licences available) access is made available on a non discriminatory basis.

The Dunkel Package establishes the basis for negotiation of "specific commitments" by countries to bind market access and national treatment across substantial areas of their services economies. This part of the negotiation is already underway. Over 40 countries have tabled offers and requests have been made for improvements to those offers.

Australia's offer includes most significant services sectors including financial services, telecommunications, international shipping (but not cabotage), professional services, construction and consultancy. It does not cover areas of domestic sensitivity such as local content in the audiovisual sector, medical services and shipping auxiliary services which are part of waterfront reform processes. It includes offers representing existing policy on foreign investment and temporary movement of services personnel. The offer remains conditional on a satisfactory final outcome from negotiations in the Uruguay Round as a whole (specifically on agriculture), and on commitments on services by our trading partners.

Australia has made initial requests on our major trading partners for liberalisation of barriers identified as important to our services trade interests and for improvements to the offers on the table. Our requests cover access in areas such as banking, insurance, telecommunications, shipping, tourism, consulting and professional services.

Further information: Ms Meg McDonald telephone (06) 261 2980

0095

Paper 5

## TARIFFS AND NON-TARIFF MEASURES (NTM'S)

Many Australian exports, including mineral and manufactured products, should obtain improved access to overseas markets under the proposed target of a one-third reduction in tariffs announced by the Director General of the GATT on 20 December.

The reductions, when bound, will bring about a more stable world trading environment.

The final commitments should also reflect agreement by countries to phase out a range of existing non-tariff measures. This will reduce the opportunity for countries to undermine reductions in tariffs by the use of other less transparent and often more restrictive import barriers.

Australia will be required to consider comparable tariff reductions and binding commitments and may also undertake new international commitments in specific areas, such as signing the GATT code on standards.

These agreements will therefore work in the same direction as Australia's domestic reforms which are aimed at making industry more competitive and export-oriented. The market access negotiations are expected to be finalised by the end of March 1992.

Specific product-by-product reductions in tariffs and other barriers are to be negotiated bilaterally within an overall target for all participants to reduce tariffs by one-third and to substantially reduce the use of non-tariff measures. It is intended that these negotiations will cover all product sectors, including specific agriculture requests, tropical and natural resource-based products and textiles and clothing.

The agreement provides for annual tariff cuts to be phased in over five years commencing in 1993.

The extent of Australia's tariff commitments will depend on the final outcome of detailed product by product negotiations to be held in early 1992. Because Australia has been following its own program of tariff reductions during the Uruguay Round as part of its industry policy program, it is not expected, as a general rule, that there would be a requirement to further reduce tariffs beyond the levels already announced. A clear exception may be where Australia stands to benefit from specific industry sector agreements being negotiated, such as the proposed multilateral steel agreement.

0096

Included in this overall target of one-third reductions in tariffs are a number of proposals by countries for the multilateral liberalisation of trade barriers in specific industry sectors including steel, non-ferrous metals, pharmaceuticals, forestry, fisheries, chemicals and construction equipment. While most are unlikely to attain enough support from participants to be part of the final outcome, they represent the priority areas of negotiation for major countries such as the USA. Those of particular export interest to Australia are steel, non-ferrous metals and fisheries.

Australia has submitted detailed tariff and non-tariff measure request lists on 24 trading partners. These lists were prepared after extensive consultation with government and industry and represent those products of significant or potential export interest to Australia. These request lists will form the basis of Australia's priorities in the concluding "wrap-up" negotiations on market access in the early part of 1993.

The final outcome should see reductions in tariffs by a larger group of countries than have participated in past GATT negotiations. This will include expanding markets of particular interest to Australia such as Korea, Thailand, Malaysia, Indonesia and Latin America, all of which have traditionally maintained high barriers to trade.

**Background**

Past GATT negotiations have seen average industrial tariff levels of major industrialised nations reduced by over 85%, although many of these countries still retain high tariffs for some particular products and sectors. Examples include the textiles and clothing sector in the USA and the fisheries sector in the EC, Japan and Korea.

While the lowering of tariffs has substantially reduced the level of transparent import protection, it has also lead to increased use of non-tariff measures as a means of controlling or impeding imports and providing hidden protection for domestically produced goods. Commonly used non-tariff barriers include import licensing, quotas, export and production subsidies, price controls and packaging and labelling requirements.

Access to emerging markets in newly industrialising and developing countries is also restricted by high tariffs and the increasing usage of a range of non-tariff measures.

Further information: Mr Kingsley Barker telephone (06) 261 2361 (w) or (06) 273 1082

0097

Paper 6

## NATURAL RESOURCE-BASED PRODUCTS

The general Uruguay Round expected outcome of about a one-third cut in tariffs and reductions in the use of non-tariff measures should significantly improve access for Australia to its major markets.

Possible commitments by Australia's trading partners on distortions in world trade on natural resource-based products (mining, fisheries and forestry) should create substantial export opportunities for Australia.

For example, commitments that Australia is seeking to negotiate with the EC to reduce coal production subsidies in Germany would create additional opportunities for imported coal in the order of one and a half billion dollars per year by the late 1990's. Other coal liberalisation measures within the EC and Japan could see substantial additional benefits. As an efficient supplier of "clean coal" Australia is well placed to increase its share of imports in these markets.

There is also the prospect of success of a number of proposals for trade liberalisation in the natural resource-based product sector in the final stages of negotiations in early 1992. Of particular export interest to Australia are negotiations for a multilateral steel agreement, which would see the elimination of all tariffs and non-tariff measures covering around 80 per cent of world steel trade.

Australia also has a strong interest in seeing U.S. proposals for free trade in non-ferrous metals and fisheries succeed.

NRBP's are being negotiated as part of the general tariff and non-tariff measure negotiations, where specific product by product reductions are to be negotiated in early 1992. The overall target is for reductions of 30 per cent in tariffs and reductions in the use of non-tariff measures.

NRBP's feature prominently in Australia's requests on its major trading partners. Successful outcomes in these product sectors will be essential to Australia. gaining improved access to its major markets. These improvements will be achieved from overall tariff and NTM reductions and through specific sectoral initiatives under negotiation, particularly steel and non-ferrous metals.

### Background

The natural resource-based product sector, which includes non-ferrous metals, fisheries, forestry, coal and steel, contributes over 40 per cent of Australia's merchandise exports. Coal is Australia's single most important export item, with trade of over $6 billion in 1990-91.

0098

The natural resource-based products sector faces a range of tariff and non-tariff barriers. Although tariffs on imports of raw materials are generally low, tariff escalation (where tariff scales increase with the degree of processing) is a major problem as it discourages value-added activity in producing countries such as Australia.

There are a number of proposals being negotiated which, if successful, would see the elimination of all trade barriers in specific natural resource-based product sectors. These include steel, non-ferrous metals, fisheries and forestry. Australia has substantial export interests in a number of these sectors and would stand to make considerable gains if negotiations can be concluded successfully.

Of particular concern to Australia are the distortions in the world coal market caused by high levels of subsidised production. It has been estimated that levels of subsidised production in the EC and Japan nearly match the total value of world coal trade, thereby significantly depressing world prices and stifling demand for coal in these markets.

Further information: Mr Kingsley Barker telephone (06) 261 2361 (w) or (06) 273 1082 (w)

0099

Paper 7

## TEXTILES AND CLOTHING

Australian textile raw material exports, such as wool and cotton, should benefit from the expansion of world trade that will follow the removal of import quotas proposed in the Uruguay Round agreement on textiles and clothing.

Increased demand should also push commodity prices upwards and further encourage the industry.

The agreement returns the textiles and clothing sector fully to the GATT, through the phasing out of existing import restrictions which are inconsistent with GATT rules and disciplines. All import quotas under the MFA will be phased out over the next decade, with many areas subject to accelerated reductions in protection.

The agreement will deliver substantial benefits to many of the less developed countries, whose exports in this sector have for many years been constrained by restrictive quotas into the major markets of the EC and the United States.

The agreement also contains safeguard provisions to ensure that domestic industries in these countries are not unduly affected by sudden surges in imports during the phase out period. Like all participants, Australia will be involved in these arrangements.

Although not part of the MFA negotiations, the final outcome of the tariff and non-tariff measures negotiations in early 1992 will see further liberalisation in this sector, with particular attention to the high tariffs in many countries. In these negotiations, Australia may make new international commitments on its textile import regime, including tariff bindings, although these would be within the confines of current industry programs.

### Background

The removal of distortions to world trade in textiles and clothing through the integration of this sector into the GATT has been a critical issue in the Uruguay Round.

Although estimates vary, the current Multi-fibre Arrangement (MFA) puts under restriction up to half of the world's $100 billion plus annual trade in textiles and clothing, through the use of import quotas. Exports in the textiles and clothing sector are important to many developing countries and a successful outcome in this sector will have a significant bearing on their approach to other areas of the negotiations.

0100

Increased access for developing countries to the major markets would see a lowering of prices in those markets and thus a reduced need for exporters to sell at depressed prices to the rest of the world to maintain production levels.

Although not a member of the current MFA and thus not subject to restrictions on its exports, Australia has an interest in the liberalisation of trade in this sector. Our own textile and clothing import regime is already GATT-consistent, we are a substantial supplier of textile raw materials and have a small but growing export market in made up articles.

Further information: Mr Kingsley Barker, telephone (06)261 2361 (w) or (06) 273 1082 (h)

0101

Paper 8

## TRADE-RELATED INTELLECTUAL PROPERTY RIGHTS (TRIPS)

The Uruguay Round TRIPS agreement is likely to hasten Australia's move to becoming a clever country by achieving a turnaround in our traditional position as an intellectual property importer.

Stronger international rules for dealing with intellectual property trade will encourage firms to use innovation as a way of adding value to goods and services for export to the rapidly growing economies of the world, including those in our region.

The TRIPS agreement will also help to boost our export performance in goods and services with an intellectual property component.

In 1989-90, Australian exports of intellectual property - software, films, television and video programs and patents - topped $300 million for the first time.  The TRIPS Agreement will accelerate this trend.

The Dunkel proposals include a comprehensive agreement under the GATT containing new rules for the protection of intellectual property rights.

The rules establish minimum levels of protection (such as length of patent term); avenues for owners of intellectual property rights to quickly enforce them and deter future piracy and counterfeiting; procedures for consultation and dispute settlement where countries are at odds over compliance with specific obligations; and establishment of a TRIPS committee in the GATT to oversee the running of the agreement.

Better defined and workable global rules for the protection of intellectual property rights will stimulate innovative activity by guaranteeing a financial return to all inventors, artists, technicians and other innovators which recognises their creative efforts.

Higher levels of economic growth in the intellectual property sector will translate into expanded international trade in goods and services with a significant intellectual property component, for example high technology goods such as computer software, integrated circuits and pharmaceuticals.

Importantly, a multilateral TRIPS system will also act as a discipline on the activities of some large trading countries particularly the US and the EC which have, in the past, used their economic and political muscle to force through improvements in some countries' national intellectual property regimes often with the effect of discriminating against other countries and creating general trade friction.

0102

**Background**

Australia's exports of intellectual property rights are becoming increasingly significant as a foreign exchange earner.

But many Australian firms have cited examples of widespread piracy of their works in a number of foreign markets, specifically in the region. The GATT TRIPS agreement will give Australia a platform for tackling these problems and increasing levels of protection, and further improving the already healthy rate of growth recorded for copyright-based exports over recent years. The computer software, book publishing and music/film production industries are all set to benefit.

Counterfeiting of Australian products with an industrial property right component (patents, trade marks, designs) is also occurring in foreign markets. As manufactures and services exports expand, the GATT TRIPS agreement will enhance Australia's ability to exploit new export markets, particularly in the Asia/Pacific region and in product areas where Australia has special expertise such as chemicals and pharmaceuticals, mining and agricultural technologies and high technology products like telecommunications.

Protecting the reputation of Australian wines has been a major factor in the successful export marketing strategy adopted by the industry. While some restrictions will be placed on the use of European names in the future, Australia will continue to be able to use those names where there is a long record of use and where such names are identical with the name of the relevant grape variety. Equally, Australia will be able to exploit existing and new export markets on the basis that uniquely Australian names such as "Coonawarra", "Margaret River" and "Barossa" are protectable.

The Uruguay Round TRIPS negotiations were necessary to address international trade problems caused by inadequate protection of intellectual property and by piracy and counterfeiting activities. The aim was to establish an enforceable regime for dealing with trade in goods and services with an intellectual property rating (e.g. patents, copyright, trade marks, industrial designs, geographical indications etc.).

Further information: Mr Doug Chester telephone (06) 261 2470 or Mr Justin Brown telephone (06) 261 2817

AUSTRALIA AND THE URUGUAY ROUND

Paper 9

### TRADE-RELATED INVESTMENT MEASURES (TRIMS)

The Uruguay Round decision on TRIMS will aid in improving the level of certainty for Australian investors abroad by limiting the scope for foreign governments to attach onerous conditions to investment approvals or to link them to the receipt of other advantages.

Importantly, it will restrain the ability of countries which use the size and attractiveness of their closed domestic markets to attract industrial development away from more competitive locations such as Australia.

The TRIMS decision clarifies existing GATT rules preventing governments from "requiring" firms to meet specific performance targets. Requirements to purchase a minimum amount from domestic sources and so-called trade balancing requirements, which make access to imports (for example, at lower tariff rates) dependent on export performance, are among the sort of measures which are specifically banned by this decision. Aspects of some Australian industry programs may need to be examined in light of this outcome.

**Background**

Increasing globalisation of world industrial production patterns highlighted the need for removal of some of the distortions caused by countries competing unfairly for foreign investment through incentives linked to approvals to invest and performance requirements which can cause significant adverse trade effects to other countries' trade.

The major industrialised countries supported Uruguay Round negotiations on TRIMS as a means of reducing distortions in world trade through the development of new international trade rules covering investment.

Australia's original reservations about the TRIMS negotiations were based on our desire to see that all trade-distorting measures with these effects were targetted equally, including voluntary restraint arrangements, and other "grey area" measures used by the major trading powers to influence the location decisions of multinational firms.

The TRIMS decision is fully in keeping with the Government's approach of creating an open and receptive atmosphere for foreign investment.

0104

These new trade rules will bring a greater degree of
predictability into international investment flows and their
link with global trade which will help countries like
Australia which are dependent on a fair and open international
trading system.


Further information: Ms Meg McDonald telephone (06)261 2980

0105

Paper 10

## SUBSIDIES AND COUNTERVAILING MEASURES

Australia will benefit from clearer and more predictable rules on the use of subsidies and countervailing measures under the Uruguay Round agreement proposed by GATT Director-General, Mr Arthur Dunkel, on 20 December.

The agreement will provide a firmer basis on which Australia's internationally competitive industries can participate in international trade.

A clearer and stronger agreement combined with more effective remedy and dispute settlement provisions will have potential implications for all countries' industry assistance programmes, both for existing programmes and for the parameters within which new programmes can be introduced.

The countervailing provisions will also constrain the extent to which countries will be able to use countervailing as a protectionist device.

The agreement largely elaborates and clarifies existing disciplines. It is based on three categories of prohibited, actionable and non-actionable/non-countervailable subsidies, and sets out more detailed provisions on countervailing duty action.

As with the existing situation, the main set of prohibited measures is export subsidies on manufactured products (as well as those on other sectors such as minerals). Also included in the prohibited category are subsidies contingent upon the use of domestic, in preference to imported, goods. These are also dealt with under current GATT rules.

Disciplines on the use of non-prohibited subsidies are strengthened through outlining a set of practices that are presumed to cause serious prejudice to trading partners. The most important of these is a quantitative criterion where subsidies would be deemed to be causing serious prejudice if the rate of subsidization exceeded 5% ad valorem.

The non-actionable category of subsidies would cover those measures which are not specific to certain enterprises, along with subsidies to research programmes and disadvantaged region assistance, provided they meet certain criteria.

0106

The text also provides for strengthened disciplines on the use of subsidies by developing countries, including the phase out of their export subsidies on non-agricultural products.

The countervailing provisions are largely based on those in the current Subsidies Code with some elaboration of required procedures and methodology, including with regard to countervailing action against developing countries. The text (as with that for anti-dumping) also addresses a number of circumvention practices that have arisen in international trade since the conclusion of the Subsidies and Anti-Dumping Codes in 1979.

For further information:  Phil Sparkes        06-2612545 (o)
                                           06-2583585 (h)

0107

Paper 11.

## ANTI-DUMPING

Australia will benefit from clearer and more predictable
procedures applying to anti-dumping measures in the Uruguay
Round proposal outlined by the Director General of the GATT on
20 December.

The result should be a firmer basis for Australian industries
to make investment decisions and to participate in
international trade.

The proposal is that there should be increased disciplines on
the use of anti-dumping measures and provision to prevent
exporters circumventing anti-dumping measures already in place.

The provisions on the use of anti-dumping measures will be in
more detail.  The methodologies to be used by authorities in
determining dumping and injury will also be set out in more
detail than in the current Anti-Dumping code.

For the first time, there is provision to take action against
those who try to circumvent anti-dumping measures and there are
specific details on how and when action can be taken.

The new agreement also specifies that anti-dumping measures
will terminate after five years, but provides that a measure
can be reviewed before it expires and extended if the
circumstances warrant.

There is also specific provision for judicial review of
administrative determinations.  Overall the new agreement is
clearer and more detailed than the current Code.

Background

Disputes between trading nations over anti-dumping actions have
increased in recent years.  This is partly due to the
perception that the existing Anti-Dumping Code did not define
sufficiently or spell out key concepts of the code.  In an
effort to overcome these problems, a new anti-dumping agreement
has been negotiated, which sets out more clearly and with more
detail the requirements in undertaking anti-dumping
investigations, including in particular, greater detail on the
methodologies to be used in determining dumping and injury.This
will make anti-dumping investigations more predictable for
exporters, importers and domestic producers, who will know with
greater certainty and in more detail what is required of them
before an investigation begins.  This should lead to a decrease
in the level of disputation and tension over anti-dumping
proceedings, and make the process fairer for all participants.

For further information:  Phil Sparkes    06-2612545 (o)
                                          06-2583585 (h)    0108

1635e

# AUSTRALIA AND THE URUGUAY ROUND

## TECHNICAL BARRIERS TO TRADE

Australian exporters should benefit considerably from the Uruguay Round agreement which proposes significantly enhanced disciplines on technical regulations and standards which have often inhibited international trade.

Although Australia is not a member of the existing GATT code on technical barriers to trade it would necessarily take on the rights and obligations of the new agreement that are contained in the Uruguay Round reform package.

In particular Australia would have new obligations concerning technical standards set by State Governments and major non-government bodies.

Under the new agreement the existing code has been strengthened. Guidelines for private standard setting bodies have been included, and basic obligations detailed and clarified - especially those covering technical regulations which are not to be applied so as to be unnecessary obstacles to trade.

The changes reflect the growing complexity of technical standards and regulations in the world economy which often inhibit trade.

Background

There were demands from a number of countries to strengthen the existing code on technical regulations and standards. The demands called for the inclusion of guidelines for private standard setting bodies, elaboration and clarification of basic obligations, particularly those relating to technical regulations not being unnecessary obstacles to trade, extension of notification requirements to subnational bodies, provision for mutual recognition agreements and inclusion of processes and production methods in coverage.

For further information: Phil Sparkes    06-2612545 (o)
                                        06-2583585 (h)

0109

## AUSTRALIA AND THE URUGUAY ROUND

## GATT ARTICLES AND CODES

The Articles package which modernises the GATT's approach to aspects of the multilateral system is a useful outcome for Australia.

The package also strengthens some of the GATT's basic bread and butter provisions, restricting the potential for loopholes or escapes which could have undermined the effectiveness of Round outcomes in other areas.

The package updates a range of GATT provisions and reflects efforts to respond to important developments affecting the international trading system.

These included the trend towards greater regionalism in world trade and its effects on trading partners; the activities of state trading enterprises (of particular relevance to the transition of former centrally-planned economies to more market-oriented systems); the further integration of developing countries into the GATT system; and the responsibilities of Federal governments with respect to the trade-related policies of State and local governments.

The package also includes useful clarification, or tightening, of provisions dealing with customs valuation, import licensing, information recorded in GATT schedules, the modification of bound tariffs, the granting of GATT waivers, and the negotiation of accessions to the GATT.

For further information:  Phil Sparkes     06-2612545 (o)
                                              06-2583585 (h)

0110

# AUSTRALIA AND THE URUGUAY ROUND

## SAFEGUARDS

Australian exports which are currently hampered by "voluntary" export restraints and other trade restraints known as "grey-area measures" could benefit under the strengthened GATT system proposed in the Uruguay Round reforms.

There should also be indirect benefits for Australian exporters as trade expands after the elimination of grey area measures.

Under the proposed reforms, grey-area measures will be brought under multilateral control by explicit provisions to notify and phase out such measures, and fixed time limits will be introduced on safeguard actions.

This will lead to greater commitment and adherence to strengthened GATT rules on emergency actions and provide a clear set of guidelines to oversee the application of safeguard measures.

It will ensure that the resort of major countries to the use of grey area measures is overcome and show a commitment to a greater market orientation for the international trading system.

Background

In the 1980's many countries sought to escape their GATT obligations by introducing a range of grey area measures for essentially protectionist reasons. GATT permits emergency action, such as increasing tariffs above bound levels or introducing quota restrictions on imports, but grey area measures have been preferred to legitimate measures and have undermined free trade. It has been, therefore, necessary to achieve an agreement to bring the grey-area measures under GATT rules and disciplines to protect free trade.

For further information:  Phil Sparkes    06-2612545 (o)
                                         06-2583585 (h)

0111

Paper 15.

## INSTITUTIONS

Australia will benefit from a significantly strengthened institutional structure (the Multilateral Trade Organisation), with a dispute mechanism which covers all Agreements and produces speedy outcomes to minimise the potential for protracted conflicts over trade.

An automatic, time-limited and binding dispute settlement process which cannot be blocked at any stage, will be established.  Effective dispute processes are essential to underpin the international rules, especially in areas not previously covered by GATT rules.

The threat of unilateral action by the United States under Section 301 will be greatly reduced through a requirement to use GATT dispute processes.  This will enhance the credibility of the system and its effectiveness for small and middle-ranking countries.

In any dispute brought against it, Australia would be obliged to implement panel rulings within the agreed 'reasonable period of time' or face retaliation and possibly cross-retaliation.

The Multilateral Trade Organisation (MTO) will be better equipped than the GATT to implement and oversee the results of the Uruguay Round and meet the challenges of the 90s.

### Background

The increasing frequency of disputes brought to the GATT in the 1980's is a trend likely to continue.  The existing dispute settlement system could be obstructed and protracted by the possibility for countries to block progress at every stage of the proceedings.  Panel recommendations have been difficult to enforce, because authorisation of retaliation can be blocked, meaning there is no incentive for countries to implement the findings in a dispute.

The different provisions for dispute settlement in different areas (eg. subsidies) has lead to lengthy and unproductive procedural debates (or "forum-shopping").

The U.S. pursues its own dispute settlement process (Section 301), which allows it to retaliate in all areas (ie. cross-retaliation), outside the GATT framework.

The GATT has a provisional institutional status, dating to the failure in 1947 of the Bretton Woods' inspired International Trade Organisation to be ratified.

0112

Outcome

The outcome establishes an automatic, time-limited and binding dispute settlement process which cannot be blocked at any stage. Thus non-implementation of a ruling can ultimately lead to retaliation.

It also creates an integrated dispute settlement system across all agreements, which harmonises procedures to the fullest extent possible and allows cross-retaliation under certain conditions.

There will be little scope for resort to unilateral action, through commitment to exhaust MTO procedures (given that these procedures would lead automatically through to retaliation, there would be no point left at which Section 301 could be invoked).

The relevance of domestic and multilateral transparency in improving national policy-making on trade matters is recognised and institutionalised.

The outcome secures a definitive and integrated institutional basis for the GATT through a new Multilateral Trade Organisation (MTO), which will implement and oversee the GATT and the results of the Uruguay Round. This is a positive outcome which well serves Australia's interests.


For further information:  Phil Sparkes      06-2612545 (o)
                                             06-2583585 (h)

0113

1635e

UR(우루과이라운드) 협상 실무대책위원회, 1992. 전3권(V.1 1-3월)  119

## GATT TRADE ROUNDS

| Year | Place | Participating Countries | Results |
|---|---|---|---|
| 1947 | Geneva | 23 | The founding countries of GATT completed some 123 negotiations and established 20 schedules which became an integral part of GATT. These schedules covered some 45,000 tariff concessions and about US$10 billion in trade. |
| 1949 | Annecy | 13 | Participants exchanged some 5,000 tariff concessions. |
| 1951 | Torquay | 38 | Some 8,700 tariff concessions were exchanged yielding tariff reductions of about 25 per cent in relation to the 1948 level. |
| 1956 | Geneva | 26 | About $2.5 billion worth of tariff reductions. |
| 1960-1961 | Geneva | 26 | The Dillon Round. Some 4,400 tariff concessions were made, covering $4.9 billion of trade. |
| 1964-1967 | Geneva | 62 | The Kennedy Round departed from the product-by-product approach used in previous Rounds to an across-the-board or linear method of cutting tariffs of industrial goods. The working hypothesis of a 50 per cent target cut in tariff levels was achieved in many areas. Concessions covered an estimated total value of trade of about $40 billion. Separate agreements were reached on grains, chemical products and a Code on Anti-Dumping. |

0114

| | | | |
|---|---|---|---|
| 1973-<br>1979 | Geneva | 99 | **The Tokyo Round.** Tariff reductions and bindings made covered more than $300 billion of trade, and lowered the weighted average tariff on manufactured goods in the world's nine major industrial markets from 7.0 to 4.7 per cent. It also resulted in the recognition of preferential tariff and non-tariff treatment for and among developing countries, and liberalization of trade on many tropical products. It established "codes" on subsidies and countervailing measures, technical barriers to trade, import licensing procedures, government procurement, customs valuation, dairy products, bovine meat, civil aircraft and revised the GATT anti-dumping code. |
| 1986 | Geneva | 105 | **Uruguay Round.** Launched by GATT Ministers on 20 September 1986 in Punta del Este, Uruguay, this is the eighth - and the most complex and ambitious round of multilateral trade negotiations in the GATT. The Round, originally scheduled to be completed in four years, is aimed at the further liberalization and expansion of world trade and extends the multilateral negotiations among contracting parties to such new areas as trade-related aspects of intellectual property rights, trade-related investment measures and trade in services. Some 105 countries have participated in the Round. |

0115

# AUSTRALIA AND THE URUGUAY ROUND

Paper 17

Countries participating in the Uruguay Round

| | | |
|---|---|---|
| *Algeria | France | New Zealand |
| Antigua and Barbuda | Gabon | Nicaragua |
| Argentina | Gambia | Niger |
| Australia | Ghana | Nigeria |
| Austria | Germany | Norway |
| Bangladesh | Greece | Pakistan |
| Barbados | Guyana | *Paraguay |
| Belgium | Guatemala | Peru |
| Belize | Haiti | Philippines |
| Benin | *Honduras | Poland |
| Botswana | Hong Kong | Portugal |
| Brazil | Hungary | Romania |
| Burkina Faso | Iceland | Rwanda |
| Burma | India | Senegal |
| Burundi | Indonesia | Sierra Leone |
| Cameroon | Ireland | Singapore |
| Canada | Israel | South Africa |
| Central African | Italy | Sri Lanka |
|   Republic | Jamaica | Spain |
| Chad | Japan | Suriname |
| Chile | Kenya | Sweden |
| *China | Korea | Switzerland |
| Colombia | Kuwait | Tanzania |
| Congo | Lesotho | Thailand |
| Costa Rica | Luxembourg | Togo |
| Cote d'Ivoire | Madagascar | Trinidad & Tobago |
| Cuba | Malawi | Tunisia |
| Cyprus | Malaysia | Turkey |
| Czechoslovakia | Maldives | Uganda |
| Denmark | Malta | United Kingdom |
| Dominican Republic | Mauritania | United States |
| El Salvador | Mauritius | Uruguay |
| Egypt | Mexico | Yugoslavia |
| *Fiji | Morocco | Zaire |
| Finland | Netherlands | Zambia |
| | | Zimbabwe |

TOTAL  105

---

* Not contracting parties to GATT

1104e

0116

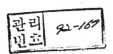

# UR/農産物 國別 履行 計劃書 提出 對策 會議資料

1992. 2. 25.

通　　商　　局

# - 目　　次 -

0118

# 1. UR 實務對策委(12, 20) 協議 結果

가. 國別 履行 計劃書는 協商 日程에 따라 3月初 提出 推進
　　o 우리의 積極的인 協商 參與 姿勢 表明, 協商을 통한 我國 立場
　　　 反映, 美側 要求等 감안
　　　 - 단, 具體的인 提出日字는 餘他國 動向을 보아 決定

나. 履行 計劃書는 我國이 主張하는 方式에 따라 作成
　　o 關稅化 例外, 基準年度(86-88年 平均 대신 91年度), 最小 市場
　　　 接近 水準 下向 調整, 開途國 優待 適用等

다. 다만 상금 選定이 되지 않은 關稅化 例外品目은 關係長官 會議에
　　상정하여 決定
　　o 쌀이외 例外品目(1-2개의 基礎食糧)
　　o 11:2(C) 援用品目 (生産 調節 品目)
　　　 (對象品目案은 農林水産部에서 作成하여 상정)

(라.) Track 4에 의한 農産物 協定 草案 修正 交涉과 我國 入場 貫徹을
　　위한 主要國과의 交涉 推進 計劃은 我國 國別 履行 計劃書 提出
　　對策과 連繫하여 檢討

# 2. 關係長官 會議 上程 議題

가. 國別 履行 計劃書 提出 時期

0119

1

나. 關稅化 例外 對象品目 選定
- ㅇ 쌀외에 例外 對象品目 (食糧安保 品目)
- ㅇ 갓트 11:2(C)를 援用할 品目 (生産 調節 品目)

다. 我國 立場 反映을 위한 交涉 戰略
- ㅇ 主要國과의 我國 立場 反映 交涉
- ㅇ Track 4에 의한 農産物 協定 草案 修正 交涉


# 3. 關係部處 立場

가. 農林水産部
- ㅇ 3月下旬 以前에는 履行 計劃書 提出이 困難하며, 3月下旬 以前 提出의 境遇에는 15개 NTC 品目에 대한 감축 履行 計劃 불포함.
  - 關稅化 例外品目 範圍, 品目別 具體的 減縮 計劃等 國內的으로 敏感한 事案에 대한 公聽會等 國內節次 進行 어려움.
- ㅇ 履行計劃書는 我國이 主張하는 方式에 따라 作成
  - 關稅化, 基準年度, 最小 市場接近, 開途國 優待等

나. 經濟企劃院
- ㅇ 減縮 計劃 提示 例外品目은 91.1. 對外協力委 決定대로 쌀 및 1-2개 基礎食糧 品目에 局限
- ㅇ 履行計劃書는 協商 日程에 따라 3月初 提出 必要
  - 具體日字는 餘他國 動向 보아 決定

2

# 4. 外務部 實務 檢討 意見

가. 國別 履行 計劃書 提出 時期

　o 履行 計劃書는 可及的 既存 協商 日程을 尊重하여 3月初까지 提出
　　(農水産部 Ⅰ案)

　　- UR 協商의 成功 與否가 美國. EC間의 妥協 可能性에 달려
　　있으므로 消極的 協商 態度를 취함으로써 協商 決裂의 責任이
　　我國에게도 지워지는 狀況은 回避 必要 (주 제네바 大使 報告)

　　- 合意된 協商 日程에 지나치게 벗어나는 境遇 全體 協商 부진의
　　責任을 전가당할 憂慮가 있으므로 餘他 主要國 動向을 보아
　　3月初 提出 推進 必要

　　[3月初 履行 計劃書 提出이 어렵다는 것이 多數 意見인 境遇]

　　- 減縮 履行 計劃書를 提出치 않으면 兩者協商을 進行할 수
　　없으므로 3.1까지 「兩者協商 基礎 資料」를 提出하고 일단
　　主要國과 兩者 協議를 推進하는 方案 檢討

　　- 「兩者協商 基礎資料」에는 品目別로 關稅率, 關稅 상당치(TE),
　　國內 및 輸出補助치를 提示하고 減縮 計劃은 兩者協商에서
　　協議할 것임을 言及

　　- 協商 對象國과의 兩者協商에서는 品目別 減縮과 關聯한 我國의
　　既存 立場에 따라 協商을 進行

나. 關稅化 例外 對象品目 選定

　o 91. 1. 對外協力委 決定대로 쌀 및 1-2개 基礎食糧 品目만을 食糧
　　安保에 根據한 關稅化 例外品目으로 提示

　　- 對外協力委 決定事項은 91. 1. 15 TNC 會議 前後에 美. EC. 日本等
　　主要國에 通報 되었고 同 決定에 따라 지금까지 協商에서 我國
　　立場을 表明해 왔으므로 一貫性 및 對外 信任度 측면에서 必要

3

0121

- 我國의 誠實한 協商 姿勢 表明과 核心 關心事項 反映을 위해서도
  必要
o 食糧安保 品目에서 쇠고기는 除外
  - 91. 1. 7. 關係部處 長官 會議時 쇠고기는 例外品目에 包含시키지
    않기로 旣合意
  - 쇠고기는 '89 쇠고기 輸入制限 패널 結果 自由化 對象品目으로서,
    UR 協商 結果를 援用, 關稅化 對象에서 除外할 境遇, 美國,
    濠州等 主要 交易 相對國의 심한 반발 豫想
o 生産 調節 品目(6개)의 範圍 縮小
  - 갓트 11조 2항(C)의 改善 可能性은 적으며, 現行 條文에 따를
    境遇 援用 要件이 엄격하여 同 要件을 充足시킬 수 있는 品目이
    事實上 거의 없으므로 我國 立場에 대한 信任度 側面에서 對象
    品目을 엄선, 縮小 必要
  - 쌀에 대한 例外等 我國의 核心 關心事項 反映 與否도 不透明한
    狀況에서 多數의 例外品目을 提示하는 境遇 我國 協商 立場 弱化
  - 스위스, 카나다等의 例外 主張 品目은 旣 生産 調節中인
    品目이나, 我國의 境遇 生産 調節을 新規로 實施 하겠다는
    것이므로 全般的인 自由化 逆行 措置로 認識될 憂慮


다. 我國 立場 反映을 위한 交涉
  o 我國의 減縮 履行 計劃書 內容이 具體化되면, 同 內容에 따라
    美國等 主要協商 對象國과 交涉 推進
  o 農産物 協定 草案 修正 交涉은 Track 4가 稼動되는 境遇, 美國,
    EC等 主要國과 제네바에 使節團 派遣을 통하여 推進


4

0122

첨 부 : 1. 最近 UR 協商 動向.

2. UR 農産物 協商 關聯 對外協力委員會(91. 1.) 決定事項.

3. 農産物 最終 協定 草案 内容 및 我國 立場.

4. 各國의 農産物 分野 減縮 履行 計劃書 提出 計劃.

5. 갓트 11조 2(C) 援用 要件.                          끝.

5

# 1. 최근 UR 협상 동향

가. UR 협상 동향

○ 1.13 TNC에서 합의된 대로 4 Track 접근 방식에 의거 진행중

- Track 1(시장접근), Track 2(서비스)에서 주요국간 양자협상이 진행되고 있으나, EC의 Track 1 협상 기피로 인해 전반적인 분위기는 저조 (농산물 분야 관련, 미.일.EC등 주요국가들은 3.1 시한까지 감축 이행 계획서 제출이 예상되나, 일부 선진 수입국들은 제출시기 관망)
- Track 3(법제화) 그룹에서는 MTO 협정, 분쟁해결 및 여타 협정에 대한 법적 정비 작업이 예정된대로 진행중

○ 던켈 총장은 Track 4(fine tuning)에 의한 협상을 상금 개시치 않고 있으며, 미.EC간에 Track 1(시장접근 양자협상)을 이용한 이견 해소 가능성이 거론됨.

- Track 4는 Track 1-3 협상에서 성과가 있고, 미.EC간 막후 타협이 이루어지는 경우에만 극히 제한된 범위내에서 가동될 것으로 전망

나. 미.EC간 협상 동향

○ 2.13-14간 미.EC간 차관급 실무협상에서도 별다른 진전 없음.

- EC측은 rebalancing, 직접보조의 허용, 물량 기준 감축 완화등 계속 요구

○ 금주중 협의 재개 예정이나, 양측의 새로운 대안 제시가 어려울 전망

- 대통령 선거를 앞둔 미국 및 불란서의 계속된 강경 입장 견지

다. 전    망

○ 4월중순까지 협상 종결 위하여는 농산물 협상에서 미.EC간 타협과 Track 4 협상의 성공적 마무리가 필요한 바, 당분간은 Track 1-3 협상을 추진하면서 미.EC간 타협을 기다리는 형태로 협상이 진행될 것으로 예상

○ 현시점에서 4월중순까지 타결 가능성을 예단하기 어려우나, 현지 전문가들은 미.EC간 입장 차이가 좁혀지지 않고 있고, 복잡한 시장접근 및 서비스 양허 협상 절차등을 감안, 타결 가능성을 절반 정도로 평가

6

0124

## 2. 91.1.9 대외협력위원회 결정내용

| | 91.1.7 관계장관 회의결과 | 91.1.9 대외협력위원회 결정내용 |
|---|---|---|
| 1. 관세화 <br><br> - 대상품목 | - 쌀+알파(기초식량)를 제외한 수입 제한품목 <br><br> ㅇ 알파에 해당되는 품목은 보리에 1품목을 추가하여 농림수산부가 결정, 단 쇠고기는 불가함. | ㅇ 앞으로의 협상에서 우리의 핵심 관심사항의 반영을 계속 주장하되 협상의 기본틀내에서 실리가 확보될 수 있도록 대응 |
| - 이행기간 | - 선진국 이행기간의 2배수준 (감축폭보다는 감축기간에서 우대) | ㅇ 쌀등 최소한의 식량안보 대상 품목의 개방 예외 입장 견지 |
| 2. 최소시장 접근 <br><br> - 대상품목 | - 쌀을 제외한 품목 | ㅇ 우리가 개발도상국 우대 적용 대상국이 되도록 협상력을 집중 함으로써 시장개방과 국내보조 감축에 있어 장기 이행기간의 확보에 주력 |
| - 보장방법 <br><br> ㅇ 수입이 있는경우 | - 현 수준 시장접근보장 | ㅇ 국내 생산통제와 수입 제한을 연결시킬 수 있는 원용함과 동시에 동 조항의 합리적 개선을 위하여 이해관계국과의 공동 노력 강화 |
| ㅇ 수입이 없는경우 | - 선진국의 1/2 수준 | ㅇ 수입을 개방하더라도 국내 생산 기반이 최대한 범위내에서 최소 시장접근 허용 |
| 3. 국내보조 <br><br> - 대상품목 | - 쌀을 제외한 농산물 | ㅇ 개방화에 따른 국내 피해를 최소화할 수 있도록 관세 인상과 함께 수량제한이 가능한 긴급 수입제한 제도 마련에 협상력 집중 |
| - 이행기간 | - 선진국 이행기간보다 2배수준 (감축 폭보다는 감축기간 에서의 우대) | |

7

0125

## 3. 농산물 협정 초안 주요 내용 및 아국입장

| | 농산물 협정 초안 | 아 국 입 장 |
|---|---|---|
| **1. 시장개방** | | |
| 관 세 화 | 전품목 (예외 불인정) | 쌀등 기초식량 제외 |
| 최소시장접근 | - 수입이 없거나 미미한 품목에 대해서는 국내 소비량 3%의 최소 시장접근 보장<br>- '99년까지 5%로 확대 | - 쌀은 제외<br>- 기타품목은 2% |
| 기준년도 | '86-'88평균 | 91년 |
| 이행기간 | '93-'99 | 10년간 |
| 감 축 폭 | 7년간 ('93-'99) 평균 36%감축 (품목별 신축성을 인정하되 최소한 15% 감축) | 좌기의 1/2 수준 감축 |
| 개도국 우대 | 이행기간 : '93-2002 (10년간)<br>감 축 폭 : 24% | 개도국 우대 적극 활용 |
| **2. 국내보조** | | |
| 기준년도 | '86-'88 | 91년 |
| 이행기간 | '93-'99 | 10년간 |
| 감 축 폭 | 20%<br>(단,보조액이 해당품목 총생산액의 5% 미만일 경우 감축 의무 면제) | - 쌀에 대한 보조감축 제외<br>- 좌기의 1/2 수준 감축 |
| 개도국 우대 | 이행기간 : '93-2002 (10년간)<br>감 축 폭 : 13.3% | 개도국 우대 적극 활용 |
| **3. 수출보조** | | |
| 기준년도 | '86-'90 평균 | 91년 |
| 이행기간 | '93-'99 | 10년간 |
| 감 축 폭 | - 재정지출 36%<br>- 물량 24% | 좌기의 1/2 수준 감축 |
| 개도국 우대 | 이행기간 : '93-2002 (10년간)<br>감 축 폭 : 재정지출 24%<br>　　　　　물량　 16% | 개도국 우대 적극 활용 |

8

0126

# 4. 각국의 농산물 분야 감축 이행 계획서 제출 계획

1992. 2.25.현재

| 국 명 | 제출시기 | 비 고 |
|---|---|---|
| 일 본 | 3. 1 | ○3.1까지 제출할 수 있도록 작성하고 있으나 구체적 내용 미정<br><br>○삭감폭 등에 대한 합의가 없는 단계이므로 complete offer가 되기는 어려움. |
| 카 나 다 | 3. 1 | ○공급관리 계획에 의해 보호되고 있는 품목(낙농품, 닭고기등)은 제외<br><br>○미.EC간 타협이 이루어지면 기존 입장 재평가 |
| E C | 3. 1 | ○기한내 제출한다는 방침하에 관계부서간 협의 통해 계획서를 작성중<br><br>○EC가 수락할 수 없는 사항(Green Box, Rebalancing, 수출보조금 감축 문제)을 감축 계획서에 어떻게 반영할 것인가는 곧 관련회의에서 확정 예정 |
| 아르헨티나 | 3. 1 | ○담배, 설탕은 생활조건 열악지역에서 재배되므로 두품목은 별도 보조금 감축 계획 수립 |
| 스 위 스 | 3.1 예정 | ○감축 이행 계획서를 내부적으로 작성 완료<br><br>○제출시기는 원칙적으로 3.1이나 타국의 동향을 보아 결정 |
| 노르웨이 | 미 정 | |
| 이스라엘 | 미 정 | |
| 핀 란 드 | 미 정<br>(초안완성) | ○미.EC간 협상이 수용 가능한 선으로 타결될 경우 계획서를 제출할 것이나, 미.EC간 협상이 여의치 않을 경우는 계획서 제출 곤란 |
| 스 웨 덴 | 3. 1 | ○현재 작성중이며 기한내 제출 예정 |
| 인 도 | 미 정 | ○계획서 작성 작업 진행중이나 3.1까지 제출이 어려울 것으로 예상 |
| 말 련 | 3월 첫주 | ○3.1시한전 제출을 위해 최대한 노력중<br>(늦어도 3월 첫주내에 제출 목표) |

※ 미국 및 호주, 뉴질랜드등 Cairns 그룹 국가들은 3.1까지 제출 예상

9

0127

## 5. 갓트 11조 2C 원용 요건

농수산물에 대한 수입제한 조치가 정당화 되기 위하여는 하기 요건이 모두 충족되어야 함.

○ 수입제한 품목이 국내판매 또는 생산품목과 동종 상품이어야 함.
  (단, 동종상품의 실질적인 국내생산이 없을 경우 수입품과 직접 대체 가능하여야 함)

○ 수입금지가 아닌 수입제한이어야 함.

○ 일정기간중 수입 허용 총량 혹은 총액(총량 및 총액 변경시 동 변경사항)을 공표할 것.

○ 국내산품의 생산제한 및 국내공급 제한을 위해 입법화된 정부 조치가 있어야 하며, 생산제한이 효율적으로 이루어지고 있다는 사실을 증명할 수 있어야 함.

○ 수입제한시에도 최소 시장접근을 허용해야 하며, 이때 수입 허용량이 수입제한을 하지 않았을 경우에 기대되는 수입량보다 적어서는 안됨.

# UR 農産物協商 最近動向과 對策

## 1992. 2. 26.

## 農 林 水 産 部

0129

## 1. UR農産物協商 最近動向

### 가. 日 程

텬켈總長은 '92. 1. 13 貿易協商委員會(TNC)에서 네가지 協商의 同時進行後 4月中旬까지 協商을 終了하자는 日程提示

< 네가지 協商分野 >

1) 市場接近分野 (工産品, 農産物등) : 市場接近協商그룹

2) 서비스協商 : 서비스協商그룹

3) 協定草案의 法的文句調整 : 制度協商그룹

4) 協定草案을 제한적으로 修正하는 方案檢討 : 貿易協商委員會

o 1月下旬 ~ 2月中 兩者協商을 하고 3월초까지 각국이 國別履行計劃 提示

- 農産物分野는 3月 1日까지 提示

o 3月中 集中的 兩者協商을 거쳐 3月末까지 각국이 讓許計劃 提出

o 4월초에 綜合檢討後 採擇與否 決定

- 1 -

0130

나. 最近動向

○ 美國. EC間의 協議

- 2.12 ~ 13 워싱톤에서 次官級協議가 있었으나 進展없음.

- 兩側間 절충은 계속될 것이나 美國側에서도 實務的으로는 <u>4월중 妥結은 어렵다고</u>
  <u>보고 있음. ( 5~6월경 推測 )</u>

○ 美國内 動向

- 國内의 反撥이 있으나 政府의 協定草案의 修正에는 否定的임.
  (業界, 農民團體, 議會等에서 던켈안에 많은 不滿提起)  — 나네여 라니길 난때?시

○ EC内 動向

- 프랑스등 國家들의 強硬한 자세로 内部立場調整이 遲延되고 있음.

- 獨逸은 協商妥結을 위해 <u>6월경 G-7 頂上會談 要求중</u>이나, EC執行委員長(Delors)
  이 反對하고 있음.

○ 日 本

- 協定草案 修正協商 조기재개를 要請하고, 主要國에 실무급 交涉團을 派遣하여 각국
  의 動向을 把握하는 한편 쌀의 關稅化는 反對하면서 日本이 UR協商決裂의 責任을
  지지않기 위해 신축적인 태도를 보이고 있음.

○ 카 나 다

- 聯邦農業長官(Maknight), 通商長官(Wilson)등 交涉團이 유럽순회, 生産調節에
  의한 關稅化例外(11조2C)등 支持交涉

2. 各國의 履行計劃書 提出計劃 動向

　ㅇ 美　國 : 協定草案 修正없이 3월 1일까지 提示한다는 立場

　ㅇ 濠洲, 뉴질랜드 :　　　　　　　　　"

　ㅇ E　C : 旣存立場(던켈안을 修正하는 것임)에 따라 履行計劃을 3월 1일까지 提示
　　　　　　하기 위해서 會員國 擔當者會議, 執行委員會 會議등 推進方針

　ㅇ 카나다 : 生産調節(제 11조 2C)에 의한 關稅化 例外品目은 旣存立場대로 除外하고
　　　　　　3월 1일까지 提示하겠다는 立場

　ㅇ 日　本 : 쌀등 關稅化例外 品目을 除外하고 3월 1일까지 提示한다는 立場

　ㅇ 스위스 : 旣存立場을 유지하되 어느形式으로 提示할 것인가는 各國 動向을 보아
　　　　　　決定하되 具體的인 提出時期는 3월中旬 豫想

　ㅇ 北歐그룹 : EC등의 動向을 보아 立場을 決定한다는 입장

　　　　　※ 스웨덴은 協定草案대로 따르는 데 무리가 없다는 立場

# 3. 我國의 履行計劃書 提出 對策

## 가. 基本方針

○ 農産物分野의 國別履行計劃書는 우리의 既存立場에 입각하여 提示

- 다만, 쌀등 基礎食糧의 <u>關税化例外</u> 品目과 11조 2C적용에 의한 <u>關税化例外</u> 品目은 '91.1.9 政府方針에 따라 세부조정

○ 履行計劃書는 3월초에 提出可能토록 資料準備는 하되 提出時期는 各國의 動向등을 勘案하여 정함.

## 나. 當面한 方針決定 事項

90.10.

1) 15개 NTC品目을 再調整하여 期日内에 提出할 것인가 하는 問題

- 公聽會, 黨政協議, 對外協力委員會등의 節次를 밟아야 함.

2) 提出時期 決定

- 각국의 動向과 國内問題등을 考慮하여 정해야 할 것임.

< 參考 > 15개 NTC 品目

○ 쌀, 보리, 콩, 옥수수, 쇠고기, 돼지고기, 닭고기, 우유및 유제품, 고추, 마늘, 양파, 참깨, 감자, 고구마및 전분, 감귤

- 4 -

0133

| | 提示時點 선택의 長短點 | | |
|---|---|---|---|
| | Ⅰ 案 | Ⅱ 案 | Ⅲ 案 |
| 提示時期 | ○ 3월초<br>(15개 NTC品目調整) | ○ 3월말<br>(15개 NTC品目調整) | ○ 3월초 (15NTC品目을 제외한 部分만 우선 提出하고 나머지는 2차提出 |
| 長 點 | ○ 協商에서의 우리立場을 분명히 하고 協商에 能動的으로 參與한다는 評價를 받을 수 있음. | ○ 國内的으로 發生可能한 負擔은 減少시킬 수 있음. | ○ 國内的으로 發生可能한 負擔을 減少하고,<br>○ UR協商不參의 負擔은 減少시킬 수 있음. |
| 短 點 | ○ 15개 NTC品目의 大幅修正으로 인한 農村의 民心動向이 우려됨. | ○ 韓國이 協商參與에 否定的이라는 引上을 줄수 있음.<br>○ 3월중 兩者協商에 참여할 수 없게되어 UR協商이 決裂되거나 遲延되는 責任問題 提起可能 | ○ 韓國이 協商參與에 否定的이라는 引上을 줄 수 있음.<br>○ 3월중 兩者協商에서 세부적인 立場提起가 어려움. |

<참고> '90년 國別履行計劃書 提出國家와 提示時點
　- GATT의 提出要請日 : '90. 10. 15

○ '90. 10. 15까지 提出國家 : 日本, 美國, 케언즈그룹, 캐나다

○ '90. 10. 15以後 提出國家 : 핀랜드('90. 10. 22), 스위스('90. 10. 24), 한국('90. 10. 29) 오스트리아('90. 10. 31), EC('90. 11. 7), 아이슬랜드('90. 11. 14)

　- 今年의 경우도 3월초 提示國은 美國, 케언즈그룹등일 것으로 예상

- 5 -

0134

## 關稅化例外의 細部品目 決定方案

< '91. 1. 9 對外協力委員會 決定事項 >

- '90. 10 決定한 15개 NTC品目을 다음과 같이 조정키로 하였음.

  ○ 食糧安保에 의한 關稅化例外 : 쌀 + α (2~3개 품목)

  　　　　　　　　　　　단, 쌀은 最小市場接近(MMA)도 허용치 않음

  ○ 生産調節(제 11조 2C)에 의한 關稅化例外 品目選定

  ○ 其他는 關稅化

< '91. 12. 20 協定草案의 例外없는 關稅化에 대한 主要國 反應 >

○ 例外없는 關稅化 및 最小市場接近(MMA)등 협정초안에 많은 國家들의 不滿常存

○ 例外없는 關稅化를 받을 수 없다는 立場의 國家들

　- 일본, 캐나다, 스위스, 멕시코, 노르웨이, 핀랜드, 아이슬랜드, 이스라엘등

○ 協定草案에 11조 2(C) 反映意見 提示國家들

　- 한국, 일본, 캐나다, 스위스, 노르웨이, 이스라엘

- 6 -

## 關稅化 例外對象 細部品目 選定代案

| | | I 案 | II 案 | III 案 |
|---|---|---|---|---|
| 關稅化<br>例 外 | 食糧安保 | 쌀 (MMA不許), 보리,<br>고구마(전분류), 쇠고기 | 쌀 (MMA不許), 보리<br>쇠고기 | 쌀 (MMA不許), 쇠고기 |
| | 生産調節<br>(11조2C) | 고추, 마늘, 양파, 감귤,<br>우유및 유제품, 감자 | 고추, 마늘, 양파, 감귤,<br>우유및 유제품,<br>고구마 (전분류) | 보리, 고추, 마늘, 양파<br>감귤, 우유및 유제품 |
| 關 稅 化 | | 콩, 옥수수, 돼지고기,<br>닭고기, 참깨 | 콩, 옥수수, 돼지고기,<br>닭고기, 참깨, 감자 | 콩, 옥수수, 돼지고기,<br>닭고기, 고구마(전분류<br>참깨, 감자 |

※ 15個 NTC品目을 選定할 때에 公聽會. 黨政協議등 關係機關 協議및 對外協力委員會
議決등의 節次를 밟았기 때문에 이를 修正할 때에도 같은 節次를 밟아야 할 것임.

- 7 -

0136

※ 關稅化 例外品目主張 主要國과의 例外品目 比較

| 品 目 群 | | 商品分類(HS)基準 | | 備 考 |
|---|---|---|---|---|
| | | 4 單位 | 6 單位 | |
| 日 本 | 쌀 (MMA도 不許), 보리, 밀, 분유, 치즈, 버터등 | 41 | 147 | 쌀以外에 一部 調整檢討中 |
| 카 나 다 | 우유 및 유제품, 닭고기, 계란, 칠면조 (11조 2의 C) | 14 | 33 | 既存立場維持 |
| 스 위 스 | 곡물류(식용), 과실류, 채소류, 육류 (쇠고기, 돼지고기), 양.염소고기, 유제품, 설탕, 감자, 백포도주 | 56 | 200 | 一部調整檢討中 |
| 우리나라 | 當初 ('90.10) Offer 時 | 43 | 94 | |
| | I 案 | 32 | 66 | |
| | II 案 | 30 | 61 | |
| | III 案 | 28 | 58 | |

- 8 -

0137

<참考>

# 15個 品目 現況

※ '86~'88 기준시

| 品目 | 生産量 千톤 | 消費量 千톤 | 輸入量 千톤 | 自給度 % | TE % | 平均生産額 백만원 | 總生産額重比 % | 生産農家數 천호 | 主産地 | 主要關心國 |
|---|---|---|---|---|---|---|---|---|---|---|
| 쌀 | 5,575 | 5,678 | 0 | 98.2 | 505 | 5,260,356 | 38.6 | 1,506 | 경기, 경북, 전남, 전북, 경남 | 미국, 호주 |
| 보리 | 510 | 539 | 32 | 94.6 | 275 | 343,418 | 2.5 | 293 | 전남 (보성, 함평) | 미국, 캐나다 |
| 콩 | 214 | 1,257 | 1,068 | 17 | 457 | 191,632 | 1.4 | 925 | 강원 (정선, 영월) 경북 (봉화) | 미국, 중국 |
| 옥수수 | 115 | 4,449 | 4,575 | 2.6 | 334 | 33,718 | 0.3 | 132 | 강원 (정선) | 미국, 중국 |
| 쇠고기 | 142 | 147 | 4.3 | 96.6 | ·168 | 995,184 | 7.3 | 602 | 경기 (광대), 경북 (경산, 의성) | 미국, 호주, 뉴질랜드 |
| 돼지고기 | 377 | 373 | 0 | 101 | 38 | 883,587 | 6.5 | 136 | 경기 (이천), 경남 (김해) | 뉴질랜드 덴마크, 미국 |
| 닭고기 | 140 | 148 | 0 | 94.6 | 61 | 267,116 | 2.0 | 124 | 전북 (익산), 경기 (김포) | 미국, 태국 |
| 우유및유제품 | 1,400 | 1,413 | 1.4 | 99 | 433 | 450,742 | 3.3 | 34 | 경기 (양주), 충남 (천안) | 미국, 호주, 뉴질랜드, EC |
| 고추 | 182 | 167 | ^3.6 | 109 | 470 | 625,019 | 4.6 | 1,160 | 경북 (청송 영양), 충북 (괴산 증원) | 청가리, 중국, 말레이지아 |
| 마늘 | 358 | 357 | ^1.2 | 100 | 170 | 365,807 | 2.7 | 846 | 전남 (무안), 경남 (남해) | 대만, 중국 |
| 양파 | 477 | 473 | ^4.1 | 100 | 113 | 70,141 | 0.5 | 87 | 전남 (무안, 함평), 경남 (창원) | 대만, 미국, 뉴질랜드 |
| 참깨 | 48 | 56 | 5.3 | 86 | 1,203 | 303,264 | 2.2 | 846 | 경북 (예천, 안동), 충북 (증원) | 뉴질랜드, 네덜란드 중국 |
| 감자 | 480 | 480 | 0 | 100 | 133 | 141,011 | 1.0 | 387 | 강원 (평창) | 미국, 네덜란드 덴마크 |
| 고구마및전분 | 1,200 | 1,517 | 308.9 | 79.1 | 310 | 164,525 | 1.2 | 414 | 전남 (여천) | EC, 태국, 중국 |
| 감귤 | 398 | 398 | 0 | 100 | 103 | 233,581 | 1.7 | 22 | 제주 | 미국, 브라질 |

# 경 제 기 획 원

우 427-760 / 경기도 과천시 중앙동1 정부제2청사 / 전화 503-9130 / 전송 503-9138

문서번호  통조이 10520-18

시행일자  1992. 2 .22.

| 선결 | | | | 지 | | |
|---|---|---|---|---|---|---|
| 접수 | 일자시간 | | | 시결 | | |
| | 번호 | 680 | | 재·공 | | |
| | 처리과 | | | 람 | | |
| | 담당자 | | | | | |

수신  수신처 참조

참조

제목    UR협상 대책실무위원회 회의결과 통보

　　　1. 통조삼 10502-38 관련임

　　　2. '92. 2. 20 개최된 UR협상실무대책위원회 회의결과를 아래와 같이 통보하니 시행에 만전을 기하여 주기 바랍니다.

　　　가. UR/농산물협상대책

　　　- 농산물분야의 대상품목 및 제2차 시장접근 양자협상참여에 대해서는
　　　　농수산부안대로 추진토록 함

　　　- 이행계획서 제출문제는 다음사항을 고려하여 농수산부가 안건을 준비
　　　　(당원협조), 관계장관회의에 다음주 초반에 상정하여 논의, 확정토록 함

　　　ㅇ 제출시기는 기본적으로 UR협상일정에 제시된 대로 이행토록 추진하되,
　　　　구체적인 제출시점은 타국의 동향등을 고려 UR실무대책위원회가
　　　　신축적으로 결정하기로 함

0139

ㅇ 이행계획서는 이제까지 우리가 UR/농산물협상에서 견지한 입장
  (개도국 우대적용, 기준년도, 관세화 예외, 국내보조감축예외등)에
  따라 작성하되 이행계획서 제출을 위해 확정하여야 하는 「쌀등 기초
  식량」의 품목범위, 「GATT규정 11조 2항(C)」적용대상품목범위 및
  이행계획서상의 반영여부·방식등 아직 명확하게 정해지지 않은
  사항에 대한 구체적인 내용을 확정하여 그 내용을 반영, 제출토록 함

    . 농수산부 안건내용에 이문제에 대한 구체안 포함

ㅇ 이행계획서 제출과 관련하여 거쳐야 할 국내의견수렴절차등 국내적인
  문제등 장단점을 함께 회의안건에 포함시키도록 함

- 협정초안수정(Track 4)을 위한 교섭추진문제는 상기 이행계획서 제출
  문제와 관련되므로 동 사항 결정결과에 따라 별도 검토


나. 시장접근

  - UR/시장접근의 관세 및 비관세분야는 재무부안 및 상공부안에 따라
    추진토록 함.              끝.


경 제 기 획 원 장 관

수신처: <u>외무부장관(통상국장)</u>, 재무부장관(관세국장), 농림수산부장관(농업협력통상관),
        상공부장관(국제협력관), 특허청(기획관리관).

0140

- 2-2 -

# 長官報告事項

報　告　畢

1992.　2.　20.
通　　商　　局
通 商 機 構 課(11)

題　目 : UR 協商 實務對策委(2.20) 結果 報告

1.　會議 結果

가.農産物 減縮 履行 計劃 提出 問題

　○ 3月初 提出토록 하되, 其體日字는 餘他國 提出 動向을 보아 決定

　○ 讓許 內容은 我國 旣存 立場을 反映하여 作成

　○ 關稅化 例外品目(쌀 + $\alpha$ ,　11조 2 C 該當品目)은 來週初 關係長官
　　會議에 상정하여 決定

　○ Track 4에 의한 協定 草案 修正 交涉과 主要國과의 交涉 推進은 我國
　　讓許表 提出 內容 및 時期와 連繫 檢討

나.關稅 讓許 計劃表 提出 問題

　○ 工産品, 水産品 總 9,040個中 7,413개(讓許率 80%)에 대해 31% 引下하는
　　讓許案을 3.1까지 提出

　○ 無稅化, 追加 引下 協商 結果는 最終 讓許表에 包含 3.31까지 提出

다.非關稅障壁 讓許 問題

　○ 180개 工産品, 鑛山品, 林水産物 品目에 대한 數量制限 撤廢를 1차
　　讓許로 3.1까지 提出

　○ 追加 讓許는 協商 結果를 보아 最終 讓許表에 反映, 3.31까지 提出

2.　今後 對策 : 農産物 協商 對策 別途 報告 豫定

3.　言論 및 國會對策 : 該當없음.　　　　　　　　　끝.

0141

# UR/농산물 국별 이행 계획서 제출 대책에 관한 관계장관 회의 결과

## 1. 회의 개요

o 일    시 : 92.2.26(수) 07:30

o 회의참석 각료 : 부총리겸 경제기획원장관

　　　　　　　　　외무부장관 (제2차관보)

　　　　　　　　　농림수산부장관

　　　　　　　　　상공부장관

　　　　　　　　　청와대 경제수석

　　　　　　　　　국무총리실 행조실장

　　　(배석) 김인호 경제기획원 대조실장

　　　　　　 김한곤 농림수산부 제2차관보

o 안    건 : UR/농산물 국별 이행 계획서 제출 대책

## 2. 회의 결과

가. 쌀과 관세화 예외품목 선정

　　o 쌀을 제외한 관세화 예외품목(1-2개 (알파)의 식량안보 품목과 11:2(C)에
　　　해당되는 생산 통제품목) 선정을 포함한 어려운 결정은 3.24 총선후
　　　3월말 또는 4월초에 함.

나. 감축 이행 계획서 제출시기 및 계획서 내용

　　o 3월초이후 예상되는 농산물 양자협상에 참여할 수 있도록 3월초에
　　　협상자료를 제출함.

　　- 구체적인 제출일자는 여타국 동향을 보아 결정함.

0142

- 협상자료는 90.10월 C/L 제출시 관세화 대상에서 제외한 15개 NTC
  품목에 대해서는 협상 기초자료(품목별 관세율, 관세 상당치, 국내
  및 수출보조치)를 제시하고, 여타품목에 대해서는 감축 계획도
  제시하는 내용으로 하고 구체적인 내용은 농수산부가 외무부와
  협의하여 결정함.
- 정리된 국별 감축 계획을 제출할 수 없는 사정은 미국에 사전
  설명하여 이해를 얻도록 함 (알파 품목을 결정하여 발표하는 것이
  어려운 입장 설명)

다. 관심국과의 양자협상 추진

ㅇ 양자협상에서는 이미 관계국에 설명하고 협상 과정에서 밝힌대로 15개
  품목에 융통성이 있으며 쌀 및 알파 품목에 대한 관세화 예외가 아국
  입장임을 밝히고, 감축 계획을 협상토록 함.

라. 수정 이행 계획서 제출

ㅇ 새로운 수정 이행 계획서는 상기 3월말, 4월초 관세화 예외품목 결정후
  필요시 제출토록 함.

마. 대외발표

ㅇ 정부는 UR/농산물 협상에서 쌀등 기초식량에 대한 우리 입장이 최대한
  반영되도록 노력할 것임. 그러나 협상에는 상대방이 있으므로 협상
  추이를 보아가면서 대처할 것임.                          끝.

# 경 제 기 획 원

문서번호  통조이 10520-25

시행일자  1992. 3 .12.


수신    수신처 참조

참조

| 선결 | | | 지시 | 토 랄트리신 |
|---|---|---|---|---|
| 접수 | 일자시간 | Pr: 3.13 | 결재·공람 | |
| | 번호 | P1 | | |
| 처리과 | | | | |
| 담당자 | | 옆이병두 | 과장 | |

제목  UR 대책실무위원회 개최 (서면결의)

1. UR/농산물분야 국별이행계획서 제출과 관련하여 '92.3.9 관계부처간 실무협의에서 논의된 결과를 UR대책실무위원회에 다음과 같이 상정하여 서면 의결코자 합니다.

- 다         음 -

- UR/농산물 국별이행계획서 제출관련 대응방안

  o 현 단계에서의 대응방안으로는 3.16주간에 우리의 국별이행계획서 제출이 가능하도록 다음과 같은 내용으로 준비된 자료를 제네바 대표부에 송부, 대비하고 전반적인 협상진행동향에 따라 필요한 대책을 강구해 나가도록 함

  ① GATT 제출자료는 크게 국별이행계획서와 관련된 기본입장(Qualitative Statement), 국별이행계획서(Offer), 협상 참고자료의 세 부분으로 구성
  ② 국별이행계획서와 관련된 기본입장(Qualitative Statement)에는 관세화 예외 인정의 필요성 및 그에대한 한국의 입장, 감축계획상의 기준년도, 개도국 우대적용, 수출보조분야 배제등 총체적인 우리의 입장을 설명

0144

③ 국별이행계획서(Offer)는 다음내용으로 작성

. 15개 품목을 제외한 모든품목에 대해서는 국별이행계획서에 포함되는
모든 해당사항을 작성.제출

. 쌀을 제외한 14개 품목에 대해서는 국별이행계획서에 포함되는 내용중
관세화 수준 및 감축계획을 제외한 모든 해당사항을 작성.제출

④ 협상참고자료는 15개 품목중 쌀을 제외한 14개 품목에 대하여 관세화(TE)
수준만 제시하되 참고자료 서두에 동 TE수준제시가 동 품목 전부에 대한
관세화 수용의사로 오해되어서는 안된다는 점등을 명시

⑤ 제네바 대표부에 송부된 동자료의 GATT 제출시기는 제네바 대표부가 현지
상황을 판단, 본부에 청훈하여 방침을 확정받아 결정.제출토록 하며 GATT
제출시점과 동시에 국내언론에 동 내용을 공표하되 정부입장이 정확하게
전달되도록 철저한 홍보대책을 마련하여 대응

⑥ 현단계의 자료제출이 최종적인 국별이행계획서 제출은 아니므로 대외협력
위원회, 관세심의위원회등 공식적인 확정절차는 추후 관세화 예외품목을
명확히 결정하여 최종적인 국별이행계획서를 제출하는 시점에서 추진

- 이상의 내용에 대해서는 각부처별로 내부보고

2. 상기의견을 검토하시고 반드시 위원(관계부처의 국장)의 서명을 받아 그 결의
내용을 3.14까지 당원에 통보하여 주시기 바랍니다.

첨부: 서면결의서 1부.　　　끝.

경 제 기 획 원 장

수신처: <u>외무부</u>(통상국장), 재무부(관세국장), 농림수산부(농업협력통상관),
상공부(국제협력관), 특허청(기획관리관).

# UR對策實務委員會 書面決議書

1. 議　　案: UR/農産物協商 國別履行計劃書 提出關聯 對應方案

2. 決　　議

| 위　원　명 | 의　결 (서명) | |
| --- | --- | --- |
| | 可 | 否 |
| | | |

3. 意　　見

0146

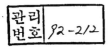

# 외 무 부

110-760 서울 종로구 세종로 77번지 　 ／ (02)720-2188 　 ／ (02)725-1737(FAX)

문서번호 통기 20644-615

시행일자 1992. 3.16.(　　　)

수신 경제기획원장관

참조

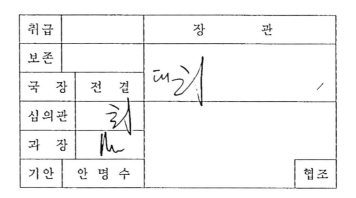

| 취급 | | 장 관 | |
|---|---|---|---|
| 보존 | | | |
| 국 장 | 전 결 | | ／ |
| 심의관 | | | |
| 과 장 | | | |
| 기안 | 안 명 수 | | 협조 |

제목　UR 대책 실무위원회(서면결의)

　　　　　　대 : 통조이 10520-25

　　　대호 서면 결의안에 대한 당부의 결의 내용및 의견을 별첨과 같이 송부합니다.

첨 부 : UR 대책 실무위원회 서면 결의서 1부.　　끝.

# 외 무 부 장 관

0147

# UR對策實務委員會 書面決議書

1. 議 案: UR/農産物協商 國別履行計劃書 提出關聯 對應方案

2. 決 議

| 위 원 명 | 의 결 (서명) | |
|---|---|---|
| | 可 | 否 |
| 金龍圭<br>外務部 通商局長 | 北 | |

3. 意 見 현단계에서 15N TC 품목에대한 TE제를<br>자리가 내리는 문제점, 습누까지 농산물이행계획<br>표를 제출한 국가가 10여개국이 불과하다는건 및<br>제출된 이행계획표 내용도 공완젼한 점등을 감안,<br>15개 NTC 품목에대한 TE제시문리는 좀더 여타<br>국가의 동향을 보면서 보다 신종한 검토 요링됨.

# 長官報告事項

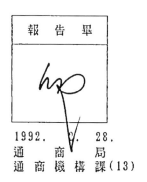

題 目 : UR 協商 動向 (協商 時限 延長 問題)


1.   2.26 UR/市場接近 非公式 協議 結果

   ㅇ 美國, EC, 濠洲, 스위스, 오지리 等이 3.1까지 修正 讓許 계획표(農産物 分野
      履行 計劃書 包含) 提出이 어렵다는 立場 表明

      - 美國, 濠洲는 工産品 ; EC, 스위스, 오지리등은 農産物 分野에서 어려움이
        있음을 表明

   ㅇ Denis 議長은 別途 時限은 정하지 않은채 讓許 計劃表 提出 時限 延期가
      불가피하다고 結論짓고, 다만 農産物의 境遇에는 3月初旬까지 基礎資料라도
      提出할 것을 要請

2.   評 價

   ㅇ 讓許 計劃表 提出 時限(3.1)은 일단 약 2주간 延期가 確實視되지만 美.EC間의
      農産物 및 無税化에 대한 合意 與否가 提出 時限의 決定的 關鍵임.

   ㅇ UR 協商 妥結 時限(4月中旬)에 대해서는 아직 어느나라도 延期 問題를
      公式的으로 擧論하지 않고 있으나, 앞으로 市場接近, 서비스 讓許協商의
      複雜性에 비추어 4月中旬의 妥結 時限도 다소 延期될 可能性이 있음.

      - 最近, Baucus 美 上院 貿易小委員長은 實質的인 UR 協商 時限은 美國
        Fast Track 終了 時點인 93.6月이 될 可能性이 있다고 言及

3.   措置 計劃 : 我國의 讓許 계획표 提出 時期는 主要國의 動向을 감안, 關係部處와
                協議 決定

4.   言論 및 國會 對策 : 別途 措置 不要.                  끝.


0149

> UR 協商 妥結 展望 및 쌀시장 開放 例外 確保 可能性

## 1. UR 協商 妥結 展望

### 가. 1.13 貿易協商委員會(TNC) 會議 結果

o 下記 協商 戰略에 따라 작년 12.20 제시된 協定 草案을 基礎로 數週間 兩者, 多者間 協商을 推進키로 決定

1) 農産物等 商品分野의 讓許協商(農産物의 補助金 減縮 計劃 包含)
2) 서비스 分野의 讓許 協商
3) 協定 草案의 法的인 整備作業
4) 協定 草案 內容中 特定事項의 調整 必要性 檢討

o 同 會議에서는 UR 協商 終結 時限을 명시적으로 정하지 않았으나, Dunkel 갓트 事務總長은 4月中旬을 協商 終結 時限으로 정하고 있는 것으로 觀測

### 나. 向後 協商 展望

o 現段階에서는 정확한 豫測이 어려우나 3月末까지 農産物等 商品分野 및 서비스 分野에 대한 集中的 讓許協商을 展開, 同 協商 結果에 따라 UR 協商 妥結 與否에 대한 대체적 윤곽이 드러날 展望

0150

o 그러나, 農産物 補助金 減縮을 위요한 美.EC간 妥結 與否 및 例外없는 關稅化等 敏感事案에 대한 協定 草案 修正 可能 與否등이 UR 協商 早期 妥結에 變數로 작용할 展望

- 境遇에 따라 協商의 長期化 또는 決裂 可能性도 排除 不可

## 2. 쌀市場 開放 例外 確保 可能性

o 協定 草案에 例外없는 關稅化를 規定하고 있고 美國等 農産物 輸出國은 물론 EC도 例外없는 關稅化를 支持하고 있으므로 쌀市場 開放 例外 確保와 關聯, 協商이 아국에 不利하게 展開

o 또한, 全體 協定 草案 骨格을 와해시키지 않는 制限된 範圍內에서 參加國間 合意를 前提로 協定 草案 修正이 可能하므로 쌀시장 開放 例外 確保를 위한 協定 草案 修正 努力에도 어려움이 있을 것으로 豫想

o 따라서, 向後 協商에서 우리나라와 立場이 비슷한 日本, 스위스, 카나다 등과의 協調를 더욱 強化하는 한편 農林水産部 高位關係官을 現地 協商에 繼續 派遣, 쌀시장 開放 例外 確保를 위해 總力을 경주할 방침

o 그러나, 만에 하나라도 我國에게 불리한 協商 結果가 나왔을 때를 對備, 國內補完 對策 및 弘報對策 徹底 樹立 緊要

添 附 : UR/農産物 協商 協定 草案 要旨.

0151

# 우루과이라운드 協商 動向

1992. 3. 2.

外 務 部

---

最近 協商 時限 延期說이 擧論되고 있는 우루과이라운드
協商 動向을 아래 報告 드립니다.

---

(現 況)

o 92. 1. 13. 우루과이라운드 貿易協商委員會에서 92. 4月中旬까지
協商을 終結하기 위해 92. 3. 1까지 農産物 및 工産品에 대한
各國의 讓許計劃表(市場開放 및 農産物 補助 減縮 計劃)을
提出키로 合意

o 우리의 讓許計劃表 提出과 關聯, 農産物 市場開放의
敏感性을 감안, 提出 時期와 쌀등 一部 基礎食糧에 대한
開放 및 關稅化 例外 確保 方案에 대하여 關係部處間 對策
協議中

(最近의 動向)

o 3. 1 讓許計劃表 提出 時限과 關聯, 最近 美國. EC등 主要協商
參加國이 時限 遵守가 어렵다는 立場을 表明함으로써,
同 時限이 약 2週間 延期될 것으로 展望

  - 美國은 工産品 分野 關稅引下 協商 부진을 理由로 提示

  - EC等 農産物 輸入國들은 農産物 分野에 合意 不在로 讓許
    計劃 作成에 어려움이 있음을 表明

- 1 -

0152

o 4月中旬 協商 終結 目標와 關聯, 상금 公式 擧論되지는 않고
  있으나, 一角에서 同 時限의 延期가 불가피하다는 意見 擡頭
  - Baucus 美 上院 貿易小委員長은 93. 6月 (美國 議會의 迅速
    處理 權限 終了 時點)을 協商 妥結 時限으로 擧論
  - Kohl 獨逸 首相은 時限 延期 불가피성을 認識, 92. 7月 先進
    7個國 頂上會談에서 協商 妥結 方案을 協議할 것을 非公式
    提議
  - 제네바 協商 專門家들간에 6-7月 時限説 擡頭


(評價 및 對策)

o 讓許計劃表 提出 時限(3. 1)이 延期됨에 따라 우루과이라운드
  協商 終結 時限(4月中旬)도 연기될 것으로 豫想
  - 美國. EC間 農産物 補助金 分野 合意가 協商의 長期化
    與否의 決定的 關鍵

o 農産物 開放 計劃 提出과 關聯, 國內 政治 日程上 어려움이
  큰 우리나라로서는 提出 時限의 延期로 다소 時間的 餘裕를
  갖고 對處하는데 도움

o 우리나라의 讓許表 提出 內容 및 時期는 主要國의 動向을
  보아 決定할 計劃이나, 全體 協商 妥結에 消極的이라는
  印象을 주지 않도록 신중 對處 豫定.                    끝.

- 2 -

0153

# 주 제 네 바 대 표 부

재내(경) 20044 - 308

수신 : 외무부장관

참조 : 통상국장

제목 : UR관련 업무 참고자료 송부

　　별지의 소재 미국 상공부 회의소는 UR 협상의 조속한 종결을 촉구하는
별첨 paper 를 배포하였는바 업무 참고하시기 바랍니다.

첨부 : 상기 paper  1부.  끝.

주 제 네 바

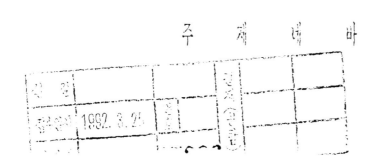

0154

March 5, 1992

## EC COMMITTEE URGES SUCCESSFUL COMPLETION OF THE URUGUAY ROUND

The EC Committee urges all contracting parties, but especially the EC and US negotiators, to bring the Round to a final agreement by the 15th of April. Failure to reach a successful conclusion would deal a blow to business confidence and the world economy. The resulting drift towards protectionism would exacerbate the recessionary trends to the detriment of governments, business and consumers alike. However, failure is not inevitable. Given strong political leadership and goodwill a positive outcome can, and should, be achieved.

The EC Committee remains fully committed to a successful conclusion of the Uruguay Round. We believe that the Draft Act, submitted by GATT Director General Arthur Dunkel, represents a positive basis for an acceptable agreement.

The EC Committee considers that:

*   a balanced solution is urgently required on agriculture: the EC bears a special responsibility to submit positive alternatives to the Dunkel text, if the latter really are unacceptable to the EC;

*   negotiations on Services and Market Access must be progressed rapidly and focus on achieving meaningful initial commitments leading to an effective opening of markets throughout the world;

*   the Final Act, creating the basis for a Multilateral Trade Organization should be accepted by all contracting parties.

The EC Committee recalls that negotiations of the Uruguay Round should lead to a meaningful global package. It must be balanced to benefit all contracting parties and launch a set of new rules to provide greater stability and predictability in the world economy. While we accept the Dunkel text as a basis for further negotiations, we still require further progress particularly, but not exclusively, in the following areas:

*   protection of the trade related aspects of intellectual property rights,
*   . trade related investment measures,
*   anti-dumping rules,
*   subsidies and countervailing measures; and
*   public procurement.

Since its inception the Round has become even more important for the emerging democracies in Central and Eastern Europe as well as to many newly liberalizing developing countries.

The EC Committee calls upon all negotiators to conclude successfully the Uruguay Round in the timeframe envisaged by Mr. Dunkel. Any other result would adversely effect governments, businesses and consumers worldwide.

Julian Oliver
Chairman

0155

# 경 제 기 획 원

우 427-760 / 경기도 과천시 중앙동1 정부제2청사 / 전화 503-9130 / 전송 503-9138

분서번호 봉조이10520-28

시행일자 1992. 3 .28.

수신 수신처 참조

참조

| 선결 | | | 지시 | |
|---|---|---|---|---|
| 접수 | 일자시간 | : | 결재 | |
| | 번호 | | 재·공람 | |
| 처리과 | | | | |
| 담당자 | | | | |

제목 UR대책실무위원회 개최통보

　　　UR/농산물협상관련 UR대책실무위원회를 다음과 같이 개최코자 하니 참석하여
주시기 바랍니다.

　　　　　　　　　　　　- 다　　　　음 -

1. 일시 및 장소: 1992. 3. 31 16:00 - , 경제기획원 대회의실 (727호실)
2. 참석범위

　　　　　경제기획원　　대외경제조정실장(주재)
　　　　　　　　　　　　제2협력관
　　　외 무 부　　　통상국장
　　　재 무 부　　　관세국장
　　　농림수산부　　농업협력통상관
　　　상 공 부　　　국제협력관
　　　특 허 청　　　기획관리관
3. 안　　건: 국별이행계획서 제출관련 협상동향과 향후대책(농림수산부). 끝.



　　　　　경 제 기 획 원 장

수신처: 외무부장관(통상국장), 재무부장관(관세국장), 농림수산부장관(농업협력통상관),
　　　　상공부장관(국제협력관), 특허청장(기획관리관)

0156

# 자료제출문제

O 제출함
X 제출하지 않음
- 해당없음

| 품목 | 시장개방 | | | | | | 국내보조 | | | | |
| | TE | | | 시장접근허용(증량계획) | | 기타지표 | 감축대상 | | 허용대상 | | |
| | 세율 | 감축계획 | 양허여부 SSG | CHA | MMA | | 품목특정 AMS | 품목불특정 AMS | 정부서비스 | 직접보조 decoupled등 | 개도국우대 |
|---|---|---|---|---|---|---|---|---|---|---|---|
| ① 쌀 | X | X | X | - | X | X | X | | | | |
| ② 보 리 | | | | - | O | | O | | | | |
| ③ 쇠고기 | | | | O | - | | - | | | | |
| ④ 고구마(전분류) | | | | O | - | | - | | | | |
| ⑤ 감 자 | X:제출하지 않음 | | | - | O | O : 제출함 | - | | O : 제출함 | | |
| ⑥ 고 추 | | | | - | O | | - | | | | |
| ⑦ 마 늘 | | | | - | O | | - | | | | |
| ⑧ 양 파 | | | | - | O | | - | | | | |
| ⑨ 감 귤 | | | | - | O | | - | | | | |
| ⑩ 우유및유제품 | | | | O | - | | O | | | | |
| ⑪ 콩 | | | | O | - | | O | | | | |
| ⑫ 옥수수 | | | | O | - | | O | | | | |
| ⑬ 돼지고기 | | | | - | O | | | | | | |
| ⑭ 닭고기 | | | | - | O | | | | | | |
| ⑮ 참 깨 | | | | O | - | | | | | | |
| O 잎담배 | O | O | O | O | - | | O | | | | |
| O 누에고치,생사류 | O | O | O | O | - | | O | | | | |
| O 사 과 | O | O | O | - | O | O : 제출함 | - | | | | |
| O 포 도 | O | O | O | - | O | | - | | | | |
| O 기타 제한품목 (BOP 및 특별법) | O | O | O | O | | | - | | | | |
| O 유 채 | Tariff와 감축계획 및 양허여부 제출 | | | 해당없음 | | | O : 제출함 | | | | |
| O 기타 Tariff only Products | | | | | | | | | | | |

(수입제한품목 / 자유화품목)

# 最近의 UR協商動向 및 向後對策

## 1992. 4. 1

## 經 濟 企 劃 院
### 對外經濟調整室

0158

# 目      次

0159

# Ⅰ. 最近의 協商動向 및 展望

## 1. 最近의 協商進行狀況

- 현재 UR협상은 금년 1.13 貿易協商委員會에서의 합의에 따라 4.19(부활절)이전 협상타결을 목표로 「4元方式」에 의한 협상을 진행시켜 나가면서 협상타결의 관건이 되고 있는 美國과 EC의 合意導出을 위한 막후 비공식협의가 진행

- 그러나 농산물분야에서 關稅再調整 및 補助金減縮등에 대한 미국과 EC의 합의가 이루어지지 않고 있고 제네바에서의 4元協商도 큰 진전을 보이고 있지 못한 상황

### 〈 市場接近分野 〉

○ 공산품 관세인하 및 농산물 국별이행계획을 다루는 시장 접근분야의 國家別 讓許協商이 2차에 걸쳐 개최되었으나 답보상태

  · EC는 國家別 讓許協商에 불참
  · 내용있는 關稅引下 및 農産物 履行計劃書 제출부진

### 〈 國別 履行計劃 提出狀況 〉

· 포괄적인 履行計劃書를 제출한 國家 : 美國, EC, 日本, 카나다, 濠洲, 뉴질랜드, 우루과이, 알젠틴, 홍콩, 싱가폴등 20개국

· 부분적인 履行計劃書를 제출한 國家 : 韓國, 말레지아, 브라질, 루마니아, 베네주엘라등 10개국

· 조속한 提出約束國家 : 印度, 스위스, 터키, 이집트, 유고등 17개국

※ 우리의 경우는 工産品만 提出(3.5)

○ 현재 農産物協商이 전체 UR협상의 관건이 되고 있으나 동 분야에서의 美國과 EC의 合意與否가 불투명하고 합의가 이루어질 경우에도 이에 대한 케언즈그룹 및 農産物輸入國 이 어떤 반응을 보일 것인지 불확실한 상황

- 1 -

0160

< 서비스協商 >

O 서비스 국가별 자유화약속 협상은 그간 3차에 걸쳐 비교적
  순조롭게 진행되었으나 協商終結을 위해서는 추가적인
  협상이 필요한 상황

  · 현재 Offer를 제시한 국가는 46개국(修正 Offer 제출국
    19개국)으로 開發途上國의 추가참여가 필요한 상황

  · 3.17 배포된 21개국의 最惠國待遇(MFN) 逸脫目錄이 지나
    치게 광범위하고 공통의 discipline이 결여되어 있을 뿐
    아니라 美國의 목록이 서비스 核心分野(기본통신, 해운,
    항공, 금융)를 망라함에 따라 UR/서비스협상의 전반적인
    위기감이 고조되고 있는 상황

  · 美國을 제외한 여타국가의 MFN 逸脫目錄도 경제적 중요성
    이 큰 분야를 다수 포함시키고 있는 실정

O 다만, 서비스 讓許協商過程에서 당면하고 있는 현재의 교착
  상태가 농산물분야와 마찬가지로 UR妥結을 가로막는 主要
  障碍要因으로 발전할 것인가는 아직 불투명

  · 一般協定文이 거의 합의된 상태에서 주요선진국들이
    기대수준을 조정한다면 여타부문보다 신속한 協商終結
    可能性도 배제할 수는 없음.

< 法制化作業 >

O 지난 2월부터 던켈 사무총장이 제시한 最終協定文案에
  대한 法制化作業을 꾸준하게 진행

  · 多者間 貿易機構(MTO), 單一 紛爭解決節次分野에서
    기술적 사항을 중심으로 논의

  · 협정문의 법제화와 관련 일부 근본적인 쟁점이 제시
    되고 있으나 가급적 實質討議는 뒤로 미룬채 기술적
    사항만 논의

- 2 -

&lt; 最終折衷作業 &gt;

ㅇ 일본등은 협상타결을 위해서는 기술적문제 뿐만 아니라
   農産物分野등에서의 본질적인 문제도 현단계부터 논의해야
   함을 주장하고 있으나 美國, EC등은 最終折衷作業은 협상
   마지막 단계에서 最小限·短期間에 마무리 되어야 한다는
   입장 고수

ㅇ 현재 미국, EC가 어떤형태로든 합의를 이루지 못하고 있는
   상황에서 最終折衷作業이 추진될 경우 UR협상전체가 다시
   와해될 가능성 때문에 同 協商은 협상종결 마지막단계
   에서나 추진되리라는 것이 일반적 관측


2. 앞으로의 協商展望

 - 현재의 協商進行狀況으로 보아 당초 목표대로 UR협상이 4월중
   타결되기는 어려울 것으로 전망

ㅇ 현재 美國의 大統領選擧가 진행중에 있는 상황에서 의회
   및 각 이익단체의 입장이 조정되어 있지 않고 EC가 農産物
   分野에서 추가적인 讓步案의 提示가 어려운 상황이기
   때문에 조기에 兩國間의 合意導出 기대곤란

ㅇ 실질협상인 시장접근 및 서비스분야에서 國家別 自由化
   約束 協商이 마무리되기 위해서 追加協商도 필요

 - 그러나 4월중 타결이 불가능해 질 경우라도 UR이 결렬되는
   상황으로는 발전되지 않을 것으로 예상

ㅇ 5년간의 協商結果로서 지난해 12.20 작성된 最終協定文案
   은 일부쟁점을 제외하고는 協商參加國들의 대체적인
   합의를 바탕으로 작성

ㅇ UR협상이 결렬될 경우 全體世界經濟 뿐만 아니라 협상
   참가국 모두에 심각한 惡影響이 초래된다는 인식 확산

- 3 -

0162

- 따라서 4월중 협상이 타결되지 못하더라도 UR協商妥結을 위한 노력은 지속될 것이며 다음과 같은 協商進行展望이 가능

① 4월중 TNC를 개최하여 협상시한을 따로 정하지 않고 貿易 協商委員會(TNC)를 중심으로 협상을 계속해 나간다는 원칙만 확인

  ○ 90년말 브랏셀회의이후 추진되었던 方式으로서 협상이 '93년이후까지 장기화될 가능성

② 미국과 EC의 의견접근이 가능할 것이라는 예상하에 일단 금년 상반기(6월 또는 7월말)까지 시한을 정한후 시장접근 및 서비스분야 협상을 가속화시켜 나가는 방식

  ○ 美國과 EC의 早期合意를 전제한 것으로 협상이 상대적 으로 빠른 시일내에 타결될 가능성

◇ 앞으로 협상이 어떤 형태로 전개되더라도 우리로서는 현재 추진되고 있는 시장접근 및 서비스 양허협상등에 적극 참여함과 동시에 旣存立場의 반영을 위하여 法制化 및 최종 마무리 折衷協商에 보다 능동적으로 대응할 필요 ◇

# Ⅱ. 向後 UR協商에 대한 對應方案

## 1. 市場接近分野

- 農産物分野 履行計劃書 작성·제출(4월초)

- 2차에 걸친 讓許協商結果를 再點檢하여 공산품·농산물에
  대한 綜合的인 協商對策 마련
  - 공산품 관세인하 및 비관세조치 양허에 대한 段階別
    代案 작성
  - 특히 品目間 Trade-off 가능성등 實質的 協商戰略 준비

- 市場接近分野에 농산물이 포함되어 본격적인 實質協商이
  이루어 질 것에 대비하여 市場接近分野 協商代表團을
  일층강화 운영
  - 關係部處의 參與에 의한 종합적인 대응
  - 共同首席代表 운용검토

## 2. 서비스 讓許協商

- 그간 3차에 걸친 讓許協商結果 종합분석
  - 각국의 우리에 대한 開放要求事項 최종정리 및 우리가
    각국에 개방을 요구한 사항에 대한 최종정리

- 우리의 MFN逸脱 要求事項에 대한 재점검
  - 現　　在 : 航空 CRS, 海運分野 Waiver제도
  - 追加檢討 : 韓·日間 差別措置(視聽覺, 海運分野
    　　　　　　韓·日 航路問題)등

- 우리의 開放計劃書(National Schedule)草案 작성(4월중)

- 이상의 작업을 토대로 4월이후 개최될 讓許協商에 대한
  綜合的인 對策마련

0164

## 3. 法制化協商

- GATT에서의 法制化作業은 지난 2월이후 꾸준히 추진되어
  왔으며 현재 4월말까지 暫定的인 作業日程이 제시됨.

```
─────────────── < 法制化 協商日程 > ───────────────

ㅇ 3. 25 : 讓許表, 國營貿易, 關稅同盟 및 自由貿易地帶, 共同行爲, 讓許表의
           修正, 國際收支, 協定不適用(商工部, 財務部, 外務部)

ㅇ 3. 26 : 세이프가드(商工部)

ㅇ 4.  6 : 原産地規定, 선적전검사, 關稅評價協定, 輸入許可(商工部, 財務部)

ㅇ 4.  7 : 技術障壁, 衛生 및 檢疫措置, 投資(商工部, 財務部)

ㅇ 4.  8 : 反덤핑, 補助金 및 相計措置(商工部, 財務部)

ㅇ 4.  9 : 纖維, TPRM을 포함한 GATT 機能强化(商工部, 經濟企劃院, 外務部)

ㅇ 4. 10 : 最貧開途國, UR議定書(外務部)

ㅇ 4. 21 : 서비스(經濟企劃院)

ㅇ 4. 22 : 知的財産權(特許廳)

ㅇ 4. 23 : 農産物, 最終條文(Final Act), 서명, MTO 부속서 4
           (農林水産部, 外務部)
```

- 그간 MTO, 紛爭解決節次등에 대한 법제화작업은 주제네바
  대표부를 중심으로 대응해 왔으나 앞으로 具體事案의 論議에
  대비하여 대응방안 강구

  ㅇ 필요시 所管部處別 本部代表를 파견하여 대응

  ㅇ 分野別 專門家의 적극 활용

- 아울러 우리의 의견제시가 필요한 주요분야에 있어서는 UR
  對策實務委員會에서 논의하여 우리입장 정립

0165

## 4. 最終 마무리 折衷協商

- 최종 마무리협상(Fine Tuning)에 대해서 협상주도국인 미국,
  EC는 현재의 最終協定文案에 미세한 기술적 수정만 가능
  하다는 입장을 견지하면서 農産物分野에서 兩國間의 折衷
  程度를 협상의 대상으로 고려

  ○ EC의 主要關心事項 : 미국의 사료용 곡물대용품(옥수수,
  　　　　　　　　　　　　전분등) 및 유지류등 關稅再調整
  　　　　　　　　　　　　品目에 대한 수출동결과 CAP추진과
  　　　　　　　　　　　　관련한 許容補助金 範圍問題

  ○ 美國 : 현 협정문안 고수
  ○ 우리나라를 비롯한 日本, 스위스등 농산물 수입국들은
  　　關稅化의 例外認定등 관심사항의 반영을 요구


- 우리나라의 경우 1.13 貿易協商委員會에서 밝힌대로 농산물
  및 긴급수입제한조치, 보조금 및 상계관세분야에서 우리의
  立場反映努力 경주 필요

  ○ 農産物
  　・ 식량안보관련 基礎食糧에 대한 關稅化 例外認定
  　・ 일부 農産物에 대한 최소시장 접근불가
  　・ 國內補助 및 T.E계산에 있어서 基準年度의 最近年度
  　　 적용

  ○ 몬트리올합의 關稅引下目標의 달성
  ○ 緊急輸入制限措置에 있어서의 쿼타조정(Quota Modulation)
  　 폐지
  ○ 補助金 및 相計關稅에서의 구조조정 보조허용


- 각급 협상에서 최종 마무리 절충작업의 재개에 대비하여
  우리의 關心事項을 반영시킬 수 있도록 최대의 노력 경주

  ○ TNC會議 개최시 우리의 입장 계속 개진
  ○ 美國, EC등 주요국과의 兩者協議를 활용하는 방안을 검토

0166

- 7 -

# 정 리 보 존 문 서 목 록

| 기록물종류 | 일반공문서철 | 등록번호 | 2020030182 | 등록일자 | 2020-03-17 |
|---|---|---|---|---|---|
| 분류번호 | 764.51 | 국가코드 | | 보존기간 | 영구 |
| 명 칭 | UR(우루과이라운드) 협상 실무대책위원회, 1992. 전3권 | | | | |
| 생 산 과 | 통상기구과 | 생산년도 | 1992~1992 | 담당그룹 | |
| 권 차 명 | V.2 4-9월 | | | | |
| 내용목차 | * UR 협상 실무대책위 등 협상 관련 자료 | | | | |

0001

# 長官 報告 事項

1992. 4. 1.
通 商 局
通 商 機 構 課(23)

題 目 : UR 對策 實務會議 結果

1. 會議日時 및 參席者

   ○ 92.4.1 10:00-11:45

   ○ 經濟企劃院(對調室長 主宰), 外務部(通商局 審議官), 財務部, 農林水産部, 商工部

2. 案  件 : UR 農産物 履行 計劃書 提出

3. 部處別 立場

   ○ 經濟企劃院 : 15개 NTC 品目을 1)基礎食糧(쌀+α), 2)11조 2(C) 品目, 3)關稅化 對象 品目으로 細部 調整後 提示

   ○ 外 務 部 : 現實的으로 15개 NTC 品目 調整이 어렵다면 쌀을 除外한 14개 品目에 대한 關稅 상당치(TE)等 基礎資料만 提示하고, cover note에 協商 意思 表明

   ○ 農林水産部 : 15개 NTC 品目에 대해 TE 및 減縮 計劃을 除外한 履行 計劃書를 提出하되, cover note에 track 4 및 兩者協商을 통해 品目을 調整할 것임을 明示

4. 上記 當部 提案에 대한 反應

   ○ 經企院은 2.26 關係長官 懇談會에서 總選後 15개 NTC 品目을 調整키로 合意하였음을 들어 異意를 提起 하였으며, 農林水産部는 TE를 提示할 境遇 쌀을 除外한 14개 NTC 品目에 대해 關稅化를 하겠다는 것으로 認識될 소지가 크다는 점과 國內的인 波及 效果等을 理由로 難色 表明

5. 向後 對策 : 經企院에서 會議 結果를 副總理에게 報告後 決定

6. 國會 및 言論對策 : 該當事項 없음. 끝.

0002

| 議案番號 | 第　　　號 | 議決事項 |
|---|---|---|
| 議決<br>年月日 | 1992.　4.<br>(第　　回) | |

| 韓國 UR農産物協商 履行計劃 (案) |
|---|

| 對外協力委員會 案件 |
|---|

| 提出者 | 農林水産部 長官<br>姜賢旭 |
|---|---|
| 提出年月日 | 1992. 4. 7 |

0003

1. 議決主文

韓國의 UR農産物 協商履行計劃(案)을 별지와 같이 의결함.


2. 提案理由

'91. 12. 20 Dunkel 協定草案(Draft Final Act) 및 '92. 1. 13 TNC(貿易協商委員會)會議
結果에 따라 UR農産物協商 市場接近分野 및 國内補助 分野에서의 減縮履行計劃을 마련
提出하는 것임.


3. 主要骨子

< 構　　成 >

  o 前文(Cover Note), 農産物 協定文案에 대한 우리의 基本立場 및 品目別 履行計劃書
    의 3部門으로 構成


< 主要内容 >

  o 쌀은 關税化. 最少市場接近 및 國内補助 減縮對象 除外

  o 開途國 優待 및 基準年度를 最近年度로 適用하여 '93년부터 10年間 關税引下幅을
    平均 24% 減縮

  o 國内補助에 있어서는 콩, 옥수수, 유채의 3개 품목에 한정하여 10年間 13.3%減縮
    (實際 減縮負擔은 유채 1개품목만 該當)

  o 輸出補助는 該當事項이 없으므로 減縮計劃을 提示하지 않음.

0004

# 韓國 UR農産物協商 履行計劃 (案)

## I. UR農産物協商에 있어서의 政府基本方針

o UR/農産物分野 國家別 履行計劃에 관한 協商에는 '91. 1. 9 對外協力委員會에서
  決定하고 '91. 1. 15 TNC以後 계속적으로 견지해온 政府基本方針에 따라 대응
  하기로 함.

o 關税化例外 對象品目은 同 對外協力委의 決定 및 '92. 2. 26 關係長官會議에서
  합의된바에 따라 UR協商 進行狀況을 勘案하여 對外協商에 지장이 없도록 可能한한
  조속한 시일내에 關係部處間 協議 確定토록 함.

o 다만, 美國, EC, 日本등 主要協商對象國 30여개국이 이미 同計劃書를 提出한 상황
  이므로 현 단계에서는 조속한 履行計劃書 提出의 必要性과 協商戰略的 측면을 勘案,
  일단, 쌀등 15개 主要品目의 關税相當値(TE)를 제외한 履行計劃書를 제출하되, 同
  計劃書 前文 (Cover Note)에 "앞으로의 兩者 및 最終協定文案 修正協商 過程을
  통하여 同品目에 대한 縮小 調整이 가능함"을 明示하도록 함.

2

0005

## Ⅱ. 國別履行計劃書의 主要內容

o 우리의 履行計劃書는「前文(Cover Note)」,「農産物協定文案에 대한 우리의 基本立場」및「品目別 履行計劃書」의 3部門으로 構成

- 「前文(Cover Note)」에는 國別履行計劃書의 基本作成 指針 및 15개 主要品目에 대한 우리의 立場을 明示

- 「農産物 協定文에 대한 우리의 基本立場」에는 最終 協定文에 반영되어야 할 農産物 協商에 있어서의 우리의 입장을 상세히 서술

- 「品目別 履行計劃書」에는 15개 主要品目의 關稅相當値(TE)를 제외한 個別品目別 市場接近 및 補助金 減縮計劃을 提示


o 主要內容 (細部內容 別添)

- 쌀은 關稅化, 最少市場접근 및 國內補助 減縮對象에서 除外

- 開途國優待 및 基準年度를 最近年度로 적용하여 '93년부터 10년간 關稅引下幅을 平均 24% 減縮

- 國內補助에 있어서는 콩, 옥수수, 유채의 3個品目에 한정하여 10년간 13.3% 減縮 (실제 減縮負擔은 유채 1개품목만 해당)

- 輸出補助는 해당사항이 없으므로 減縮計劃을 提出치 않음.


3

Ⅲ. 向後 推進計劃

  ○ 上記 國別履行計劃書를 조속히 제네바에 송부하여 제출토록 함과 동시에 國內的
    으로 黨政協議등 必要節次를 진행시키고 GATT 제출과 同時에 發表

  ○ 아울러 15개 NTC品目중 關稅化 例外對象品目의 確定作業을 推進

  ○ 開放에 따른 國內補完對策을 講究

4

< 添附 > : 韓國 UR農産物協商 履行計劃 (案)의 主要内容

## 1. 市場接近分野

| 區　　　分 | 던　켈　草　案 | 國　別　履　行　計　劃　書 |
|---|---|---|
| (1) 基準年度 | '86 ～ '88 | '88 ～ '90 |
| (2) 關稅化 例外 適用 | 예의없는 關稅化 | 食糧安保, 11조 2C는 關稅化 例外 |
| (3) 讓許範圍 | 전품목의 關稅및 關稅相當值 讓許 | 74% 讓許 |
| (4) 履行期間 | '93～'99 (開途國은 '93～2002) | '93～2002 (開途國 優待適用) |
| (5) 減　縮　率 | 單純平均 36% (개도국은 2/3) | 單純平均 24% (開途國優待適用) |
| (6) 品目別 最低 減縮率 | 15% | 10% (開途國 優待適用) |
| (7) 現行市場接近 | '86～'88 平均 輸入量 | '88～'90 平均 輸入量 |
| (8) 最少市場接近 (MMA) | 初期年度 3%에서 5%까지 增量 | 初期年度 2%에서 3.3%까지 增量 (개도국 우대적용) <br> o 쌀은 MMA 不許 |

## 2. 國内補助分野

| 區　　　分 | 던　켈　草　案 | 國　別　履　行　計　劃　書 |
|---|---|---|
| (1) 基準年度 | '86 ～ '88 | '89 ～ '91 |
| (2) 履行期間 | '93～'99 (개도국은 '93～2002) | '93～2002 (개도국 우대적용) |
| (3) 減　縮　率 | 20% (개도국은 2/3) | 13.3% (개도국 우대적용) |
| (4) 最少許容補助 (De Minimis) | 5% (개도국은 10%) | 10% (개도국 우대적용) |
| (5) 許容政策 | 1) 政府의 一般서비스 <br> 2) 許容對象 直接補助 | 協定草案에 따르되 최대한 許容 對象으로 분류 |

5

# 한국 UR농산물협상 이행계획(안)
# (설 명 자 료)

b

0009

## 1. 우루과이라운드 추진 경과

### 우루과이 푼타 데 에스테(Punta del Este) 각료선언('86.9)

O 협상의 목표 및 기본원칙 설정
- 세계교역의 자유화 확대를 위한 다자간 무역체계 개선과 GATT의 역할 강화
- 모든 협상참여국 이익의 균등한 반영과 개도국우대 조치의 인정

O 협상의제의 결정
- 관세, 비관세, 농산물, 서비스등 15개 협상의제 채택
- 다자간무역협상에서 최초로 서비스 부문도 포함

### 중간평가 합의사항('89.4, 제네바)

O '87.1 - '88.12까지의 협상추진 상황평가 및 향후 협상일정 합의

O 농업보호 및 지원수준을 점진적으로 상당폭 감축하는데 합의

O 식량안보등 농업의 비교역적 기능(NTC)과 개도국우대를 고려하기로 결정

### 브랏셀 각료회의의 결렬('90.12)

O 협상종결을 위해 개최한 각료회의였으나 농산물분야의 대립으로 타결 실패
- 헬스트롬 농산물그룹 의장이 보조금은 향후 5년간 30% 감축하고 5%의 최소시장 접근을
  보장한다는 중재안 제시
- EC, 일본, 한국등의 반대로 결렬

7

0010

O '91.2.26, 무역협상위원회(TNC)에서 던켈총장의 제안서를 채택함으로써 협상공식 재개

　- 3월부터 6월까지 4차에 걸쳐 주요쟁점에 대한 기술적 협의진행


O 기술적 쟁점 협의결과를 토대로 협상진행대안서(Options Paper) 제시(6.24)

　- 협상내용을 토대로 쟁점별로 2-3개의 대안 제시


O 하반기에 들어와서 던켈총장은 10월말까지 협상초안 제출 촉구

　- 중요 핵심쟁점에 관한 논의사항

　- 농산물분야에서는 주요국간의 의견대립으로 초안작성 실패


O 11월부터 협상타결을 위한 미.EC간 집중적 양자협의 전개

　- 미.EC 정상회담(11.9)에서 UR협상 년내타결에 합의하였으나

　- 정상회담 이후 계속된 실무접촉에서 합의도출 실패


O 던켈총장, 미.EC의 합의실패에 관계없이 협정초안을 제시할 것임을 표명

　- 주요국 비공식회의를 집중개최했으나 실질적 성과는 없었음

　- 한국, 일본, 캐나다, 멕시코, 스위스등 14개국, 예외없는 관세화에 반대


O 12.20, 던켈총장의 책임아래 작성한 협정초안 제시

　- 각국이 검토후 '92.1.13 무역협상위원회에서 수용여부 의사를 표명할 것을 촉구

8

0011

| UR농산물협상 최종협정초안의 성격과 주요내용 |
|---|

## 가. 성 격

O 협상참가국간에 합의가 되지 않은 상태에서 던켈총장의 책임하에 '91.12.20 제시

O 보조감축율, 이행기간등에 대한 숫자를 명시, 최종타결안의 형태를 갖추고 있음

## 나. 주요내용

| 분 야 | 주 요 내 용 |
|---|---|
| 1. 시 장 개 방<br>O 기준년도 : '86-'88<br>O 이행기간 : '93-'99 | O 예외없는 관세화(식량안보, 11조2C등 관세화예외 미반영)<br>O '93부터 모든 품목 3%최소시장접근 허용('99까지 5%로 확대)<br>O 모든 관세와 TE를 93-99(7년간)기간중 평균 36%감축하고 GATT에 양허 |
| 2. 국 내 보 조<br>O 기준년도 : '86-'88<br>O 이행기간 : '93-'99 | O 허용정책에 구조조정투자등이 포함됨<br>O 가격지지정책등 감축대상정책에 대하여 '93-'99기간중 20%감축<br>O 생산액의 5%를 최소허용 국내보조(De minimis)로 인정 |
| 3. 수 출 보 조<br>O 기준년도 : '86-'90<br>O 이행기간 : '93-'99 | O 수출보조 지원금액과 물량을 동시에 감축<br>O 이행기간중 재정지출은 36%감축, 보조물량은 24%감축 |
| 4. 개도국 우대 | O 감축율은 선진국의 2/3수준, 이행기간은 선진국 '93-'99(7년간)<br>  보다 긴 '93-2002(10년간)으로 3년간 연장<br>O 최소허용 국내보조는 10% 인정 |
| 5. 약 속 이 행 | O '92.3.1까지 제출하고 3.31까지 양자협상등을 통해 확정 |

9

0012

## 2. 최근 UR농산물협상 동향

### 가. 던켈총장의 당초 제시일정과 최근 협상동향

┌─────────────────────────────────────────────────┐
│ 당초 던켈총장 제시일정 : '92.1.13, TNC(무역협상위원회) │
└─────────────────────────────────────────────────┘

O 1월하순 - 2월말 : 시장접근 협상그룹, 서비스그룹 양자협상

O 3월 1일 : 국별이행계획(C/S : Country Schedule) 제시

O 3월말까지 : 각국이 제시한 이행계획을 기초로 양자협상 및 협정초안 수정협상 진행

O 4월중순 : 협정안과 최종양허표 채택 여부결정을 위한 각료회의 개최, 타결

O '93년 1월부터 발효

┌──────────────────────────────────────┐
│ 각국의 국별이행계획 제출동향 : 3월말 현재 │
└──────────────────────────────────────┘

O 제출국 : 미국, EC, 일본, 캐나다, 한국등 30개국(10개국은 일부만 제출)

   - 미국, EC, 캐나다 : 공산품분야는 감축계획없이 협상에 대한 평가(Qualitative
                         Assessment)만 제시

   - EC, 노르웨이 : 농산물분야에 감축계획 없이 가격,생산량,소비량등 기초자료만 제시

   - 우리나라 : 공산품만 제출(3.5)

O 조만간 제출의사 표시국가 : 17개국

┌───────────────────────────────────────────┐
│ 관세화 예외를 포함했거나 포함할 것으로 예상되는 국가 │
└───────────────────────────────────────────┘

O 한국, 일본, 캐나다, EC, 노르웨이, 멕시코, 스위스, 이스라엘등

10·

0013

나. 주요국 동향

미. EC간 접촉

O 2월중순 이후 계속적인 접촉 시도
  - 부시대통령과 들로르 EC집행위원장 친서 교환(3.9 주간)
  - 3.21-22, 부시대통령과 콜 서독수상 회담(조기타결 원칙만 합의)

O 양국간의 주요 쟁점에 대한 의견차 상존
  - EC의 직접 소득보상 정책을 허용대상 정책으로 하는 문제
  - EC의 수출보조 물량에 대한 감축폭등

일 본

O 기존입장을 반영하여 제출

O 관세화 예외품목으로 쌀, 유제품, 전분등 기존의 수입제한 품목 포함

캐 나 다

O 11조2C 적용품목(주로 낙농품)은 관세화에서 제외

O 공산품은 미국처럼 평가(Qualitative Assessment)만 간략히 제시

〈 전체적인 평가 〉

O EC내부(영국, 이탈리아등) 의 선거
  - 프랑스는 미대통령 선거('92.11) 이후로 연기 희망

O 미국은 4월중순 타결시한 설정에 반대(3.26 마디간 농무장관)

O 관세화 예외 반대국가들의 입장변화 없음

'92.4월 타결은 어려울 것으로 전망

"

0014

3. 국별이행계획서 제출계획

가. 협정초안의 감축약속 이행방식

국내보조 분야

O 국내의 농업지원정책을 허용대상정책과 감축대상정책으로 분류하여, 허용대상정책은 향후 계속할 수 있고, 감축대상정책은 줄여 나감

O 감축대상정책으로 가장 대표적인 것은 가격지지 정책임

시장개방 분야

O 기본적으로 자유화 하되, 현재 수입되는 물량보다 초과 수입되는 물량에 대해서는 국내외 가격차(관세상당치) 만큼의 높은 관세를 부과(관세화)

O 수입이 없거나 미미했던 품목에 대해서는 현행관세 수준에서 최소한의 수입을 보장함

수출보조 분야

O 감축대상 수출보조를 규정하고 이에대한 지원물량과 금액을 감축시켜 나가도록 함

개도국 우대

O 개도국과 선진국이 똑같은 감축의무를 부담함은 공평하지 못하므로 개도국에게는 감축폭, 이행기간등에서 선진국보다 적은 의무를 부담토록 함

12

0015

나. 이행계획서 전문(Covernote) 및 협정초안 수정입장

전 문(Covernote)

O 한국은 협정초안에 입각하여 국별이행계획서를 작성
  - 기존입장과 협정초안이 일치하지 않는 부분은 기존입장 존중

O 협정초안은 수정되어야 한다는 것이 한국의 기본입장

O 15개 NTC품목은 제외되었으나 "앞으로의 양자 및 최종 협정초안 수정협상과정에서 동품목
  에 대한 축소조정이 가능함"을 명시

협정초안 수정에 대한 입장

O 예외없는 관세화 반대

O 개도국우대 적용
  - 최소시장접근, 최소관세감축율등에도 적용

O 기준년도 사용에 융통성 필요

O 최소시장접근 예외 인정

O 개도국은 전품목 양허 곤란

O '86이후 감축실적 반영의 구체적 방법 필요

O 허용대상정책 기준의 완화

O 모든 인플레반영 필요

13

0016

다. 금번 한국의 국별이행계획서 제출계획

O 던켈초안('91.12.20)에 따라 작성하되 우리가 그동안 협상에서 주장해온 관세화예외,

  개도국우대등에 대해서는 우리의 기본입장을 최대한 반영

O 수출보조는 제시하지 않음

1) 국내보조 분야

가) 던켈초안과 아국 입장과의 비교

| 구 분 | 던 켈 초 안 | 아 국 입 장 |
|---|---|---|
| (1) 기준년도 | '86 - '88 | '89 - '91 |
| (2) 이행기간 | '93 - '99(개도국은 '93-2002) | '93 - 2002(개도국우대 적용) |
| (3) 감 축 율 | 20%(개도국은 2/3) | 13.3%(개도국우대 적용) |
| (4) 최소허용보조<br>(De minimus) | 5%(개도국은 10%) | 10%(개도국우대 적용) |
| (5) 허용정책 | 1) 정부의 일반서비스<br>2) 허용대상 직접보조 | 협정초안에 따르되 최대한<br>허용대상으로 분류 |

/4

0017

나) 국내보조분야 이행계획

감축대상 정책 : 시장가격지지(수매, 차액보상등)가 가장 큰 비중 차지

1) 쌀은 우리의 기본입장에 따라 감축대상에서 제외

2) 콩, 옥수수, 유채등 3품목 감축계획 제시

| | '89-'91 평균보조액 | '91보조액 | 감축이행계획(년평균 1.33%씩 감축) | | | |
|---|---|---|---|---|---|---|
| | | | '93 | '95 | '97 | 2002 |
| | 억원 | | | | | |
| 콩 | 699 | 421 | 690 | 671 | 653 | 606 |
| 옥수수 | 232 | 118 | 229 | 223 | 217 | 201 |
| 유채 | 24 | 24 | 23.6 | 22.9 | 22.3 | 20.7 |

다) 여타 품목 및 정책에도 감축대상보조가 있으나 최소허용보조(생산액의 10%이하) 또는 개도국우대 대상이므로 감축의무 면제

  ０ 보리는 수매물량중 일부(전시비축량)를 가격지지 물량에서 제외시켜 감축의무 면제

  ０ 양조용 포도, 누에고치등 보조도 감축의무 면제 대상

  ０ 잎담배에도 가격지지가 있으나 정부가 개입하지 않는 기업의 영리행위로 간주하여 제외

  ０ 농업자재 보조등은 개도국우대로 감축의무 면제

15

| 허용대상 정책 | : 총 3조 4,430억원('89-'91평균)

1) 허용정책도 국별이행계획에 포함, 제출하도록 되어 있음

2) 주요대상정책
　　○ 정부의 일반서비스 : 농사시험연구, 병해충 방제, 농민교육훈련, 농촌지도사업, 농촌생활
　　　　　　　　　　　　　　 환경개선등
　　○ 식량안보 목적의 공공비축 : 쌀과 보리의 식량안보 대상물량의 비축관리비
　　○ 국내식량보조 : 아동우유 급식지원(쌀,우유), 영세민 양곡구호
　　○ 생산 중립적 소득보조 : 학자금 지원, 농가부채경감
　　○ 재해구호 : 자연재해 구호
　　○ 탈농지원 : 농어민 전직훈련
　　○ 휴경보상 : 과수폐원보상, 젖소도태 장려금
　　○ 구조조정 투자 : 경영규모 확대, 생산성 향상, 가공시설, 영농자금 및 구조조정 자금융자
　　○ 환경보전 : 토양개량, 축산폐수물 처리
　　○ 기타 허용정책 : 농산물 가격안정 사업, 제주 조랑말 보호, 농조운영비 지원
　　○ 개도국우대 : 농업생산자재 보조, 농산물 규격포장재 공급

───────〈 ※ 검토대상이 아니기 때문에 제외된 분야 〉───────

○ 인건비, 농외소득(농공지구등), 공업보조(농기계업체 보조), 공공투자(간척등),
　 차관사업 원리금상환, 수입쇠고기 관리비용 및 담배인삼공사, 산림청, 수산청의 사업비

/6

0019

## 2) 시장개방분야

### 가) 던켈초안과 아국 입장과의 비교

| 구  분 | 던 켈 초 안 | 아 국 입 장 |
|---|---|---|
| (1) 기준년도 | '86 - '88 | '88 - '90 |
| (2) 관세화 예외 | 예외없는 관세화 | 식량안보, 11조2C는 관세화 예외 |
| (3) 양  허 | 전품목 관세 및 관세상당치 양허 | 74% 양허 |
| (4) 이행기간 | '93-'99(개도국은 '93-'2002) | '93-'2002(개도국우대 적용) |
| (5) 감 축 율 | 단순평균 36%(개도국은 2/3) | 단순평균 24%(개도국우대 적용) |
| (6) 품목별 최저감축율 | 15% | 10%(개도국우대 적용) |
| (7) 현행시장접근 | '86-'88 평균 수입량 | '88-'90 평균 수입량 |
| (8) 최소시장접근 (MMA) | 초기년도 3%허용, 5%까지 증대 | 개도국우대 적용(2% → 3.3%) - 쌀은 MMA 불허 |

〈 특기사항 〉

O 쌀,보리등 NTC 15개 품목은 향후 양자협상 및 협정초안수정 협상결과에 따라 조정할 것임을 전문(Covernote)에 명시

※ NTC 15개품목 : 쌀, 보리, 쇠고기, 돼지고기, 닭고기, 우유 및 유제품, 고추, 마늘, 양파, 감자, 고구마, 감귤, 대두, 옥수수, 참깨

O 쌀은 관세화예외는 물론 최소시장접근(Minimum Market Access)도 인정치 않음

17

0020

## 2) 시장개방분야 이행계획

### 관세(Tariff) 및 관세상당치(TE) 양허 및 인하계획

### 가) 대상품목

(단위:HS10단위)

| 계 | 수입제한품목('92기준) | 자유화품목('92기준) |
|---|---|---|
| 1,269개 | 275 | 994 |

### 나) 관세 및 TE 양허 및 인하계획

0 양허범위 : 21% → 74%로 확대(공산품 : 80%수준)

| 구 분 | 계 | 현 행 | C/S (안) |
|---|---|---|---|
| 수입제한품목 | 275 | 64개 (23%) | 151개 (55%) |
| 수입자유화품목 | 994 | 202개 (20%) | 783개 (79%) |
| 계 | 1,269 | 266개 (21%) | 934개 (74%) |

### ※ 양허불가 품목 : 335개

| 구 분 | 내 역 | |
|---|---|---|
| | 내 역 | 주 요 품 목 |
| 수입제한품목 (124개) | 0 NTC 15개품목과 직.간접 관련품목 | 0 쌀, 보리, 쇠고기, 돼지고기, 닭고기, 우유 및 낙농제품, 고추, 마늘, 양파, 감자, 고구마, 감귤, 대두, 옥수수, 참깨 |
| 수입자유화품목 (211개) | 0 NTC관련품목으로 기자유화된 품목 | 0 쌀과자등 쌀가공제품, 돼지, 소시지, 냉동감자, 채두류 및 그 조제품등 |
| | 0 조정관세 대상품목 | 0 당근, 무말랭이, 고사리등 |
| | 0 수입급증 또는 급증 급증 우려품목 | 0 바나나, 맹고, 호도, 아몬드등 과실류와 그 조제품등 |
| | 0 농가의 주요소득품목 | 0 버섯류(송이, 양송이, 표고, 영지등), 한약재일부 (두충등), 인삼가공제품(인삼분, 인삼캡슐)등 |
| | 0 수출경쟁력 강화품목 | 0 튜립, 백합등 화훼류 |
| | 0 기타 사치성 품목 | 0 녹용, 녹각등 |

18

0021

O 인하계획에 따른 평균세율의 변화추이

(단위:%)

| | | 기준세율 | 양허세율 | 감축율 | 비 고 |
|---|---|---|---|---|---|
| 수 입 제 한 품 목 (275) | 관세화 품목 (151) | 460.40 | 413.73 | 10.0 | O 감축율 : 개별품목 감축율의 평균치 |
| | 관세화 예외 (124) | - | 비양허 | 0 | O 금번 C/S에 offer하지 않음 - 양허불가로 처리됨 |
| 수 입 자유화 품 목 (994) | 양 허 품 목 (783) | 56.85 | 23.27 | 37.3 | O 감축율 : 개별품목 감축율의 평균치 |
| | 양허불가품목 (211) | 33.08 | 비양허 | 0 | O 금번 C/S에 양허불가로 표시 |
| 계 | | 1,269 | 94.98 | 68.85 | 24.06 1) |
| | | | | | O 기준.양허세율은 NTC품목 제외한 1145개 기준 O 감축율은 1269개 기준 |

주1) credit 기여율 5.5%를 제외하면 실질감축율은 18.5% 수준임

19

0022

## 주요품목의 TE수준(NTC품목이외)

| 품 목 별 | T E ('88-'90평균) |
|---|---|
| 사 과 | 159 |
| 배 | 253 |
| 복 숭 아 | 121 |
| 단 감 | 95 |
| 포 도 | 187 |
| 천 연 꿀 | 730 |
| 녹 두 | 653 |
| 팥 | 513 |
| 밤 | 244 |
| 잣 | 630 |
| 녹 차 | 864 |
| 홍 차 | 78 |
| 생 강 | 419 |
| 땅 콩 | 256 |
| 호 프 | 54 |
| 양고기(어린면양) | 1,033 |
| 인삼(홍삼) | 1,611 |
| 잎 담 배 | 110 |
| 생 사 | 50 |

26

0023

## 주요품목 현행시장접근(CMA) 적용계획

(단위 : H/T)

| 품 목 | 할당량 초기('93) | 관 세 율 |
|---|---|---|
| 쇠 고 기 | 48,200 | 20 % |
| 유 장 | 13,930 | 20 |
| 밀 크 와 크 림 | 621 | 20 |
| 버 터 | 250 | 40 |
| 녹 두 | 772 | 30 |
| 팥 | 9,004 | 30 |
| 메 니 옥 | 600,841 | 7 |
| 맥 주 보 리 | 43,917 | 35 |
| 옥수수(종자제외) | 6,102,100 | 5 |
| 메 밀 | 697 | 4 |
| 대 두 | 1,032,151 | 5 |
| 낙 화 생 | 4,907 | 40 |
| 참 깨 | 6,730 | 40 |
| 인 조 꿀 | 6 | 20 |
| 오 렌 지 쥬 스 | 17,191 | 50 |

21

0024

(단위 : M/T)

| 품 목 | 할 당 량 | 관 세 율 |
|---|---|---|
| 보    리 | 9,433 | 20 % |
| 돼 지 고 기 | 9,346 | 25 |
| 천 연 꿀 | 157 | 20 |
| 감자(종자외) | 9,496 | 30 |
| 고    추 | 3,216 | 30 |
| 양    파 | 9,934 | 50 |
| 마    늘 | 7,154 | 30 |
| 밤 | 868 | 50 |
| 잣 | 21 | 30 |
| 오 렌 지 | 793 | 50 |
| 포 도 | 2,665 | 50 |
| 사 과 | 11,519 | 50 |
| 배 | 3,217 | 50 |
| 복 숭 아 | 2,293 | 50 |
| 생 강 | 744 | 20 |
| 두 부 | 1,924 | 13 |

- 22 -

## Cover Note on the Draft Lists of Commitments

1.    Korea has prepared the attached Lists of Commitments on the basis of the relevant provisions of the draft Text on Agriculture and, for certain aspects where Korea's position is not consistent with the provisions, in line with its standing position in the agricultural negotiations.

2.    Korea takes the view that the draft Text failed to balance the interests of net agricultural-importing and exporting countries.    Accordingly, the draft Text should be modified through negotiation under the Track 4 which-have-yet-to-be activated.    Korea's view on the draft Text on Agriculture is attached to this Note.

3.    In line with this position, Korea submits the attached Lists with the understanding that further improvements would be achieved in the draft Text through the Track 4 negotiation.

4.    At the same time, with regard to a certain number of products for which specific commitments are not provided,    Korea reaffirms its statement made at the 15 January 1991 TNC meeting that Korea will table a more flexible offer depending upon further developments in the agricultural negotiations.

5.    The outlines of Korea's Lists of Commitments are as follows :

  a. Market Access
    — 1988~1990 are taken as the base period in the belief that it would be reasonable to take the most recent years and the most recent data available in calculating reduction commitments.

I

0026

- Because of Korea's serious difficulties with regard to the idea of comprehensive tariffication of basic foodstuffs and other items covered by the GATT Article XI. 2(c), specific commitments are not provided for a certain number of products.

- However, Korea is prepared to enter into negotiations which might lead to the reduction of the number of those products in the context of Track 4 negotiation and bilateral negotiations with interested parties.

- In determining the level of reduction commitments and the minimum market access, the element of Special and Differential treatment was incorporated.

- For certain number of products which have been liberalized since 1986, the base rates are bound at ceiling level rather than those applied in September, 1986.

- Current market access is guaranteed at the annual average level during the period 1988~1990.

b. Domestic support
- 1989~1991, the most recent years for which statistics are available, are used as base period for the same reasons stated above under Market Access.

- While reduction commitments on soybean, corn and rapeseed are provided, other products are exempt from these commitments since the AMS for these products and non−product−specific AMS are well below 10% of the total value of production

c. Export competition
- As Korea does not maintain export subsidy programmes which fall under the reduction commitments as defined in Article 9 of Part A of the draft Text on Agriculture, no schedule of reduction commitments on export competition is provided.

II

0027

# Korea's view on the draft Text on Agriculture

1. Comprehensive Tariffication

   − Korea continues to have serious difficulties with regard to the idea of compre-
   hensive tariffication because it tends to ignore the specific characteristics of
   agriculture in the individual food importing countries and further fails to
   safeguard the fragile agricultural production base against collapse.

   − Since export subsidies practiced by certain countries are widely recognized as
   the major factor distorting agricuitural trade, it is less than fair that the draft
   Text has put unjustifiably strong commitments in the area of market access
   by prescribing comprehensive tariffication.

   − For these reasons, it is Korea's considered view that carefully defined exceptions
   from tariffication for the basic foodstuffs vital for food security should be
   established.    In addition, products subject to production controls under the
   Article XI. 2(c) of the General Agreement should not be tariffied.

2. Special and Differential Treatment

   − In line with the basic guideline of Special and Differential treatment, and in
   consideration of the disadvantageous situations in which developing countries
   find themselves, minimum access opportunities as well as rates of reduction
   should be set at the rates, two thirds of that specified in paragraph 5 of Part
   B of the draft Text.

3. Base Period

   − Under the Mid-term Agreement, the commitment on standstill of domestic
   support and market access did not apply to developing countries.

   − Therefore, flexibility should be allowed for developing countries in selecting
   their own base period.

III

0028

4. Minimum Market Access

   − Korea believes that Special and Differential treatment should be explicitly provided for in the draft Text on Agriculture with regard to the minimum market access requirements applying 2/3 of the commitments specified in paragraph 5 of Part B of the draft Text.

   − Korea also has serious difficulties in permitting the minimum market access to all products across the board.

5. Binding of Ordinary Customs Duties and Tariff Equivalents

   − The draft Text provides that all ordinary customs duties and tariff equivalents should be bound.   Due to the special characteristics of agricultural products, however, it is extremely difficult for developing countries to bind all ordinary customs duties and tariff equivalents.   In this regard, it is to be pointed out that even the customs duties of the manufactured products are not fully bound.

6. Credits for Measures Implemented since the Punta del Este Declaration

   − According to the Mid-term Review agreement, credits should be given for measures implemented since the Punta del Este declaration which have contributed positively to agricultural reform.   The draft Text should be revised to introduce concrete methods which would reflect these credits.

7. Green Box

   − Because the criteria for the Green Box is set according to the policies of developed countries, many criteria are too strict for developing countries to observe.   In public stockholding for food security purposes, the government purchase prices should be either the current market prices or the administered prices, and sales prices should not be restricted to the current domestic market prices as long as the sales would not affect the domestic market prices.

8. Inflation

   − Not just excessive inflation, but all inflation rates should be reflected in determining the level of annual commitment.   Unless inflation is reflected, the real rates of reduction will be much higher than the nominal rates.

IV

0029

# 長官報告事項

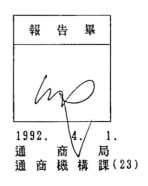
題 目 : UR 對策 實務會議 結果

---

1.  會議日時 및 參席者

    ○ 92.4.1 10:00-11:45

    ○ 經濟企劃院(對調室長 主宰), 外務部(通商局 審議官), 財務部, 農林水産部,
       商工部

2.  案    件 : UR 農産物 履行 計劃書 提出

3.  部處別 立場

    ○ 經濟企劃院 : 15개 NTC 品目을 1)基礎食糧(쌀+𝒶), 2)11조 2(C) 品目,
       3)關稅化 對象 品目으로 細部 調整後 提示

    ○ 外 務 部 : 現實的으로 15개 NTC 品目 調整이 어렵다면 쌀을 除外한 14개
       品目에 대한 關稅 상당치(TE)等 基礎資料만 提示하고, cover note에 協商
       意思 表明

    ○ 農林水産部 : 15개 NTC 品目에 대해 TE 및 減縮 計劃을 除外한 履行 計劃書를
       提出하되, cover note에 track 4 및 兩者協商을 통해 品目을 調整할 것임을
       明示

4.  上記 當部 提案에 대한 反應

    ○ 經企院은 2.26 關係長官 懇談會에서 總選後 15개 NTC 品目을 調整키로 合意
       하였음을 들어 異意를 提起 하였으며, 農林水産部는 TE를 提示할 境遇 쌀을
       除外한 14개 NTC 品目에 대해 關稅化를 하겠다는 것으로 認識될 소지가 크다는
       점과 國內的인 波及 效果等을 理由로 難色 表明

5.  向後 對策 : 經企院에서 會議 結果를 副總理에게 報告後 決定

6.  國會 및 言論對策 : 該當事項 없음.                                    끝·

0030

---

# 발 신 전 보

WGV-0534    920407 1851 FO

번    호 : _____    종별 : _____

수    신 : 주    제네바    대사//총영사

발    신 : 장 관 (통 기)

제    목 : UR 농산물 국별 이행계획서 제출


아국의 UR/농산물 국별 이행계획서 제출 문제와 관련 대외협력위원회는 4.7(화)
~~하기와 같이~~ 서면 의결 하였~~으~~며 관련 제출 일정등을 통보함~~니 참고바람.~~ (눈박, 내용및, 하기)

1.    대외협력위원회 서면 결의 내용

    가. UR 농산물 협상에 있어서의 정부 기본방침

        ○ UR/농산물 분야 국가별 이행계획에 관한 협상에는 '91.1.9 대외협력위원회에서
            결정하고 '91.1.15 TNC이후 계속적으로 견지해온 정부 기본방침에 따라
            대응하기로 함.

        ○ 관세화 예외 대상품목은 동 대외협력위의 결정 및 '92.2.26 관계장관
            회의에서 합의된 바에 따라 UR 협상 추진상황을 감안하여 대외협상에
            지장이 없도록 가능한한 조속한 시일내에 관계부처간 협의 확정토록 함.

        ○ 다만, 미국, EC, 일본등 주요협상 대상국 30여개국이 이미 동 계획서를
            제출한 상황이므로 현단계에서는 조속한 이행계획서 제출의 필요성과
            협상 전략적 측면을 감안, 일단, 쌀등 15개 주요품목의 관세 상당치(TE)를
            제외한 이행계획서를 제출하되, 동 계획서 전문(Cover Note)에 "앞으로의
            양자 및 최종 협정문안 수정협상 과정을 통하여 동 품목에 대한 축소
            조정이 가능함"을 명시하도록 함.

| 보 안<br>통 제 |  |
|---|---|

| 앙<br>고<br>재 | 92년<br>4월<br>7일 | 통상기구과 | 기안자<br>성명<br>안명수 | 과 장 | 심의관 | 국 장 | 차 관 | 장 관 | 외신과통제 |
|---|---|---|---|---|---|---|---|---|---|
|  |  |  |  |  | 전결 |  |  |  |  |

0031

나. 국별 이행계획서의 주요내용

　　o 「전문(Cover Note)」에는 국별 이행계획서의 기본 작성 지침 및 15개 주요품목에 대한 우리의 입장을 명시

　　o 「농산물 협정문에 대한 우리의 기본입장」에는 최종 협정문에 반영되어야할 농산물 협상에 있어서의 우리의 입장을 상세히 서술

　　o 「품목별 이행계획서」에는 15개 주요품목의 관세 상당치(TE)를 제외한 개별품목별 시장접근 및 보조금 감축 계획을 제시

　　o 주요내용

　　　- 쌀은 관세화, 최소 시장접근 및 국내보조 감축 대상에서 제외

　　　- 개도국 우대 및 기준년도를 최근년도로 적용하여 '93년부터 10년간 관세 인하폭을 평균 24% 감축

　　　- 국내보조에 있어서는 콩, 옥수수, 유채의 3개품목에 한정하여 10년간 13.3% 감축 (실제 감축부담은 유채 1개품목만 해당)

　　　- 수출보조는 해당사항이 없으므로 감축 계획을 제출치 않음.

다. 향후 추진계획

　　o 상기 국별 이행계획서를 조속히 제네바에 송부하여 제출토록 함과 동시에 국내적으로 당정협의등 필요절차를 진행시키고 GATT 제출과 동시에 발표

　　o 아울러 15개 NTC 품목중 관세화 예외 대상품목의 확정 작업을 추진

　　o 개방에 따른 국내 보완 대책을 강구

2. 국별 이행 계획서 제출 관련 일정

　o 상기 대외협력위원회 서면 의결에 따라 아국의 농산물 국별 이행 계획서를 4.8(수) 인편(농림수산부 통상협력 2담당관 김영욱외 1인이 4.8(금) 21:50 SR-729편으로 귀지 도착 예정)으로 귀지에 송부하여 4.10(금) 갓트사무국에 제출함.

3. 언론 대책등

　o 농림수산부는 당정 협의(4.7), 농산물 수입개방 보완 대책회의(4.9)를 거친후 갓트사무국 제출과 동시에 언론에 보도자료 배포 예정인바, 보안에 유의 바람. 끝.

첨부: cover note 및 기본입장(영문) 1부

(통상국장 김용규)

0032

# Cover Note on the Draft Lists of Commitments

1.    Korea has prepared the attached Lists of Commitments on the basis of the relevant provisions of the draft Text on Agriculture and, for certain aspects where Korea's position is not consistent with the provisions, in line with its standing position in the agricultural negotiations.

2.    Korea takes the view that the draft Text failed to balance the interests of net agricultural importing and exporting countries.    Accordingly, the draft Text should be modified through negotiation under the Track 4 which have yet to be activated ( Korea's view on the draft Text on Agriculture is attached to this) Note.

3.    In line with this position, Korea submits the attached Lists with the understanding that further improvements would be achieved in the draft Text through the Track 4 negotiation.

4.    At the same time, With regard to a certain number of products for which specific commitments are not provided,    Korea reaffirms its statement made at the 15 January 1991 TNC meeting that Korea will table a more flexible offer depending upon further developments in the agricultural negotiations.

5.    The outlines of Korea's Lists of Commitments are as follows :

  a. Market Access
    − 1988~1990 are taken as the base period in the belief that it would be reasonable to take the most recent years and the most recent data available in calculating reduction commitments.

I

0033

- Because of Korea's serious difficulties with regard to the idea of comprehensive tariffication of basic foodstuffs and other items covered by the GATT Article XI. 2(c), specific commitments are not provided for a certain number of products.

- However, Korea is prepared to enter into negotiations which might lead to the reduction of the number of those products in the context of Track 4 negotiation and bilateral negotiations with interested parties.

- In determining the level of reduction commitments and the minimum market access, the element of Special and Differential treatment was incorporated.

- For certain number of products which have been liberalized since 1986, the base rates are bound at ceiling level rather than those applied in September, 1986.

- Current market access is guaranteed at the annual average level during the period 1988~1990.

b. Domestic support
   - 1989~1991, the most recent years for which statistics are available, are used as base period for the same reasons stated above under Market Access.

   - While reduction commitments on soybean, corn and rapeseed are provided, other products are exempt from these commitments since the AMS for these products and non—product—specific AMS are well below 10% of the total value of production

c. Export competition
   - As Korea does not maintain export subsidy programmes which fall under the reduction commitments as defined in Article 9 of Part A of the draft Text on Agriculture, no schedule of reduction commitments on export competition is provided.

II

0034

# Korea's view on the draft Text on Agriculture

1. Comprehensive Tariffication

   - Korea continues to have serious difficulties with regard to the idea of comprehensive tariffication because it tends to ignore the specific characteristics of agriculture in the individual food importing countries and further fails to safeguard the fragile agricultural production base against collapse.

   - Since export subsidies practiced by certain countries are widely recognized as the major factor distorting agricuitural trade, it is less than fair that the draft Text has put unjustifiably strong commitments in the area of market access by prescribing comprehensive tariffication.

   - For these reasons, it is Korea's considered view that carefully defined exceptions from tariffication for the basic foodstuffs vital for food security should be established.    In addition, products subject to production controls under the Article XI. 2(c) of the General Agreement should not be tariffied.

2. Special and Differential Treatment

   - In line with the basic guideline of Special and Differential treatment, and in consideration of the disadvantageous situations in which developing countries find themselves, minimum access opportunities as well as rates of reduction should be set at the rates, two thirds of that specified in paragraph 5 of Part B of the draft Text.

3. Base Period

   - Under the Mid-term Agreement, the commitment on standstill of domestic support and market access did not apply to developing countries.

   - Therefore, flexibility should be allowed for developing countries in selecting their own base period.

III

0035

4. Minimum Market Access

   - Korea believes that Special and Differential treatment should be explicitly provided for in the draft Text on Agriculture with regard to the minimum market access requirements applying 2/3 of the commitments specified in paragraph 5 of Part B of the draft Text.

   - Korea also has serious difficulties in permitting the minimum market access to all products across the board.

5. Binding of Ordinary Customs Duties and Tariff Equivalents

   - The draft Text provides that all ordinary customs duties and tariff equivalents should be bound. Due to the special characteristics of agricultural products, however, it is extremely difficult for developing countries to bind all ordinary customs duties and tariff equivalents. In this regard, it is to be pointed out that even the customs duties of the manufactured products are not fully bound.

6. Credits for Measures Implemented since the Punta del Este Declaration

   - According to the Mid-term Review agreement, credits should be given for measures implemented since the Punta del Este declaration which have contributed positively to agricultural reform. The draft Text should be revised to introduce concrete methods which would reflect these credits.

7. Green Box

   - Because the criteria for the Green Box is set according to the policies of developed countries, many criteria are too strict for developing countries to observe. In public stockholding for food security purposes, the government purchase prices should be either the current market prices or the administered prices, and sales prices should not be restricted to the current domestic market prices as long as the sales would not affect the domestic market prices.

8. Inflation

   - Not just excessive inflation, but all inflation rates should be reflected in determining the level of annual commitment. Unless inflation is reflected, the real rates of reduction will be much higher than the nominal rates.

IV

# 경 제 기 획 원

우 427-760  /  경기도 과천시 중앙동1 정부제2청사  /  전화 503-9130  /  전송 503-9138

문서번호  통조이10520- 32

시행일자  1992. 4 .6.

수신  수신처 참조

참조

| 선결 | | | 지시 | |
|---|---|---|---|---|
| 접수 | 일자시간 | ' . . : | 결재·공람 | |
| | 번호 | | | |
| | 처 리 과 | | | |
| | 담 당 자 | | | |

제목  제15차 대외협력위원회 개최(서면결의)

1. 농림수산부, 국협 20644-355('92.4.6)와의 관련임.

2. 대외협력위원회 규정(대통령령 제12535호)에 의거 농림수산부에서 제안한
   「한국 UR/농산물협상 이행계획(안) 」을 제15차 대외협력위원회에서 서면
   의결코자 합니다.

3. 동안건을 검토하시고 반드시 위원의 서명을 받아 그 결의내용을 4월7일까지
   당원에 통보하여 주시기 바랍니다.

첨부:  1. 서면결의서 1부.

   2. 한국 UR/농산물협상 이행계획(안) 1부.  끝.

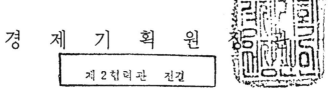

경 제 기 획 원

제 2 협 력 관    진걸

수신처: 대통령 비서실장(경제수석비서관,외교안보수석비서관),  국가안전기획부장(제2차장),

   국무총리(행정조정실장),  외무부장관,  재무부장관,  농림수산부장관,  상공부장관,

   동력자원부장관,  건설부장관,  보건사회부장관,  노동부장관,  교통부장관,

   체신부장관,  과학기술처장관,  환경처장관.

0037

# 제15차 對外協力委員會 書面決議書

## 1. 議 案

| 의 제 | 제 출 자 | 비 고 |
|---|---|---|
| 한국 UR/농산물협상 이행계획(안) | 농림수산부 장관 | |

## 2. 決 議

| 위 원 | 결의 의견(서명) | |
|---|---|---|
| | 可 | 否 |
| 外務部 長官 | (서명) | |

## 3. 意 見

0038

# 외 무 부

110-760 서울 종로구 세종로 77번지 / (02)720-2188 / (02)725-1737 (FAX)

문서번호 통기 20644-132

시행일자 1992. 4. 7.( )

수신 경제기획원장관

참조

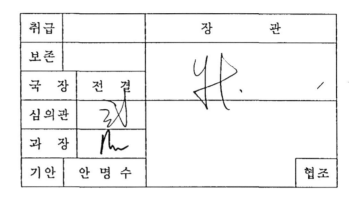

| 취급 | | 장 관 |
|---|---|---|
| 보존 | | |
| 국 장 | 전 결 | |
| 심의관 | | |
| 과 장 | | |
| 기안 | 안 명 수 | 협조 |

제목 제15차 대외협력위원회 서면 결의

대 : 통조이 10520-32

　　아국의 UR 농산물 협상 이행 계획안과 관련한 당부의 제15차 대외협력위원회 서면 결의서를 별첨과 같이 송부합니다.

첨 부 : 동 서면 결의서 1부.

끝

# 외 무 부 장 관

0039

# 대외협력위원회 안건 검토 의견

1. 안건제목 : 아국의 농산물 국별 이행계획서 제출

2. 주요내용

　가. 쌀등 15개 NTC 품목 재조정 문제

　　- 15개 NTC 품목중 관세화 대상 품목은 조속한 시일내에 관계 부처간 협의를
　　거쳐 확정토록함.

　　- 쌀등 15개 NTC 품목에 대한 관세상당치 (TE)및 감축약속을 제외한 국별
　　이행계획서를 제출하되, 전문 (Cover Note)에 "앞으로 양자 및 최종협정
　　문안 수정 협상 (track 4) 절차에 따라 동 품목의 축소조정이 가능함"
　　이라는 문구를 포함시킴.

　나. 국별 이행계획서 제출 일정

　　ㅇ 아국의 농산물 관련 국별 이행계획서를 92.4.8(수)인편으로 제네바에
　　송부

　　ㅇ 제네바 대표부, 4.10(금) 동 계획서를 갓트 사무국에 제출

　다. 당정협의 및 언론대책등

　　ㅇ 당정협의(4.7), 농산물 수입개방 보완 대책회의(4.9)를 거친후, 갓트
　　사무국 제출과 동시에 언론에 보도자료 배포 (농림수산부)

3. 검토의견

　ㅇ 현재 미국, 이씨, 일본등  30여개국이 이미 국별 이행계획서를 제출한
　상황이므로 (제출국 list 별첨) 조속히 아국의 농산물 관련 국별 이행계획서를
　제출할 필요가 있음.

　ㅇ 15개 NTC 품목 재조정이 현실적으로 어려운 상황임을 감안, 우선 15개 품목의
　관세상당치 및 감축 약속을 제외한 국별 이행계획서를 제출하되 협상을 통해
　동 품목 축소조정이 가능함을 Cover Note에 명시하는것이 협상 전략상 적절한
　것으로 판단됨.　　끝.

0040

1. List of participants having submitted comprehensive draft schedules* (agricultural and non-agricultural)

    1.  Hong Kong          11.  Costa Rica
    2.  Japan              12.  Sweden
    3.  Peru               13.  Chile
    4.  Canada             14.  Finland
    5.  Argentina          15.  Colombia
    6.  Australia          16.  El Salvador
    7.  Uruguay            17.  Norway
    8.  EEC                18.  Singapore
    9.  United States      19.  Austria
    10. New Zealand        20.  Mexico

2. List of participants having submitted non-comprehensive draft schedules*

    1.  Korea
    2.  Paraguay
    3.  Venezuela
    4.  Malaysia
    5.  Iceland
    6.  Hungary
    7.  Thailand
    8.  Morocco
    9.  Romania
    10. Brazil

3. List of participants having indicated their intention to submit draft schedules

    1.  Bolivia
    2.  Cuba
    3.  Czech and Slovak Federal Republic
    4.  Egypt
    5.  Guatemala
    6.  Honduras
    7.  India
    8.  Indonesia
    9.  Jamaica
    10. Nicaragua
    11. Pakistan
    12. Philippines
    13. Poland
    14. Senegal
    15. Switzerland
    16. Turkey
    17. Yugoslavia

* In order of receipt of submissions.

# 경 제 기 획 원

우 427-760 / 경기도 과천시 중앙동1 정부제2청사 / 전화 503-9130 / 전송 503-9138

문서번호  통조이10520-33

시행일자  1992. 4 .8.

| 선결 | | | 지시 | | |
|---|---|---|---|---|---|
| 접수 | 일자시간 | 92: 4. 10 | 시결 | | |
| | 번호 | 12372 | 재·공 | | |
| 처리과 | | | 람 | | |
| 담당자 | 박〇벅 | | | | |

수신  수신처 참조

참조


제목  제15차 대외협력위원회 회의결과(서면결의) 통보
─────────────────────────────────────────

1. 통조이 10520-32 ('92.4.6) 관련입니다.

2. 제 15차 대외협력위원회에서 농림수산부가 제안한 「한국 UR/농산물협상
   이행계획(안)」이 대외협력위원회규정(대통령령 제13476호) 제 5조에 의거하여
   서면결의 됐음을 통보하니 업무에 참조하기 바랍니다.   끝.


경 제 기 획 원 장

대외경제 조정신강  전결

수신처:  대통령 비서실장(경제수석비서관, 외교안보수석비서관), 국가안전기획부장(제2차장),
국무총리(행정조정실장), 외무부장관, 재무부장관, 상공부장관, 동력자원부장관,
건설부장관, 보건사회부장관, 노동부장관, 교통부장관, 체신부장관, 과학기술처장관,
환경처장관.

0042

# 외 무 부

110-760 서울 종로구 세종로 77번지 / (02)720-2188 / (02)725-1737 (FAX)

문서번호 통기 20644-

시행일자 1992. 4.10.(        )

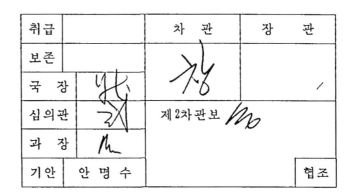

수신   내부결재

참조

제목   UR/농산물 이행 계획서 제출


　　1.　우리나라의 UR/농산물 국별 이행 계획서 제출과 관련한 4.7(화) 대외협력
위원회 서면 결의사항중 「농산물 협정문에 대한 우리의 기본입장」 부분을 동 대외협력
위원회 결정이후 현지 협상 분위기 및 주 제네바 대사의 건의를 감안, 아래와 같이
수정하고 이에 따라 주 제네바 대사에게 훈령코자 하오니 재가하여 주시기 바랍니다.

　　　　　　　　　　　- 아　　　　　　　　래 -

　　　" 우리나라의 농산물 국별 이행계획서에 첨부 제출키로한 「농산물 협정문에
　　　　대한 우리의 기본입장」은 현지 협상 분위기에 따라 추후 별도 제시토록 함."

　　2.　상기 수정내용은 관계부처와 협의, 대외협력위원회 결정 수정 절차를
취할 예정입니다.　　　　　　　　　　　끝.


　　　　　　　　외　　무　　부　　장　　관


0043

PERMANENT MISSION OF THE REPUBLIC OF KOREA
GENEVA

10 April 1992

Dear Mr. Dunkel,

I am enclosing Korea's Draft Lists of Commitments on Agricultural Products, together with the cover note which should be read in conjunction with Korea's Lists of Commitments.

The submission of these Lists is without prejudice to the final results of the agricultural negotiations and with the understanding that further improvements in the Draft Final Act will be made at an appropriate time. Therefore Korea reserves the right to modify or refine its Draft Lists of Commitments depending upon further developments in the agricultural negotiations.

Sincerely yours,

PARK, Soo Gil
Ambassador

Encl: as stated

H.E. Mr. Arthur DUNKEL
Director General
GATT
Centre William Rappard
154, rue de Lausanne
1211 Geneva 21

— / —

0044

## COVER NOTE ON THE DRAFT LISTS OF COMMITMENTS

1. Korea has prepared the attached Lists of Commitments on the basis of the relevant provisions of the draft Text on Agriculture and, for certain aspects where Korea's position is not consistent with these provisions, in line with Korea's standing position in the agricultural negotiations.

2. Korea takes the view that the draft Text should be modified through Track 4 negotiations, taking into consideration the vital interests of the net agricultural importing countries.

3. Korea submits the attached Lists with the understanding that further improvements will be achieved in the draft Text through Track 4 negotiations.

4. With regard to a certain number of products for which specific commitments are not provided, Korea reaffirms its statement made at the 15 January 1991 TNC meeting that Korea will table a more flexible offer, depending upon further developments in the agricultural negotiations.

5. The outlines of Korea's Lists of Commitments are as follows:

A. Market Access

- 1988-1990 are taken as the base period in the belief that it would be reasonable to take the most recent years and the most recent data available in calculating reduction commitments.
- Because of Korea's serious difficulties with regard to the idea of comprehensive tariffication of basic foodstuffs and

—2—

other items covered by GATT Article XI:2(c), specific commitments are not provided for a certain number of products.

- However, Korea is prepared to enter into negotiations which might lead to the reduction of the number of those products in the context of Track 4 negotiations and bilateral negotiations with interested parties.

- In determining the level of reduction commitments and the minimum market access, the element of special and differential treatment was incorporated.

- For a certain number of products which have been liberalized since 1986, the base rates are bound at ceiling level rather than those applied in September 1986.

- Current market access opportunity is guaranteed at the annual average level during the period 1988-1990.

B.  Domestic Support

- 1989-1991, the most recent years for which statistics are available, are used as the base period for the same reasons stated above under Market Access.,

- While reduction commitments on soybean, corn and rapeseed are provided, other products are exempt from these commitments since the AMS for these products and the non-product-specific AMS are well below 10% of the total value of production.

C.  Export Competition

- As Korea does not maintain export subsidy programmes which fall under the reduction commitments as defined in Article 9 of Part A of the draft Text on Agriculture, no schedule of reduction commitments on export competition is provided.

—3—                                                0046

1. Comprehensive Tariffication

   — Korea continues to have serious difficulties with regard to the idea of comprehensive tariffication because it tends to ignore the specific characteristics of agriculture in the individual food importing countries and further fails to safeguard the fragile agricultural production base against collapse.

   — Since export subsidies practiced by certain countries are widely recognized as the major factor distorting agricultural trade, it is less than fair that the draft Text has put unjustifiably strong commitments in the area of market access by prescribing comprehensive tariffication.

   — For these reasons, it is Korea's considered view that carefully defined exceptions from tariffication for the basic foodstuffs vital for food security should be established.    In addition, products subject to production controls under the Article XI. 2(c) of the General Agreement should not be tariffied.

2. Special and Differential Treatment

   — In line with the basic guideline of Special and Differential treatment, and in consideration of the disadvantageous situations in which developing countries find themselves, minimum access opportunities as well as rates of reduction should be set at the rates, two thirds of that specified in paragraph 5 of Part B of the draft Text.

3. Base Period

   — Under the Mid-term Agreement, the commitment on standstill of domestic support and market access did not apply to developing countries.

   — Therefore, flexibility should be allowed for developing countries in selecting their own base period.

— 4 —

0047

4. Minimum Market Access

– Korea believes that Special and Differential treatment should be explicitly provided for in the draft Text on Agriculture with regard to the minimum market access requirements applying 2/3 of the commitments specified in paragraph 5 of Part B of the draft Text.

– Korea also has serious difficulties in permitting the minimum market access to all products across the board.

5. Binding of Ordinary Customs Duties and Tariff Equivalents

– The draft Text provides that all ordinary customs duties and tariff equivalents should be bound. Due to the special characteristics of agricultural products, however, it is extremely difficult for developing countries to bind all ordinary customs duties and tariff equivalents. In this regard, it is to be pointed out that even the customs duties of the manufactured products are not fully bound.

6. Credits for Measures Implemented since the Punta del Este Declaration

– According to the Mid-term Review agreement, credits should be given for measures implemented since the Punta del Este declaration which have contributed positively to agricultural reform. The draft Text should be revised to introduce concrete methods which would reflect these credits.

7. Green Box

– Because the criteria for the Green Box is set according to the policies of developed countries, many criteria are too strict for developing countries to observe. In public stockholding for food security purposes, the government purchase prices should be either the current market prices or the administered prices, and sales prices should not be restricted to the current domestic market prices as long as the sales would not affect the domestic market prices.

8. Inflation

– Not just excessive inflation, but all inflation rates should be reflected in determining the level of annual commitment. Unless inflation is reflected, the real rates of reduction will be much higher than the nominal rates.

—5—

0048

# 주 독 대 사 관

문서번호 주독(상) 764-448

시행일자 1992. 4. 14. (    )

| 선결 | | | 지시 | | |
|---|---|---|---|---|---|
| 접수 | 일자시간 | | 결재 | | |
| | 번호 | **22173** | 재 | | |
| 처리과 | | | 공 | | |
| 담당자 | | | 람 | | |

수신 장관

참조 통상국장,
    상공부 통상진흥국장

제목 주재국 경제인연합회(BDI)의 UR 보고서 송부

---

    1. 주재국 경재 및 통상정책 수립에 큰 영향력을 행사하는 독일경제인 연합회
(Bundesverband des Deutschen Industrie)는 최근 UR 교착상태에 대한 주재국 산업계의
의견을 집약한 보고서를 발표한 바, 동 내용을 송부하니 업무에 참고하기 바랍니다.


첨부 BDI, Documentation. 끝.

주    독    대

0049

*D o c u m e n t a t i o n*

*GATT Uruguay Round*
*Failure would strike at the heart of the economy*

- **Summary/Press Release**

1. **The crisis of the GATT Uruguay Round**

2. **The consequences of failure**

   2.1 **The German economy hit particularly hard**

   2.2 **The EC: the great winner or the great loser?**

   2.3 **Worldwide political implications**

3. **The Uruguay Round must be a success - an appeal to the political decision-makers**

4. **Facts about the Uruguay Round: what is beeing negotiated - what is at stake?**

**March 1992**

0050

Bundesverband der Deutschen Industrie e.V.

**Summary/Press Release**


**BDI President Weiss presents documentation on the GATT Round: failure would strike at the heart of the economy**

With the approach of the final critical phase of the GATT Uruguay round, the President of the Federation of German Industries (BDI), Heinrich Weiss, presented an extensive documentation of the subject. This paper makes it clear that the future of the global economy, and particularly the economy of Europe and Germany is crucially dependent on a successful conclusion to the negotiations.

The BDI President issues a warning that if the Uruguay round should fail, especially with the problem of agriculture proving a major stumbling block, this would create the danger of the world drifting back into protectionism and the effects would be devastating. All the partners in the global economy would lose out. Weiss emphasizes that trade policy and the Uruguay round affect literally everybody, not just the politicians and indus- trialists, but also all consumers, tax-payers, and working people everywhere. In this situation German industry naturally feels impelled to highlight the serious consequences that any breakdown in the GATT Uruguay round would have for the Federal Republic of Germany.

-- 1 --

Presse und Information
Gustav-Heinemann-Ufer 84—88
5000 Köln 51 (Bayenthal)

Telefon (02 21) 37 08 565/566
Telex 8 882 601
Teletex (17) 2214058

BTX-Teilnehmernr. (02 21) 38 20 29
Telefax (02 21) 37 08-730
Telegramme Bundesindustrie

0051

- the North-South conflict would be aggravated, leading to
  increased migration by the poor to the more prosperous
  regions of the world and a need for increased aid by the
  industrial nations. This would considerably lessen the
  developing countries' chances of gradually reaching the
  threshold of industrialization by their own efforts.

- for the industrial nations, the inevitable decline in world
  trade could lead to global recession, with rising prices,
  increasing unemployment and political tensions. It would be
  a major obstacle to meeting the vital challenge of creating
  a more humane and more prosperous world community, now that
  the era of ideological global conflict has ended.

**Opportunities offered by the Uruguay Round**

Weiss points out that the goal of the negotiations initiated in
1986 is to create a reliable set of rules for a market-based
global economic system. A successful conclusion to the Uruguay
round would ensure that international markets are opened and
kept open, and that GATT can be developed further into an inter-
national competitive order. Furthermore, it would create an
improved instrument for settling trade policy disputes:

- with a successful conclusion to the GATT Uruguay round,
  says Weiss, world output could rise by an additional 5.25
  thousand billion US dollars over the next ten years. That
  would be more than 20 per cent above the current level of
  global economic performance.

- in global terms, each family could reckon with an average
  additional gain in purchasing power of 17,000 US dollars
  over the next ten years.

- according to calculation models, a liberalization of the
  agricultural markets would cause total production and
  income to rise by around 3.6 per cent in Germany alone,
  with the number of persons in employment climbing by 5.5
  per cent.

...

0052

## Negative effects for Germany

Weiss stresses that Germany would be hit harder than any other country by the consequences of failure in the Geneva negotiations:

- Germany derives a third of its national income from exports. Its most important competitors - Japan and the USA - earn only 11 and 10 per cent of their respective national incomes in the world market.

- every third job in Germany depends on exports.

- more than 90 per cent of German manufactured exports are accounted for by capital goods.

- many branches of industry sell over 50 per cent of their production abroad.

- one in two of the ten million persons employed in industry is working for exports.

According to Weiss, a policy which risks the failure of the GATT negotiations because of the special protection given to agriculture, itself a highly controversial matter in the EC, puts in jeopardy both national and international prosperity.

## Implications for global politics

A failure of the GATT negotiations at Geneva with the result of markets being increasingly closed up is viewed by Weiss as having devastating consequences for international economic relations:

- the system of liberal world trade might break down into regional trading blocs in Europe, America, and East Asia.

- the former communist countries depend on free access to the world markets in order to be able to build up democratic, market-based systems. This process would be made more difficult or even rendered impossible.

...

0053

## Appeal by German industry

The BDI President issues an urgent appeal to those responsible in Bonn and Brussels, and also to the other GATT partners to bring about a sensible agricultural reform in order to open up the way for a successful conclusion to the Uruguay round and for the future of global economic cooperation and prosperity for the nations of the world. He reminds Bonn that the German government is seen by other countries as having a key role to play in this process and urges that it live up to these expectations.

Weiss argues that the results in Geneva will have a decisive impact on the future of the German economy, on both the number and the security of jobs available, and on economic reconstruction in the new federal states. Success in the GATT negotiations could create a new and more liberal basis for the international division of labour. In turn, such success would be promoted by a determined reform of the inefficient and unfair European agricultural system. The BDI President points out that in any case the agricultural policy could hardly be financed any longer without free world trade. There is therefore no alternative to a successful outcome of the GATT Uruguay round. In Weiss' words, "economic sense must win the day".

K10320

0054

## 2. The consequences of failure

If it should not prove possible to complete the Uruguay round
successfully, it will probably be very difficult to cope with
the global economic challenges of the coming years. More than
ever before, international trade now depends on reliable
rules; protectionist forces must be given no encouragement;
proper attention must be paid to the danger of a worldwide
recession when consideration is being given to particular
interests. It is in its very own basic interests for the EC
to meet its special responsibility for ensuring that world
trade can function more smoothly.

### 2.1 The German economy hit particularly hard

With its economy very markedly oriented to foreign trade,
Germany is particularly dependent on a reliable inter-
national trade system.
The reasons are

- the goods and services produced for export contribute
  more to Germany's national income than is the case with
  the most important competitors, the USA and Japan.

  Comparison of export quotas (1990): Germany:   32 % *
  
                                      Japan      11 %
  
                                      USA        10 %

  (Source: OECD)

- more than 90 % of German exports are industrial prod-
  ucts; only 5 % are made up of agricultural produce
  and products of the food and allied industries.

--------

*   This includes internal EC trade. However, it must be remembered that many German supplies to
    European countries are themselves intermediate products for exports from these countries.

0055

*Documentation*

## *The GATT Uruguay Round*
## *Failure would strike at the heart of the economy*

### ]. The crisis of the GATT Uruguay Round

The GATT Uruguay round is now entering upon its final and
critical phase. The future of the global economy and especial-
ly of the European economy and German industry is hanging in
the balance, depending on a successful outcome to these nego-
tiations.

The goal of the negotiations, which were begun in 1986, is to
create a reliable set of rules for a global economy guided by
market economy principles. A successful conclusion to the
Uruguay round would ensure:

- that markets are opened up and are kept open,
- that GATT continues to be developed into an international
  system of competition,
- that trade policy conflicts can be settled by arbitration.

It is primarily the controversy between the USA and the EC
over the issue of trade in agricultural produce that has led
to the negotiations being stalled.

If the GATT Uruguay round were to fail because of the dispute
over trade in agriculture, there would be no winners - but
all the partners in the global economy would be the losers.
In this situation the BDI feels impelled to spell out the
consequences of any failure of the GATT Uruguay round.

0056

**Export quotas of individual industries in 1989:**

| | |
|---|---|
| iron and steel | 74.4 % |
| nonferrous metals | 71.4 % |
| chemical products | 65.0 % |
| mechanical engineering | 63.0 % |
| cellulose, paper, and cardboard | 58.0 % |
| road vehicles | 55.0 % |
| plastics | 51.0 % |
| electronic products | 48.0 % |

(DIW)

Seen against this background, it must be regarded as paradoxical that a sector such as agriculture, which in Germany contributes only just 2 % of net value added and around 3.5 % for the EC as a whole, should be a stumbling block in the way of results which are of vital significance for the whole national economy.

- Around one third of all persons employed in the Federal Republic of Germany are working for exports. There is hardly a single sector which is not affected by foreign trade. Yet for industry this proportion is far higher if export-induced supplies are included. Taken as a whole, over 50 % of all persons employed in industry are working for exports; that means over 5 million jobs.

0057

**Export dependency of jobs in individual industries**

| | |
|---|---|
| foundries and casting | 70 % |
| mechancial engineering | 62 % |
| iron and steel | 60 % |
| chemical industry | 57 % |
| road vehicle construction | 51 % |
| textiles | 49 % |
| drawing plant and cold rolling mills | 48 % |
| electrical engineering | 46 % |
| mining | 45 % |
| iron-, sheet and metal processing | 43 % |
| food and allied industries | 19 % |

(DIW)

The security of these jobs would be put at risk if any failure of the GATT Uruguay round were to result in the disruption of world trade.

- Merchandise trade is not the only yardstick to measure the extent to which Germany is interlocked in the world economy; German industry has also invested abroad on a global scale. Investment abroad has risen to DM 228 billion. Around 30 % of this investment is concentrated in the North American market.

- German industry would be particularly hard hit by the political, psychological and economic effects of a failure of the Uruguay round. Prosperity, growth and employment would be overshadowed by uncertainties. This would also impede and delay the economic reconstruction and the integration of the new federal states, which are dependent on exports and on capital from abroad.

2.2    The EC: the great winner or the great loser?

All the regions of the world would benefit from a dismantling of tariff and non-tariff barriers to trade, as envisaged under the Uruguay round. International trade would pick up again, which would be of incalculable

value in the present climate of a world economic reces-
sion. Production, employment and prosperity would in-
crease again.

Studies have shown that world output could rise by
around US $ 5,250 billion over the next ten years in
the case of a  successful outcome to the Uruguay round.
That would be an increase of more than 20 % in present
world output. The EC would benefit especially from a
liberalization of world trade and would thus be one of
the great winners.

A failure of the Uruguay round would mean an end to
these opportunities for additional prosperity, to the
disadvantage of all trading partners who depend on such
chances. A very serious view must be taken of the
danger of the world economic order disintegrating and
the national economies sliding into a recession - with
all the negative political, social and economic conse-
quences. It does well to recall the year 1929 in this
connection, when a weak global economy drifted into the
world economic crisis because of an increase in protec-
tionism.

The economy of the European Community would be especial-
ly hard hit by a failure of the GATT negotiations. The
reasons are:

- **a drop in exports**
  The EC is by far the biggest export region in the
  world, with a share of over 40 % in world trade. This
  still holds true, even when trade between EC coun-
  tries is excluded. So the EC would be hardest hit by
  any relapse into protectionism.

0059

- lower growth

The EC countries earn just under a third of their
gross national product in foreign trading. Even
though part of the exports go to other EC member
states, it must be remembered that these supplies
are also export-induced in part.

- higher prices for consumers and industry

Any rise in the level of protection would bring about
an increase in prices for consumers and producers.
Current estimates put the cost of protection against
imports at already coming to between 2 and 3 % of
gross domestic product. Projected to the EC as a
whole, this would amount to US $ 140 billion anually.
This trend would accelerate further if the Uruguay
rund were to fail. According to U.S. calculations,
each family would be deprived of around US $ 17,000
in purchasing power over the next ten years.

- loss of jobs

Approximately a third of all employed persons in the
EC are working for exports. That is a total of 44
million working people. A proportion of these jobs
would be put at risk by a drift into protectionism.

- loss of prosperity

Higher prices, unemployment, and poor growth have a
very negative effect on prosperity, and not only in
Europe. There would be the additional danger of waves
of migration and increased obligations to provide aid
for the South and East.

- political conflicts and instabilities in the world

Over the last few years economic differences have
already led to political tensions in the so-called
triad USA-Europe-Japan. Without a successful conclu-
sion to the GATT Uruguay round, there is likely to be
increasing protectionism and thus a worsening of the

0060

political climate, especially in the triad. The solution of important global assignments such as environmental protection and security would become far more difficult and would be held up.

## 2.3. Worldwide political implications

The consequences of failure extend far beyond the economic sphere. They would have a lasting harmful effect on political relations around the globe. With the Cold War a thing of the past, a trade and investment war might break out.

**Possible results of negotiations foundering:**

- **decline in global economic trends**
  Loss of confidence by trading partners could mean that trends to a slowing down in the global economy would be reinforced to bring about global recession. It would mean squandering the opportunity of achieving greater covergence of the national economies by means of improved coordination of economic policies within the framework of cooperation between GATT and other international organizations.

- **managed trade, bilateralism, trading blocs**
  The trend to managed trade, bilateralism, protectionism and subsidies would grow further. The danger of further regionalization of trade would raise its head, together with a closing off of the economic blocs in Europe, North and South America and in Asia. Trade relations would in future be shaped bilaterally on the basis of political positions of power and interests. It is probable that if the Uruguay round were to fail, most of the non-European states would take sides for the USA since for them the American market is more important than the European one. The

0061

EC would then find itself excluded from important growth markets in East Asia. There are already warning examples, such as the American Trade Act and the latest agreements between the Americans and the Japanese, for example on the car industry and component parts and on semi-conductors. There is also the European-Japanese car agreement of the summer of 1991.

- **North-South conflict**
  The developing countries particularly depend on a liberalization of world trade. Over the last few years they have been trusting in the international division of labour and have been gradually opening their markets. Yet in many cases the markets in the industrial countries remained closed for the goods where developing countries have competitive advantages. It is estimated that the developing countries lose 3 % of their gross domestic product through protectionism by the industrial nations. That is far more than they receive in development aid. Here the Uruguay round is supposed to bring a turnaround - primarily through the opening of agricultural and textiles markets. If this should fail, the industrial nations will lose credibility with their promise of 'helping others to help themselves'. The developing countries would be deprived of necessary know-how and of foreign exchange needed to solve the debt crisis and to build up their economies. The inevitable result would be that the industrial nations would be compelled to increase direct aid and the refugee problem would be aggravated.

- **the jeopardizing of reforms in Eastern Europe and the countries of the former Soviet Union**
  The reforming countries in Central and Eastern Europe are placing their hopes in the market economy system of the Western industrial nations as they carry out restructuring.

0062

They are virtually dependent on the exchange of goods
and on open markets. The strengthening of democratic
structures depends on economic success. The collapse
of the Uruguay round would be bound to give rise to
trade conflicts with these countries, and would equal-
ly force the industrial nations to increase aid. In
this context, the EC can no longer afford to ignore
the danger of mass migration towards Western Europe.

- the continued development of international rules
A successful outcome to the GATT Uruguay round would
provide the necessary basis for the required adapta-
tion of the international rules to a global economic
environment that has undergone a lasting change.
Points to be highlighted are:

* the linking of trade and competition policy
(With the world economy becoming increasingly
globalized, it is getting more and more urgent to
anchor competition policy rules withing GATT. It
will hardly be possible to check protectionist
moves until this is done.)

* conflicts between trade policy and environment
policy
(Here there is a need for international conventions
based on reference to GATT so that differences in
implementing environmental protection measures do
not disrupt international trade.)

3. The Uruguay Round must be a success - an appeal to the polit-
ical decision-makers

German industry agrees with the view of the Federal govern-
ment that a failure of the Uruguay round must be avoided. The
partners in world trade must see to it that improved and re-
liable trading rules are created; they must not fall back
into the days of 'might is right' in trade policy. Attention
must always be concentrated on the fact that a successful
conclusion is vital to the interests of the economy as a
whole; agriculture contributes 2 % to the net value added of

0063

the German economy. In any case, a reform of the inefficient and unfair European agriculture system is overdue - and would also be in the interests of farmers. The GATT round is a good opportunity to initiate such a reform.

The Federal government is according top priority to a success of the Uruguay round. The 1992 annual economic report states in this context: 'The Federal government thus reaffirms emphatically .... that there is no issue with further-reaching implications for the future outlook for the world economy than the successful conclusion of the Uruguay round'.

The political decision-makers in Bonn and Brussels are now called upon to back up their declarations of intent and pledges of commitment to world trade with the necessary decisions. The politicians bear the responsibility for the consequences of any failure of the Uruguay round. In Germany about 30 % of the gross national product and 5 million jobs are affected.

The BDI therefore issues a most urgent appeal to those who are politically responsible to open up the way for increased global economic cooperation and growing prosperity among the nations of the world. Overall economic interests must take precedence before the special interests of individual sectors of the economy. Economic sense must prevail; the Uruguay round must be a success.

4. **Facts about the Uruguay Round: what is being negotiated - what is at stake?**

The General Agreement on Tariffs and Trade (GATT) is the sole multilateral system of agreements that lays down precise rules of conduct and procedure for international merchandise trade - a kind of constitution for trade, so to speak:

0064

- it was founded in 1947 and in the course of seven rounds of negotiations has led to worldwide liberalizations. Tariffs have been reduced by 75 %, from an average of 40 % down to 3 to 5 %.

- in every decade since the foundation of GATT world trade has grown more strongly than world production. The gradual removal of trade barriers has been followed by an enormous expansion in international trade from US $ 60 billion in 1950 to US $ 3,358 billion in 1990.

- 108 members negotiate in GATT, who account for over 85 % of world trade.

Over the last 40 years GATT has made a decisive contribution to economic growth and to prosperity in the world.

The fast recovery of the German economy after the Second World War would not have been possible without GATT's successful liberalizing measures.

The GATT Uruguay round was begun in 1986 with a range of objectives that went far beyond questions of tariffs. It was intended to include new areas in the international set of rules, such as services, intellectual property protection and investment, as well as areas that had previously been excluded such as agriculture and textiles. In addition, it was proposed to strengthen the institutional structure of GATT.

**Important negotiating areas:**

**- services**

Taking GATT as a model, it is intended for the first time to subject the increasingly important trade in services to liberal international rules (GATS). With a volume of US $ 770 billion, this area already makes up a good 20 % of world trade. It is proposed to remove restrictions on competition - for example, for banking, insurance, and transportation.

0065

A liberalization of the movement of services would be of
great advantage to the EC, since the Community already
supplies large parts of the world market and could count
on further opportunities for growth.

As the fourth-largest exporter of services, Germany has a
special interest in further improvements in market access
in the services sector. This is a dynamically expanding
sector which has created many extra jobs in the past few
years. German industry is interested in liberalization of
trade in services both as a supplier and as a customer.

- **textiles and clothing**

It is proposed that this sector should be reintegrated step
by step into the general rules of GATT. This means the re-
moval of quota restrictions, above all with respect to the
developing and newly industrializing countries. Calcula-
tions by the World Bank estimate that these countries could
export additional clothing and textiles worth US $ 11 bil-
lion, if all trade restrictions currently in force were to
be removed. The German clothing industry fears that a fail-
ure of the GATT round would have a harmful effect on its
production abroad, which already accounts for a good third
of total turnover.

- **protection of intellectual property**

Intellectual property is intended to be given better pro-
tection in future. Patent protection is to be enforced for
all inventions by 1999. It would then be possible to combat
more effectively illegal copies and trademark counterfeit-
ing, which cause serious harm especially to the manufactu-
rers of expensive quality products. For a country such as
Germany, with a high level of technology and high-tech
exports, the protection of know-how is of essential impor-
tance. Every year the industrial nations suffer losses
running into billions through the infringement of property
rights.

- **agriculture reform**

What is envisaged is the curtailing of subsidies, the
removal of protection for agricultural produce, and the
gradual introduction of market economy principles. In the
EC the agriculture system has led to growing surpluses and
excessive prices. Trade in agriculture makes up only 11 %
of world trade. So it is incomprehensible that this sector
should decide over the outcome of the Uruguay round.

It is estimated that subsidies and other forms of support
for agriculture swallow up US $ 300 billion annually around
the world. In the EC alone, expenditure on agriculture has
almost tripled over the last 15 years to around DM 63 bil-
lion. In addition, there is also the cost of higher prices
and subsidies in the individual EC countries, which total
more than the amount of the Community expenditure. These

0066

figures clearly signal that on both sides of the Atlantic a reform of agriculture policy is overdue - a reform which would take account of the interests of all concerned, both producers and consumers, and equally those of the traditional agricultural exporters and of the East European reforming countries which cannot afford costly subsidy races and trading wars for shares of the world market (at the expense of consumers and taxpayers). Calculation models indicate that a liberalization of the agriculture markets would bring about a total rise in production and income in Germany of 3.6 %. The number of persons employed would go up by 5.5 %. Many developing countries would benefit from a liberalization of the agriculture system thanks to higher revenue and higher sales.

- dismantling tariffs/opening up markets

The proposed further reduction in tariffs would improve access to export markets for German products. It is also important for European industry that general rules for the award of public-sector contracts should be laid down in GATT. The EC is to open up the public-sector market for other countries in 1993. So far it is doubtful, to say the least, whether the other countries will follow suit in the absence of a general obligation to do so.

- antidumping

An extended antidumping code protects European industry from unfair trade practices. The misuse of this instrument, which is in accordance with GATT, will become harder.

- investment

The inclusion of the subject of investment in GATT offers a good basis for comprehensive investment rules.

- distortions of competition

Distortions of competition by the misuse of subsidies are to be restricted by more stringent provisions.

- grey area measures

So-called grey area measures such as voluntary export quota agreements are to be prevented in future, and existing schemes are to be gradually abolished. Studies have shown that protectionism in the form of non-tariff trade obstacles in the Western industrial countries is far more substantial than simple tariff protection. Such protectionism obstructs almost a fifth of worldwide merchandise trade. The removal of these obstacles could therefore make a major contribution to an expansion of international trade and to a rise in prosperity.

0067

**- dispute settlement**

Here the challenge is to improve the dispute settlement
procedure in order to be able to enforce the GATT rules
more effectively and to settle trade disputes more rapidly.
Grey area measures would thus be easier to prevent in
future.

**- Multilateral Trade Organization (MTO)**

As far back as 1947 it was envisaged that the World Trade
Organization should act in future as an umbrella for an
extended range of tasks. This would mean an end to the
provisional character of GATT. This organization would be
the basis for the inclusion of the important new topics of
the Nineties, such as competition rules and environmental
policy.

The GATT Uruguay round opens up around the world the prospect
of progress in the future-oriented areas under negotiation,
which are important for the whole of industry and trade. From
the outset agricultural trade was an exceptional area within
the framework of GATT, this having been agreed at the special
request of the USA. Reforms in this area have now been over-
due for a long time on both sides of the Atlantic. It is now
time to set them firmly on the road. German industry knows
that it is in full agreement with industry and trade in many
other GATT countries, especially in Europe and North America,
in its assessment that in view of the overriding interest of
the Uruguay round for the economy as a whole, current negotia-
tions must not be allowed to founder because of the trans-
atlantic dispute over agriculture.

## UR 협상의 주요내용

(91.12.20자 최종 협정 초안의 주요내용 및 특징)

1992. 5. 13.

통 상 기 구 과

0069

# - 목 차 -

0070

# 1. 시장접근 분야

(성  격)

ㅇ 최종협정 초안은 시장접근 분야(관세 및 비관세) 무역자유화 추진을 위한 기본골격만 제시하고 자유화 계획(양허표)의 구체적 내용은 이해관계국간의 양허협상의 결과에 따라 확정토록 함.

(주요내용)

ㅇ 관세 분야에서는 88.12 중간 평가시 합의된 대로 각국의 수입액 가중 평균 관세율의 33% 이상을 5년간에 걸쳐 인하하기로 함.

  - 관세인하 기준은 양허품목의 경우 양허세율, 비양허 품목의 경우 86년 9월 당시 실행 세율임.

ㅇ 비관세 분야에서는 철폐대상이 될 비관세 장벽을 각국의 양허표에 수록하여 철폐해 나가기로 하고, 비관세 조치에 관한 양허내용 수정 또는 철회의 경우에도 관세 양허 수정의 경우와 같이 GATT 28조에 정해진 바에 따라 재협상토록 함.

(특  징)

ㅇ 각국의 관세.비관세 양허 계획은 상기 지침에 의거하여 이해관계 국가간의 양자 양허협상 결과에 따라 작성되며, 각국의 양허계획은 최혜국 대우(MFN) 원칙에 따라 모든 GATT 체약국에 적용됨.

# 2. 섬유 분야

(성  격)

ㅇ 최종협정 초안은 현재 GATT 규정 체제에서 벗어나 다자간 섬유협정(MFA)에 의해 규율되고 있는 섬유류 교역을 GATT 체제로 복귀시키기 위한 방법을 규정하고 있음.

1

0071

(특징 및 주요내용)

ㅇ 섬유교역의 GATT 복귀 시한을 10년으로 정하고, 단계별로 아래와 같이 MFA
  적용품목을 GATT 규범의 적용 대상으로 전환하기로 함. 이러한 복귀 계획은
  복귀시한 면에서 UR 협상 초기안 보다는 다소 늦어졌으나 GATT로의 복귀
  품목 비율은 이전의 초안보다는 약간 높음.
  - 1단계 이전     : 90년 수입량의 4%
  - 1단계 (93-95년) : 90년 수입량의 12%
  - 2단계 (96-99년) : 90년 수입량의 17%
  - 3단계 (2000-2003년) : 90년 수입량의 18%
  - 2003년이후     : 완전 복귀

ㅇ 수입국들은 대상품목중 자유롭게 단계별 복귀 품목을 선정할 수 있으므로,
  가급적 현재 수입 규제되지 않는 품목을 복귀 대상에 포함시키려 할 것인바,
  잠정기간의 최종 단계에 이르면 수입규제를 철폐하기 어려운 민감품목만
  남게 될 것이므로 상당히 어려운 국면에 접할 것임.

ㅇ 복귀 과정에서도 규제가 계속중인 품목에 대해서는 현재보다 높은
  연증가율을 적용, 쿼터량을 증가시켜 자유화를 촉진함.
  - 1단계 : 기존 쌍무협정상 증가율의 16%
  - 2단계 : 기존 쌍무협정상 증가율의 25%
  - 3단계 : 기존 쌍무협정상 증가율의 27%

ㅇ 특별 세이프가드 조치등 과도기간 동안 시행될 규칙과 규범은 MFA
  회원국 여부를 불문하고 모든 협상 참가국에게 적용됨. 이것은 MFA의 적용을
  받는 모든 상품이 GATT 섬유 협정상의 잠정적 특별 세이프가드 조치의
  대상이 됨을 의미함.

ㅇ 특별 세이프가드 조치는 일반적인 세이프가드 조치보다 발동요건이
  완화된 바, 선별적 쿼타 부과를 허용하고, 해당상품이 GATT 체제로 복귀되지
  않는한 지속되며, 세이프가드 부과국으로부터 어떠한 보상도 받지 못함.

ㅇ 실제로, 이러한 잠정적 특별 세이프가드 조치는 과거에 MFA에 의한 수입
  규제를 원용하지 않았던 국가까지도 잠정적 특별 세이프가드를 발동할 수
  있도록 하므로, 새로운 수출시장을 개척해야 하는 인도나 파키스탄 보다는
  한국, 홍콩등 MFA하에 기존 쿼타가 큰 국가에게 유리함.

2

0072

# 3. 농산물 분야

## (성 격)

○ 협상 참가국간 의견이 첨예하게 대립된 상태하에서 감축 이행 약속등
   핵심부분들은 그룹별 의장 책임하에 작성됨

○ 적절한 타협안 모색을 위해 시장접근 확대보다는 수출보조와 국내보조
   감축에 중점을 둠.

## 가. 시장접근

### (주요내용)

○ 비관세 장벽의 예외없는 관세화(tariffication) 및 모든 현행 관세의
   양허(bind)

○ 관세율 또는 관세화된 비관세 장벽의 경우에는 관세상당치
   (TE : tariff equivalent)를 평균 36% 감축(인하)
   (품목별 최저 감축은 15%)
   - 기준년도는 86-88년 평균
   - 이행기간은 93-99년

○ 현행 시장접근(CMA) - 비관세 장벽 보호하에 현재 수입되고 있는
   품목에 대해서는 협상 결과의 이행이 시작되는 첫해에 86-88년 평균
   수입량을 보장하고 이를 연차적으로 증대

○ 최소 시장접근(MMA) - 현행 수입이 없거나 미미한 품목에 대해서는
   관세 할당(tariff quota)의 형식으로 이행 초년도에 86-88년 국내
   소비량 평균의 3%까지 수입 허용하고 이행기간 최종년도(99년)에는
   5%로 확대

○ 특별 세이프가드 - 수입물량이 급증하여 최근 3년간의 평균 수입량의
   125%가 될때나, 수입가격이 하락하여 86-88년 평균가격 이하로 될때
   추가 관세 부과 가능

3

0073

(특    징)

o 이러한 시장접근 조항은 각국이 수출 경쟁력 유지를 위해 품목별로
   감축율을 다소간 달리할 수 있도록 한 반면, EC가 주장해온 여타
   품목에서의 보조금 감축 효과를 상쇄키 위해 동물사료와 유지종자
   (oilseeds)에 대한 국경보호 조치를 유지하고자 하는 broad rebalancing
   제안을 고려하지 않으므로서 EC의 반발을 사고 있음.

o 또한 관세화를 통해 수입 금지적인 높은 수준 관세의 관세율이
   책정되는 경우 36% 관세 감축을 하더라도 여전히 금지적 수준의 높은
   관세율이 유지될 수 있으므로, 비록 수출보조 감축을 통해 상당한
   시장접근 기회가 부여된다 하더라도 제한된 시장접근 자유화만이
   이루어질 것임.

o 그러나, 일본, 한국, 카나다등은 특정 민감품목의 관세화를 통한
   개방에 대해 정치적인 차원의 반대 입장을 표명하고 있음.

o 특별 세이프가드 조항은 피해 조항을 포함하고 있지 않으며 엄격히
   제한된 수량폭이지만 가변 과징금을 법제화 하였으므로 일반
   세이프가드보다 수입국에 유리한 제도임.

## 나. 국내보조

(주요내용)

o 국내보조를 20% 감축 (AMS(보조 총량치) 또는 AMS 적용 불가능시 이에
   상응한 약속을 기준으로 감축)
   - 기준년도는 86-88년 평균
   - 이행기간은 93-99년 (단, 86년이후 감축 실적의 credit 인정)

o 최소한의 무역 왜곡 효과를 갖거나 또는 전혀 무역 왜곡 효과를 갖지
   않으며, 생산에도 영향을 미치지 않는 국내보조는 허용 (green box)

(특    징)

o 이같은 조항은 최근 논의되고 있는 EC의 공동농업정책(CAP)의 핵심
   요소인 생산관련 직접소득 보조와 모순되어, EC는 이에 대해 적극적
   반대 입장 표명

4

0074

- 생산관련 직접소득 보조는 생산 유형과 생산량 뿐만 아니라 국내.
  국제가격과도 연관되므로 허용 국내보조(green box)는 될 수 없으나,
  그렇다고 금지 국내보조로 분류할 수도 없으므로, 현 최종협정
  초안에는 감축의 대상이 되는 상계 가능 국내보조(amber box)로 분류

## 다. 수출보조

(주요내용)

○ 모든 수출보조에 적용하되, 수출 보조금 금액은 36%, 보조금 수혜하의
  수출물량은 24% 감축함으로써 감축폭에 차등을 둠.
  - 기준년도는 86-90년 평균
  - 이행기간은 93-99년간

○ 지금까지 극히 제한된 시장접근만이 허용되었던 시장에 대한 접근
  기회를 부여하기 위해, 양자협상을 통한 특정국 또는 특정 지역시장에의
  수출보조 범위도 제한 가능

○ 개도국에 대해서는 감축폭, 이행기간에 융통성을 부여하여, 개도국의
  감축폭은 일반적 감축의 2/3 수준까지, 이행기간은 10년까지임
  (최빈국은 감축의무를 지지 않음)

(특    징)

○ 이러한 협정 초안은 가급적 낮은 수준의 수출물량 감축의무를 희망하는
  EC로부터 강한 반대에 부딪히고 있음.

## 라. 기    타

○ 협정 초안은 농산물 교역의 개혁 과정이 현 초안에 규정된 이행기간
  이후에도 계속되어야 하며, 이를 위한 협상이 이행기간 종료 일년전에
  시작되어야 한다는 점을 규정하고 있음.

○ 협정 초안은 최빈국과 식량 순수입에게 미치는 농업 개혁 과정의 부정적
  영향을 어떻게 처리할 것인가에 대한 선언을 포함하고 있음.
  즉, 이들 국가는 농업 수출 신용거래에 관한 협정에서 특별한 대우를
  받아야 하고, 식량 수입 재원 조달을 위해 국제금융기구에 의존할 수
  있도록 해야 한다는 점을 선언하고 있으나, 이를 위한 구체적 대책은
  제시되지 않음.

5

# 4. 규범제정 분야

## 가. 반덤핑

### (특    징)

o 반덤핑 협상은 덤핑행위에 대한 규제를 강화하려는 선진국과 반덤핑 조치의 남발을 억제하려는 개도국간의 의견 대립이 첨예했던 분야로서, 중재안 성격의 초안이 제시 되었으나 피해 판정 기준과 관련 미국등 주요선진국이 불만을 표시함.

### (주요내용)

o 반덤핑 조항은 대체로 우회덤핑 규제에 중점을 두었고 country hopping(제3국에서 조립하는 경우가 아니면서 제3국으로부터 수입이 증가되는것)도 규제 대상에 포함함.

- 반덤핑 관세 부과 대상이 되는 우회덤핑의 상황을 명확히 규정하고, 이 상황이 충족되면 반덤핑 관세가 제품의 조립이나 완성을 위해 수입되는 부품이나 구성품에도 적용되도록 함.

o 소멸조항(sunset clause)이 추가되어, 재심을 통해 반덤핑 관세의 지속 필요성이 인정되지 않는한, 원칙적으로 부과된지 5년 이후에는 반덤핑 조치가 자동 소멸되도록 함.

o 피해 판정 기준의 명료화를 위해 원가이하 판매, 구성가격 등에 대한 구체적 규정을 설정함.

## 나. 세이프가드

### (특    징)

o 세이프가드 협상은 세이프가드 조치 발동 기준, 보상 및 보복방법, 회색조치 철폐 방법등을 구체화하는데 주안점을 두었으며 주쟁점은 세이프가드 조치의 무차별성 여부와, 세이프가드 조치 발동에 대한 보상방법과 시기 문제였음.

6

0076

(주요내용)

o 세이프가드 발동의 무차별성 - 협정 초안은 원칙적으로 무차별 적용을 규정하면서도, modulated quota란 이름으로 일국으로부터의 수입량이 과다하게 증가하여 심각한 피해가 존재하는 경우 (심각한 피해의 존재 위협만으로는 불충분) 세이프가드조치를 선별적으로 적용할 수 있도록 규정함.

o 보복 문제 - 세이프가드 조치 피발동국(수출국)은 세이프가드가 발동된지 3년이내에는 세이프가드 발동국(수입국)에 대해 과거에 약속한 관세양허를 철회할 수 없음.

o 세이프가드 조치는 발동후 4년(추가적으로 4년 연장 가능)이면 sunset clause에 의해 자동 소멸됨(단, 최근 2년 또는 지난번 세이프가드 조치 발동기간 만큼의 기간이 경과하면 세이프가드를 다시 발동할 수는 있음).

o 수출자율규제(VER), 시장 질서 협정(OMA)와 여타 회색조치는 금지됨. 회색조치는 4년이내에 철폐되거나 협정이 체결된지 180일이내에 협정에 부합되도록 개선되어야 함.

o 특정 개발도상국으로부터 수입이 총수입의 3%를 초과하지 않는한, 이 특정 개도국에 대한 세이프가드 발동을 면제하는 de minimis 조항을 도입함 (단 de minimis 조항의 혜택을 받은 개도국 전체로 부터의 수입이 전체 총수입의 9%를 넘지 않아야 함)

o 개도국은 최장 10년동안 세이프가드를 발동할 수 있음.

다. 보조금 및 상계관세

(특징 및 주요내용)

o 최종 협상 초안은 선진국의 보조금 사용에 대한 규율을 엄격화하는데 중점을 둠. 최종안은 보조금을 허용보조금(green box), 상계 가능 보조금(amber box), 금지보조금(red box)의 3가지로 분류함으로써 새로운 접근방법을 취함.

- 허용보조금 : 협상 참가국이 당초 원했던 것보다 범위가 축소되어, 구조 조정과 환경보호와 관련된 보조금의 사용을 제외하고 연구 개발 및 지역개발과 관련된 보조금만을 허용보조금으로 함.

7

0077

- 상계 가능 보조금 : ①다른 체약국에 부정적 영향을 주거나 ②그 결과 다른 체약국의 산업에 피해를 주고 ③여타 체약국의 GATT 하에서의 이익을 침해하거나 무효화시키며 ④여타 체약국의 이익에 중대한 피해를 줄때 상계 조치를 발동 할 수 있음. 중대한 피해를 야기하는 보조행위로는 ①물품의 보조금액 비율이 5%를 넘는 보조금 ②특정기업(산업)에서 발생한 손실을 보전하기 위한 보조금 ③보조금을 통한 대정부 채무의 면제등을 예시함. 이경우, 입증의 책임은 보조금을 지급하는 체약국에 있으므로, 분쟁 대상이 된 보조금이 여타 체약국의 이익에 중대한 피해를 미치지 않음을 입증해야 함.

- 금지보조금 : ①이전의 형식을 취한 정부의 금융지원, ②소득 또는 가격보조는 금지됨.

ㅇ 개도국은 수출보조금을 8년, 국제경쟁력을 갖춘 개도국은 2년내에 철폐해야 함.

## 라. 기타 GATT 조문

ㅇ 상기 주요사항 외에 아래 GATT 조문 및 동경라운드 MTN 협정에 대한 개정이 이루어짐.

- 원산지규정 : 원산지 규정 원용시, 관련 정보제공등 명료성 제고 (원산지 규정 적용 실질 요건은 추후 협상)

- 선적전검사 : 수출국 내에서의 사전 검사에 관한 구체적 절차 규정

- 기술장벽협정 : 동경라운드 협정의 보완, 특히 지방 정부의 의무 구체화

- 수입허가협정 : 동경라운드 협정의 보완

- 관세평가협정 : 동경라운드 협정의 보완

- 정부구매협정 : 동경라운드 협정의 보완

- GATT 2조1(b) : 기타 조세 및 과징금도 양허표에 기재

- GATT 17조 : 정부구매 관련 통보 의무등 강화

- GATT BOP 조항 : BOP 조항(GATT 12조 및 18조) 원용절차 강화

8

- GATT 24조 : 관세동맹 또는 자유무역지대 창설 요건, 역외보상
  규정, 개별 회원국의 의무등 강화

- GATT 25조 : 의무면제(Waiver) 획득 절차 강화

- GATT 28조 : 양허 재협상 절차 강화

- GATT 35조 : 신규 가입 신청국과 관세양허를 협상한 국가도 신규
  가입국에 대해 35조에 의한 부적용 가능(미확정)

# 5. 무역관련 투자조치 (TRIMs)

(특징 및 주요내용)

ㅇ 협정 초안은 무역제한적인 성격의 투자관련 조치들을 효율적·제도적으로
억제하려는 선진국의 입장보다는 개도국의 의도를 상당히 수용하였음.

ㅇ 초안은 각국이 상품무역에 영향을 주는 투자조치를 취함에 있어서 내국민
대우 및 수량규제에 관한 GATT 조문(3조 및 11조)에 따르도록 한다고
막연히 규정하고, 금지 대상 투자조치들을 아래와 같이 예시하고 있음.

- 국산부품 사용 의무 부과

- 수출량에 따라 수입량을 제한하는 조치

- 부품 수입과 관련한 외환획득 제한

- 국내 생산물량과 연계된 수출 및 판매제한

ㅇ 그러나 금지대상 투자조치의 잠정 허용기간을 선진국은 2년, 개도국은 5년,
최빈국은 7년으로 정하고, 개도국·최빈국의 경우는 다시 연장이 가능토록
함으로써 관련 GATT 조항의 적용을 완화시킴.

ㅇ 여타 주요변화는 TRIMs 위원회 설치(통지와 이행에 관한 규범통제)와 새로이
설치될 다자무역기구(MTO) 하에서의 추가 협상의 가능성 등임.

9

0079

# 6. 무역관련 지적재산권 (TRIPs)

(성    격)

o TRIPs 협정은 지적재산권 보호와 관련 최초로 내국민 대우에 기초한
표준과 규범을 정함으로써, 외국 회사가 수입국내에서의 법적 보호를
받을 수 있도록 했다는데 의의가 있음.

(특징 및 주요내용)

o 일반원칙

- 내국민 대우의 인정

- 최혜국대우(MFN)는 기존 국제 및 양자협정에 저촉되지 않는 범위내에서
인정함.

o 저작권 및 저작인접권

- 저작인격권을 제외한 저작권은 Berne 협약에 따라 보호

- 컴퓨터 프로그램은 Berne 협약에 따라 어문저작물로 취급, 보호

- 컴퓨터 프로그램, 영상저작물, 음반의 대여 행위에 대해 배타적 대여권
(권리권자가 허가 금지 가능)을 인정

o 상표권은 등록 갱신에 따라 영구적으로 보호

o 포도주 및 spirit에 대한 지리적 표시의 도용방지를 위해 법적 조치 강구

o 산업디자인의 10년간 보호

o 특허권은 출원일로부터 20년간 보호

o IC 회로 설계는 상업적 개발일로부터 10년간 보호

- 침해사실 통고 이후에 새로이 IC를 구입하여 만든 최종제품은 통관
정지 가능

o 세관압류등 국경조치는 상표권, 저작권 침해 물품에 대하여는 당연히
적용하며, 기타 지적재산권 침해 물품에 대하여도 적용 가능함.

o 분쟁해결 기관 : 개도국은 WIPO를 분쟁해결 기관으로 할 것을 주장하였으나
결국 관련 GATT의 통제를 받는 TRIPs 위원회를 설립하여 여기서 지적재산권
분쟁을 처리하기로 하였으며, 향후 다자무역기구(MTO) 하에서의 일원화된
분쟁해결 기관으로 이관될 것임.

10

0080

o TRIPs 협정 발효 시기

   - 선진국 : 협정 발효후 1년

   - 개도국 및 시장경제로 전환중인 국가 : 5년간의 유예기간을 부여하며
     물질특허 분야에서의 특허권 보호의 경우에는 유예기간 추가 5년 부여
     가능

# 7. 제도분야

## 가. 분쟁해결

   (특징 및 주요내용)

   o 협정 초안은 분쟁해결 절차의 신속화·공정화에 주안점을 두고 있으며,
     일방조치를 억제하는 조항을 포함하고 있음.

   o 특히 중요한 것은 GATT의 다원적 분쟁해결 구조가 다자무역기구(MTO)
     내에 신설되는 분쟁해결 기구에 일원화되는 것인바, 92년초부터
     이와같은 분쟁해결 절차의 일원화 작업이 진행되고 있음.

   o 현 협정 초안에서 분쟁해결의 절차를 구성하는 중요한 변화를 열거하면
     아래와 같음.

   ① 패널설치의 자동성

     - 과거에는 panel이 분쟁 당사국간의 consensus에 의해 설치된
       반면, 현 협정 초안은 이사회가 콘센서스에 의해 panel을
       설치하지 않기로 결정하는 경우, 즉 'negative consensus'를
       제외하고는 GATT 이사회에 정식 안건으로 패널설치 요청이
       제기되는 다음번 이사회에서는 패널을 설치하도록 규정함.

   ② 분쟁당사국의 역할

     - 중간 검토 시기(interim review phase)에 분쟁 당사국은
       패널에 서면 의견을 제출할 수 있으며, 이같은 의견이 최종
       패널 보고서에 반영됨.

11

0081

③ 상소 패널

- 상소 패널 절차의 도입은 중요한 변화인바, 체약국에 의해
  설치된 상소 패널에 의해 상소 검토가 이루어지고 상소 패널
  보고서가 이사회에 의해 채택되면 분쟁당사국은 이를 무조건
  받아들여야함 (상소 패널 보고서가 제출된 날로부터 30일이내)

ㅇ 일방조치 억제와 관련, 각국은 반드시 GATT의 분쟁해결 절차를
  거치도록 규정하고 있음.

ㅇ 제3국이 GATT 규범을 위배할 경우 보복조치를 동일분야에서만 가능토록
  할 것인지에 관한 교차보복 문제와 관련, 협정초안은 원칙적으로 동일
  분야에서 보복토록 하되, 이것이 비현실적이거나 비효율적인 경우
  다른분야 또는 다른 협정하에서의 보복을 강구할 수 있도록 인정함.

## 나. GATT 기능 강화

### 1) GATT의 감시기능 강화

(주요내용)

ㅇ 국별무역정책 검토 제도(TPRM : Trade Policy Review Mechanism)는
  UR 협상의 주요성과로서 89년 12월부터 조기 시행중임.
  - 목    적 : 각국의 무역제도, 관행에 대한 명료성 제고 및
              이행증진을 통한 다자무역체제 강화
  - 실시방법 : GATT 사무국 조사 보고서 및 각국의 독자적 보고서를
              토대로 GATT 특별이사회에서 검토
  - 실시빈도 : 주요 4개국(미, 일, EC, 카나다) : 2년 1회
              여타 16대 무역국 : 4년 1회
              기타 국가 : 6년 1회

ㅇ 이와는 별도로 GATT의 감시기능 강화를 위해 1년 1회 국제무역환경
  검토, 무역조치 통보 기탁소 설치 운영, 각국의 무역정책 결정
  과정에서의 명료성 제고(권고사항)등의 제도를 도입함.

12

2) 국제경제 정책 결정상의 일관성 제고

（주요내용）

　o GATT가 통화 및 금융관련 국제기구와의 협력 관계를 모색，발전시킬
　　것을 권고

　o GATT 사무총장에 이들 국제기구와 협의，기구간 협력관계 강화
　　방안을 검토 보고할 것을 요청

다. 다자무역기구(MTO : Multilateral Trade Organization) 설치

（성　격）

　o 서비스，지적재산권등 기존 GATT의 영역밖에 있던 분야와 관련한 UR
　　협상 결과의 수용 및 이행을 위해 새로운 다자간 무역체제의 수립이
　　불가피하다는 인식하에 MTO 협정안이 마련 되었으며，세부문안은
　　미확정 상태임．

（주요내용）

　o MTO 비회원국에 대하여는 UR 협상 결과 적용을 배제하고 이들 국가는
　　TRIPs，서비스 협정에도 참여 불가

　o UR 협상 결과 합의된 다자무역 협정들은 모든 회원국에 적용(single
　　undertaking)

　o 각료회의(2년 1회 개최)하에 일반이사회를 설치，일반이사회는 무역정책
　　검토기구，분쟁해결기구의 역할도 수행

　o 일반이사회하에 상품 무역이사회，서비스 무역이사회，지적재산권
　　이사회를 설치

　o 사무국을 정점으로 하는 사무국 설치

　o 회원국은 1개의 투표권 행사

13

0083

# 8. 서비스

(성  격)

o 서비스 협정안은 일반협정과 4개의 부속서로 이루어짐. 협정안은
시장개방의 규칙과 기준을 제시하고 있으며 실제 각국의 시장개방 계획
(양허표)는 이해관계 국가간의 양허협상을 통해 협의 확정되는바, 이러한
양허협상은 아직 미종결 상태임.

o 상품분야와 마찬가지로 각국의 양허내용은 최혜국대우(MFN) 원칙에 의거
모든 회원국에 적용됨.

(주요내용)

o 일반협정

- 교역이 가능한 모든 서비스를 대상으로 함.

- 최혜국 대우(MFN) 원칙에 의거 모든 국가에게 동등한 혜택 부여
단, 일정한 기간동안 MFN 일탈을 허용

- 각국의 자유화 수준은 양허표에 의한 개별적 약속으로 확정함.
. 양허표에 제기된 조치외의 규제조치는 불가

- 기타 지급 및 이전, 국제수지 조항, 서비스 공급과 자격에 관한 규정
포함

- 세이프가드 및 보조금 관련 규정은 추가 협상 필요

o 인력이동 부속서

- 각국의 거주, 취업, 시민권에 관한 독자적 권리를 보장

o 항공부속서

- 항공운수권 및 직접관련 서비스는 협정 적용의 대상이 아니며 항공기
수리.유지, 항공운송 활동의 판매 및 마켓팅, 컴퓨터 예약 서비스등만
적용 대상

o 통신부속서

- 공중전기통신망 및 공중전기통신 서비스의 시장접근 및 이용에 관한
사항 및 기업내 통신의 범위를 규정

14

0084

ㅇ 금융부속서

  - 금융과 기타 서비스 분야는 기본적으로 다르다는 점에 입각하여,
    각국의 금융감독 기관들의 조치를 일반적 예외로 인정하고, 각국이
    자유화 방식을 선택할 수 있도록 함.

  - 협정안은 two-track approach를 허용하여 개도국은 자국이 개방을
    원하는 분야만 positive list 방식에 의해 개방할 수 있도록 함.

(특    징)

ㅇ 미국은 금융등 서비스 분야에서의 free-rider의 배제, 해운분야에서의
  국내 해운산업 보호를 위해 폭넓은 MFN 일탈을 희망하고 있는바,
  MFN 일탈의 범위 및 기간을 효율적으로 제한하는 문제가 협상 성공의
  관건임.

# 9. 환경보호

(주요내용)

ㅇ 일부국가는 많은 분야에서 환경적 관심을 포함시키려 했으나, 최종 협정
  초안에는 환경보호 관련 두가지 기술적 사항만이 반영됨.

  - 위생.검역에 관한 조항 : 인간.동물.식물에 대한 위험성을 평가하는데
    있어, 환경적.생태적 위험이 고려되어야 함.

  - 기술장벽협정 : 국제기준의 부재 상태에서 긴급한 환경적.생태적 문제가
    발생할 경우, 무역에 중대한 영향을 주는 사항이라는 사전 통지없이
    기술적 규제를 실시 가능함.                    끝.

15

0085

# 경 제 기 획 원

우 427-760 / 경기도 과천시 중앙동1 정부제2청사 / 전화 503-9130 / 전송 503-9138

문서번호 통조이 10520-57

시행일자 1992. 7. 24

| 선결 | | | 지시 | |
|---|---|---|---|---|
| 접수 | 일자시간 | 92.7.24 | 결재·공람 | |
| | 번호 | 27190 | | |
| | 처리과 | | | |
| | 담당자 | 이시영 | | |

수신 수신처 참조

참조

제목 UR대책 실무위 개최통보

'92.9월이후 재개될 것으로 예측되는 UR협상에 대비 우리나라의 주요 관심사항들에 대한 협상대응방안을 재점검하기 위하여 UR대책실무위원회를 다음과 같이 개최코자 하니 필히 참석하여 주시기 바랍니다.

— 다 음 —

1. 일 시: 1992. 7. 28(화), 11:00 -
2. 장 소: 경제기획원 대외경제조정실장실
3. 참석범위: 경제기획원 대외경제조정실장(주재) 김 태연
   〃 제 2협력관
   외 무 부 통상국장
   재 무 부 관세국장
   농림수산부 농업협력통상관
   상 공 부 국제협력관
   특 허 청 기획관리관
4. 안 건: 최근의 UR협상 진행상황평가 및 향후대응(별도배포). "끝"

경 제 기 획 원 장

수신처: <u>외무부장관,</u> 재무부장관, 농림수산부상관, 상공부장관, 특허청장.

0086

# 경 제 기 획 원

우 427-760 / 경기도 과천시 중앙동1 정부제2청사 / 전화 503-9130 / 전송 503-9138

문서번호 통조이 10520- 58

시행일자 1992. 7 .24.

수신 수신처 참조

참조

| 선결 | | | 지시 | |
|---|---|---|---|---|
| 접수 | 일자시간 | : | 결재·공람 | |
| | 번호 | | | 국장 |
| | 처리과 | | | 심의관 |
| | 담당자 | 이시경 | | 과장 |

제목 UR대책실무위 개최일시 변경통보

1. 통조이 10520-57 ('92.7.24) 관련입니다.

2. 최근의 UR협상동향 평가 및 향후 대응방안협의를 위하여 UR/대책실무위원회를 92.7.31(금) 11:00로 변경 개최코자 하니 필히 참석하여 주시기 바랍니다.
   (개최일시 변경이외의 여타사항은 종전과 동일) "끝"

   장소; EPB 대외실장(김태연)실 : 과천 1동 725호.
                           T. 503-9018

# 경 제 기 획 원 장

수신처: 외무부장관(통상국장), 재무부장관(관세국장), 농림수산부장관(농업협력통상관),
        상공부장관(국제협력관), 특허청장(기획관리관).

0087

# 最近의 UR協商動向 및 向後 對應方向

## 1992. 7. 31

## 經 濟 企 劃 院
### 對外經濟調整室

0088

0089

# Ⅰ. 최근의 UR협상동향

## 〈협상 전반〉

- UR협상은 당초 금년 4.19까지 협상타결을 목표로 일부 적극적인 노력이 있었으나 협상타결의 관건이 되고 있는 농산물 분야에서 미국, EC간의 이견이 해소되지 않고 있어 협상은 전반적으로 진전이 없는 상황임

  ㅇ 금년초부터 새로 채택한 4 Track 협상추진방식중 마무리 절충작업(Fine Tuning)을 제외한 시장접근(4차), 서비스 양허협상(4차) 및 법제화 작업에서는 협상이 일부 진행

- '92.7.6-8 뮌헨에서 개최되었던 G-7 정상회담은 Major 영국수상, Delors EC 집행위 위원장등의 UR협상 조기타결을 위한 적극적인 입장제시에도 불구하고 년내 타결합의라는 일반적인 원칙수준에 그침

  ㅇ '92.9월의 유럽통합에 관한 불란서 국민투표, 11월의 미 대통령선거 이전에 UR협상타결의 실질적계기가 마련되기는 어렵다는 것이 일반적인 관측

- 7.17일 Dunkel 사무총장주재로 30여개국의 제네바 주재 대사급이 참여하는 Green Room 회의가 개최되어 UR협상의 전반적인 상황평가가 있었는 바 Dunkel 총장의 다음과 같은 제안에 특별한 이견이나 대안은 제시되지 않았음

  ① UR협상은 다시 다자화하여 오는 9월부터 협상재개

  ② 농산물, 시장접근, 서비스, 섬유 포함 전분야에 걸쳐 협상을 통해 해결책을 모색하되 Track 4(Fine Tuning)는 마지막 순간에만 가동

  ③ 전권을 가진 수석대표가 책임있게 협상하며, 동결과를 각국 최고 정책결정권자가 수락토록 하는 방식 채택

  ④ 아울러 9.14주간이후 적정시점에 Green Room 회의를 재소집하여 향후 협상추진일정 및 절차등을 결정할 예정이므로 9월 이후의 협상에 대비하여 각국이 입장 재점검등 철저한 사전준비를 마쳐줄 것을 요청

0090

- 1 -

<관련 동향>

- 7.14 GATT 이사회에서는 금년말로 임기가 만료되는 Dunkel
  사무총장의 임기를 UR협상의 현상태를 고려, '93.6월까지
  6개월 연장하자는 Anell 총회의장의 제안을 정식으로 채택.결정


- 7.17 G-7 정상회담의 경제선언에 포함된 「UR의 년내합의」에
  대한 주요국간의 의견교환을 위하여 미,EC,일,카나다의 4개국
  대사·국장급 실무자가 워싱톤에서 비공식 회의를 개최하였으나
  상호의견교환에 그침


- 7.22-23 기간중 제네바에서 Denis 의장 주재로 시장접근협상
  (농산물분야) 주요 8개국 비공식회의가 개최되어 각국의
  C/S 를 중심으로 TE 및 AMS 계산방법, 기준년도등 기술적
  문제를 논의하였으나, 구체적 결론도출은 없었음


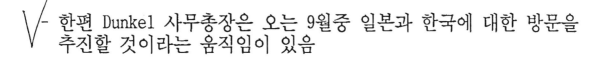

- 한편 Dunkel 사무총장은 오는 9월중 일본과 한국에 대한 방문을
  추진할 것이라는 움직임이 있음

   o 올 9월부터 재개되는 UR협상이전에 「농산물의 예외없는
     관세화」를 반대하고 있는 일본과 한국을 방문하여 UR협상의
     조기타결을 위한 협력을 요청할 것으로 관측

   o 또한 동인은 최근 기자회견에서 미,EC간의 농산물 협상에
     진전이 있으며 '93.2월말까지 UR협상의 타결을 확신한다고
     언명


0091

- 2 -

## II. 전망 및 평가

- 미 행정부는 지금까지의 입장보다 완화된 UR협상결과를 수용할 경우 11월의 대통령선거에서 불리할 것으로 판단하고 있으며 EC도 9.20일 불란서의 국민투표등을 고려할 때 현재로서는 추가적인 대안제시가 어려운 상황임을 감안할 때, UR 타결은 11월 이후에나 진전이 있을 것이라는 평가가 일반적임

  ㅇ 미.EC가 가까운 시일내에 농산물 분야에서 합의한다 하더라도 우리나라, 일본등 농산물 수입국, 개발도상국들의 의견반영과 서비스등 여타분야에서의 합의도출을 위하여는 내년초 미행정부의 신속처리권한(Fast Track Authority)의 시한에 맞추어 협상 타결이 이루어질 것으로 보는 것이 보다 일반적인 전망

- 그러나 미.EC간 합의가 도출될 경우 GATT사무국 및 주요 협상국들은 동 합의결과를 토대로 협상을 조기 종결시키려는 움직임이 있을 것으로 예상되는 바 이경우 우리의 주요 관심사항 및 여타 의제등에 대한 충분한 협의의 場이 마련되지 않을 가능성도 병존

  ㅇ 지난 7.17일 그린룸 회의직후 우리 제네바 대표부의 분석에 의하면 Track4(Fine Tuning)는 마지막 단계에 가서 제한적으로 가동한다는 Dunkel 총장의 발언은 협상의 다자화에도 불구하고 협상타결의 관건은 역시 미.EC간 농산물 분야의 합의 여부에 달려있다는 인식 및 동 타협 도출시 이를 모든 협상 참가국이 수용토록 요구하려는 의도가 강한 것으로 평가

- 따라서 우리나라도 9월이후 재개될 협상과정에서 농산물 분야의 관세화예외등 우리의 주요 관심사항들에 대하여 Track 4 또는 다자간 협의 의제로서 충분히 논의될 수 있도록 대응전략 강구 필요

  ㅇ 이를 위하여 우리의 주요 관심사항에 대한 우선순위를 재점검하여 이를 바탕으로 우리의 향후 협상전략을 재정립 할 필요

0092

III. 우리나라의 주요 관심사항에 대한 우선순위 재점검(시안)

- '91.12 Dunkel Paper 발표이후, 지난 1.13 TNC(무역협상위원회)
  에서 제시한 우리의 분야별 관심사항을 중심으로 한 우선순위의
  정립은 향후 대응의 기초

  〈농산물 분야〉

  ① 식량안보관련 쌀등 기초식량에 대한 관세화 예외인정 및
     쌀에 대한 최소시장 접근 보장 불가

  ② T.E 및 국내보조계산에 있어서의 기준년도를 최근년도로 적용

  ③ 관세 및 보조금 감축시 농업개도국으로서의 장기이행기간확보

  〈시장접근분야〉

  ④ 몬트리올 중간평가('88.12)에서 합의한 관세인하목표(1/3인하)
     의 조기달성

  〈보조금 및 상계관세분야〉

  ⑤ 구조조정보조금의 허용보조금 인정 - 현재 허용보조금으로
     분류된 R & D 및 지역개발보조금이외 구조조정보조금 추가

  〈세이프 가드분야〉

  ⑥ 쿼타 재조정(Quota Modulation)의 폐지 - 무차별 원칙은
     준수되어야 하며 우리나라와 같이 수출구조상 특정품목의
     시장점유율이 상대적으로 높은 국가에는 사실상 선별적용
     효과 발생가능하기 때문임

## IV. 향후 대응방향

> ◇ 아국의 주요관심사항들에 대한 종합적인 협상대응방안 정립
> ◇ 9월부터 실무급 협상이 재개될 것으로 예상되는 시장접근, 서비스 양허협상에 대한 철저대비

- 우리나라의 입장이 반영되어야할 주요 핵심관심사항에 대한 종합적인 대응방안 정립 필요

  ㅇ 관계부처별로 소관분야의 주요입장반영 필요사항을 재검토 하고 당원이 제시한 시안에 대한 추가·삭제·변경등의 검토 의견을 8.22까지 당원(통상조정2과)에 통보

  ㅇ 주요관심사항들에 대해 UR대책실무위원회 협의를 통한 내부적 우선순위를 설정하여 우리입장 관철을 위한 대응방안 수립 및 집중적인 노력경주

- 아울러 Track별 협상대응방안으로는

  ㅇ 시장접근분야: 4차에 걸친 양허협상결과를 재점검하고 특히 농산물분야에 있어서 각국의 C/S를 정밀 비교 분석하여 대응 방안 강구

  ㅇ 서비스 양허협상: 그간 4차에 걸친 협상결과를 종합분석하고 세부항목별 쟁점에 대한 정밀검토로 하반기 양허협상에 대한 종합적인 대응책 마련

    · 각국의 개방요구사항과 우리의 각국에 대한 개방요구사항 및 MFN 일탈사항등에 대한 아국입장 최종점검

0094

## UR 대책회의 참가 자료

일시 : 92.7.31(금) 11:00

장소 : 경제기획원 소회의실

참석범위

경제기획원  대조실장 (회의주재)

외 무 부  통상국장 (심의관)

경제기획원  제2협력관

재 무 부  관세국장

농림수산부  농업협력통상관

상 공 부  국제협력관

특 허 청  기획관리관


1992. 7. 31.


통 상 기 구 과


0095

# 1. 최근 UR 협상관련 동향

가. 갓트 사무국 측의 노력과 협상 진전 움직임.

1) Green Room 회의 (92.7.17)시 Dunkel 사무총장의 제안

   o UR 협상을 다시 다자화하여 9월부터 제네바에서 협상재개.

   o 농산물, 시장접근, 써비스, 섬유포함 전분야에 걸쳐 협상을 진행하여 핵심적 문제점을 찾아 양자적, 다자적등 모든 방법을 동원, 해결책 모색.

   o T4 는 최후의 순간에만 가동

2) Dunkel 사무총장 일본 경제신문 기자회견

   o 9.20 불란서 국민투표후 UR 협상의 진전이 이루어져 93.2월 까지는 협상 타결될 것이라고 전망

   - 93.2월말은 미 행정부의 Fast Track Authority 시한 (93.6.1)에 따른 행정부의 대의회 협정서 제출 기한임.

   o 미.EC간 진행되어온 협상을 다시 다자화 하여 9월중 재개하기 위해 중남미 제국 및 일본을 순방, 협상타결 여건조성 작업 예정.

   ※ 공관 보고에 의하면 한국이 희망한다면 방한 의사도 있는 것으로 파악되고 있으나, 국내적으로 민감한 쌀시장 개방 문제가 불필요하게 부각되는 등 부정적 측면을 고려, 적극적으로 방한을 유도할 필요는 없는 것으로 판단. (외무부 방침)

1

0096

나. EC 측 전망 (7.29 주 EC 대사, EC 다자관계 부총국장 Paemen 면담)

ㅇ 여전히 농업문제가 UR 협상 전반의 핵심문제로 남아있으나, 그간의
   협의를 통해 실질문제에 대한 의견이 상당히 접근된 것으로 평가.

ㅇ 미국의 태도도 최근들어 더 Pragmatic한 방향으로 접근하고 있어,
   앞으로 미국의 중요한 조치 (important step)를 기대.

ㅇ 92.9월말경 까지도 Clinton 후보가 높은 여론 지지를 받게될 경우,
   원내 민주당 우위를 바탕으로 Fast Track 연장 조치를 취하면서
   UR 문제를 직접 해결코자 적극성을 보일것인 바, UR 추진 지연 가능성도
   있음.

다. 미측 전망

ㅇ USTR Dorothy Dwoskin UR 담당 부대표보 (주 미 참사관, 7.13 면담)
   - 농산물 분야의 핵심문제는 EC 측이 CAP 개혁안, 특히 국내보조
     삭감을 던켈안에 어떻게 수용하느냐 하는 문제이므로 EC가 CAP
     개혁으로 소임을 다하였으니 미측이 움직여야 할 차례라는 인식은
     적절치 않음.
   - 미국 조야에는 연내 UR이 타결되지 않으면 영원히 안된다는 분위기가
     싹트고 있으나, 선거해에 미국정부는 국내 여론을 의식, 고정된 협상
     시한에 맞추기 보다는 좋은 협정을 얻는데 주안점을 두고 있음.
   - 불란서 국민투표후 UR 협상의 돌파구가 마련된다 하더라고 농산물
     분야는 물론, 서비스, 시장접근 분야의 마무리 작업 및 던켈안의
     수정작업에 많은 시간이 소요될 것이므로, 연내 타결을 위해서는
     많은 노력이 필요. (종전 낙관적 입장에서 후퇴)
   - 영국이 독.불에 계속적 압력을 가할것으로 전망.

○ USTR 수석 보좌관 Stephen Farrar도 EC 회원국간 의견 조정에 어려움을 겪고 있음을 이유로 9월부터 재개될 다자간, 미.EC 양자간 협상이 Fast Track 기한내 마무리 될지는 매우 불투명 하다는 견해. (7.21 면담)

※ NSC 국제경제 담당 보좌관 (Eric Melby)은 EC 내부적으로 의견조정이 된다면 Fast Track 기한 이내 타결가능 전망. (7.13 면담)

라. Peter Longworth 주한 영국 부대사 의견 (7.27. 외무부 통상국장 면담)

○ 미.EC간 의견차가 많이 좁혀졌으므로 불란서 국민투표 (9.20)이후 9월말 까지는 농산물 문제가 타결될 것으로 전망.

○ UR 협상 타결에 있어 시간이 중요한 고려요소 인바, 서비스 및 시장접근 협상이 미.EC간 농산물 양자협상 (9월말)과 관계없이 조속히 재개돼어야 한다는 것이 EC 의장국으로서 영국정부의 입장임.

○ 9.20 불 국민 투표에서는 정부가 승리할 것으로 전망되며 금년 10-12월이 UR 협상 성패의 고비로 보임.

마. Donald Tsang 홍콩 무역청장 의견 (7.29, 외무부 통상국장 면담)

○ 홍콩으로서는 던켈 초안에 대체로 만족하며, UR 협상의 조기 타결을 위해 농산물을 제외하고는 어떠한 실질적 수정이나 변경에도 반대, 한국도 공동입장 취해주기를 희망.
  - 농산물은 홍콩의 관심 분야는 아님.

○ 미국대통령 선거와 관련, 공화당이 재집권 할 경우 Fast Track의 재연장은 없을 것으로 보여 92.2월까지 타결을 추진할 것이나, 민주당이 집권하는 경우에는 Fast Track 연기 가능성이 있어 협상 지연도 예상됨.

3

0098

## 2. 전망 및 대책

o  9월말경 미.EC간 농산물 협상이 타결될 전망이 높아짐에 따라 여타분야 마무리
   협상이 서둘러 진행될 것으로 전망.

  - 7.24 UR/GNS 비공식 협의에서 10.5 시작주 부터 2주간 양자협상 개최키로
    합의

o  T4 조기가동 추진 및 그 이전에라도 농산물 관세화 예외 반영 대책 강구
   필요.

o  T1, T2 협상과 수시로 Green Room 회의를 개최, 핵심 문제점을 파악하고 이에
   대한 분야간 trade-off가 시도될 것으로 전망 (주 제네바 대사)

  - 이 경우, 종전의 대응 방안과 같이, 농산물에서의 관세화 예외인정,
    safeguard 분야에서의 아측입장 반영등 만으로는 부족.

  - 보다 광범위하고 구체적인 사안에 대한 우선 순위를 정해 trade-off에
    대비해야 할것임.   끝.

# UR 대책 실무회의 결과

일시 : 92.7.31(금) 11:00-12:00

장소 : 경제기획원 대회의실

1992. 7. 31.

통 상 기 구 과

0100

1. 회의안건   :  최근 UR 협상 동향 및 향후 대응방향


2. 회의 개요

  - 7.17. Green Room 회의시 Dunkel 총장 제안에 따라, 9월 중순경 부터 제네바
    에서 다자 협상이 재개될 것임에 대비, 아측 관심사항에 대한 우선순위 점검
    등 향후대책 협의


3. 회의자료   :  별첨

  - 최근 UR 협상동향, 전망 및 평가, 우리 주요관심 사항에 대한 우선순위
    재점검, 향후 대응방향


4. 토의 내용

  가.  농수산부(농업협력통상관)

    ○ 9월에 다자협상이 재개되어 Green Room 회의에서 수석대표 중심으로
       협상이 진행될 것 인바, 이 경우 세부사항에 대한 논의 기회가 부족할
       것임.

    ○ 따라서, 미국 등과 C/S (country schedule)에 근거한 양자 협상도
       병행할 필요가 있음.

    ○ EPB 자료의 우선 순위에는 이의가 없음.


  나.  상공부(국제협력관)

    ○ 7.29. 홍콩무역청장이 방문하여 면담하였는바, 동인은 T4(fine tuning)
       조기 가동은 어려울 것으로 전망하면서 DFA의 큰 수정없이 타결되기를
       희망.


0101

o EC가 제기하고 있는 UR 협상 결과 이행과 관련, 아국에 대한 개도국
  지위 부여 중단 문제는 농산물 분야 뿐 아니라 모든 분야에 해당될
  것이므로 대응조치 확보 필요.

다. 외무부(통상국 심의관)

o 6월 마닐라에서 개최된 PMC 에서도 UR 협상 장래에 크게 희망적이지
  못한 분위기 였으나, 갓트 사무총장으로서는 미국의 Fast Track
  종료일 등을 감안, 농산물 뿐 아니라 여타 분야 협상도 서둘러야
  할 입장.

o 우리도 협상이 타결될 것이라는 가정하에 준비해야 함.

o 대비책으로, 최종 단계에서의 trade-off 를 가정하면 부처별 priority
  보다는, 보다 큰 규모의 차원에서 priority 설정이 필요할 것이며,
  타협 가능한 사안에 대한 priority 도 따로 설정해 두어야 할 것임.
  - 농산물에만 너무 치중하다가 다른 분야에서 큰 손해를 입을
    가능성

o Dunkel 사무총장이 방일하는 경우, 아국도 방한할 의사가 있는 것
  같으나, 방한시 국내적으로 민감한 사안에 대한 관심이 부각되는 등
  부정적 측면을 고려, 적극적으로 초청 않는 것이 좋겠음.   그러나,
  방한할 경우에 대비는 해 두어야 할 것임.

o 개도국 지위 문제와 관련 해서는, EC 측이 아국만을 대상으로 하는
  것이 아니라, 전체적으로 개도국 지위 문제를 검토중인 것으로 파악
  되고 있으며, GSP도 내년까지나 계속되지 않을까 생각됨.
  CTD(무역개발위)에서의 개도국 지위문제 논의와 관련, 유사한 입장에
  있는 홍콩, 싱가폴 등과 협조, 공동으로 대응 논리를 개발할 예정임.

0102

라 . 재무부(관세국장)

ㅇ 협상이 타결되는 경우를 상정, 무세화 품목등 정리 작업을 계속 중이며,
농산물에도 적용될 수 밖에 없다면 관세 적용을 어떻게 할 것인지 검토
하고 있음.

마 . 특허청(기획관리관)

ㅇ TRIPs 협정은 현재 안대로 타결되어도 큰 문제는 없음.

ㅇ 타결시 법령정비 등 실제업무는 각 소관부처에서 직접해야 할 것임.

바 . 경기원(제2협력관)

ㅇ TRIPs 관련 일부 법률은 미리 개정을 추진하고 있으며, 일부는 타결시
까지 개정을 유보하고 있는 상황인바, 타결시 협정 이행 문제는 별도로
관계부처 회의 등을 통해 의논해야 할 것임.

ㅇ 농산물 이외 분야에서도 우리가 관철해야 할 사항들을 검토, 막판
trade-off 단계에서 조금이라도 실익을 더 챙길 수 있어야겠음.

ㅇ Dunkel Text 의 내용이 T3에 따른 조정 작업에 따라 다소 의미가 변색
되는 감이 있는바(서비스 협정), Text에 대한 분석, 재검토가 요망됨.

사 . 대조실장

ㅇ 결국 T4가 최종 순간에 가서 최소한으로 가동될 전망이어서 우리의
최대 관심사(농산물 문제)가 제대로 논의도 되지 않고 지나갈 가능성이
있는바, 이러한 위험성에 어떻게 잘 대처하는가 하는 것이 가장 중요한
문제 이겠음. 아측 대응책에 조정, 추가 등 의견이 있으며, 기획원
으로 송부 요망함.

첨부 : 회의자료. 끝.

0103

UR 협상의 현황과 전망

92. 8.

외 무 부
통 상 국

92.8.12. 기자 orientation用
(심의관)

| 종람 | 통상기구과 | 92년8월10일 | 담당 | 과 | 찬 | 심의관 | 국 | 장 | 차관보 | 차 관 | 장 관 | |
|---|---|---|---|---|---|---|---|---|---|---|---|---|
| | | 이4300 | | | | | | | | | | |

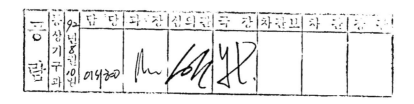

0104

# 목    차

첨부 : 최종 협정 초안의 분야별 주요내용

# 1. UR 협상의 출범과 경과

## 가. UR 협상 출범의 배경

### 1) 갓트 체제의 변화 필요성 대두

ㅇ 80년대 들어 수출 자율규제 협정(VER)등 회색지대 조치 증가 및 보호무역주의 현상 심화

ㅇ EC의 단일시장 추진등 세계 경제의 블록화 현상 심화

### 2) 미국 경제력 상대적 쇠퇴

ㅇ 미국의 쌍둥이 적자(무역수지 적자 및 재정적자) 누적

ㅇ 미국은 이의 타개책으로 자국의 경쟁력이 강한 서비스 및 농산물 교역의 자유화를 다자간 협상을 통해 추진

### 3) 무역 영역의 확대

ㅇ 과학.기술 발달에 따른 고도 기술상품의 무역증대로 지적재산권 분쟁 빈발

ㅇ 금융, 통신, 수송 등 서비스 무역의 급증

ㅇ 동경 라운드에서 타결하지 못한 농산물 교역에 관한 국제규범 제정 필요성 증대

## 나. 협상의 의의

ㅇ 48.1. GATT 창설 이래 GATT 체제하에서 실시되는 제8차 다자간 무역 협상

- 80년대 이후의 양자주의, 지역주의 등 보호무역주의 확산 추세를 저지하기 위한 다자 무역체제 개선 및 강화 방안 강구

ㅇ 특히 지금까지 GATT의 적용을 받지 않았던 신분야(서비스, 지적재산권, 투자등) 및 농산물을 사실상 다자무역 체제로 편입시키는 협상

- 90년대 이후 포괄적 국제무역 질서를 정립하는 중대한 의미

1

0106

다. 협상의 목표

　ㅇ　시장개방 확대 ────┐
　ㅇ　GATT 기존 규범의 강화 ──┼──→　다자간 무역체제 강화 및
　ㅇ　신분야에 대한 규범 정립 ──┘　　세계교역의 확대


라. 협상 경과

　ㅇ　초기 협상

　　－　86.9. 우루과이 Punta del Este 에서 개최된 GATT 각료회의에서

　　　　협상개시 선언, 우루과이 라운드(UR)로 명명.

　　　　(협상기한 : 4년)

　　－　88.12 － 89.4. 협상의 중간평를 위한 무역협상위원회(TNC) 회의를

　　　　통해 15개 협상 분야에서의 향후 협상 기초마련

　　　　(열대산품 시장개방, 분쟁해결절차 규정, 국별 무역

　　　　정책검토 등은 조기시행)


　ㅇ　본격 협상

　　－　89년 하반기 부터 각국의 활발한 서면제안 제출등 실질협상 진행

　　－　90.7. 제네바 TNC 회의에서 각 의제별 조건부 협정문안 및 최종 협정

　　　　문안 윤곽(Profile of Final Package) 마련을 시도하였으나 실패


　ㅇ　목표시한(90년말)내 타결 실패

　　－　90.12. 브뤼셀 TNC(각료급) 회의에서 정치적 일괄 타결을 시도 하였

　　　　으나, 미.EC간 농산물 보조금 감축 문제를 둘러싼 의견 대립으로 실패


　ㅇ　협상 재개

　　－　91.4.이후 전체 협상의 진전을 촉진키 위해 기존 15개 협상 그룹을

　　　　7개로 개편, 협상 재개


2

0107

# 2. 최근의 협상 현황

## 가. 최종 협정초안(Dunkel Paper) 제시 (주요내용 별첨)

o Dunkel 갓트 사무총장은 91.12.20. TNC 회의에서 답보상태에 머물러 있는 협상의 돌파구를 마련키 위해 모든 협상 분야에 걸쳐서 최종 협정 초안(Draft Final Act)을 제시

- 동 초안은 90.12. 브랏셀 각료회의 이후 각 협상 분야별 쟁점 타결을 위한 집중적 협상 결과를 종합한 문서

- 농산물, 반덤핑 등 일부 분야에서 협상 참가국간 합의를 이루지 못하여 협상 그룹 의장이 독자적 책임하에 타협안을 제시

o Dunkel 총장은 각국이 최종 협정 초안을 검토, 92.1. TNC 회의에서 최종 입장을 밝히고 92.3.까지 협상을 종결하기를 희망

## 나. 92.1. TNC 회의결과 및 그후 협상경과

o 92.1. TNC 회의에서 4원 협상전략(Four Track)에 따라 최종 협정 초안을 기초로 하여 4월중순 종결 목표로 양자.다자간 협상을 추진하기로 결정

- Track 1 : 농산물 등 상품분야의 양허협상
            (농산물의 보조금 감축 계획 포함)
- Track 2 : 서비스 분야의 양허 협상
- Track 3 : 협정 초안의 법적인 정비작업
- Track 4 : 협정 초안 내용중 특정 사항의 조정 필요성 검토

    ※ Dunkel 총장 및 다수 국가들은 T4 협상은 협상 최종단계에 가서 극히 제한된 범위와 시간내에 가동이 가능하다는 입장(현재 안이 농산물의 예외없는 관세화를 포함하고 있어, 쌀등 주요 기초 식품에 대한 예외 확보를 위해서는 T4에서 논의되어야 함)

3

0108

o  T1-T3 협상은 진행되고 있으나 다소 부진한 편이며, 미.EC간의 농산물
   관련 막후 쌍무협상도 고위 또는 실무급에서 수시 개최

o  미.EC간 농산물 보조금 관련 이견 해소 지연으로 협상 교착상태 지속

# 3. 주요 쟁점 및 미결사항

## 가. 농산물 분야

o  수출보조 분야에서의 보조 물량의 감축폭 및 총량기준 감축 인정문제,
   미국의 사료 대체곡물 대 EC 수출 동결문제(Rebalancing), 보조금 감축
   의무이행 기간동안 미국의 대 EC 법적 대응조치 억제문제(Peace Clause)
   등이 미.EC간 미결쟁점.

o  92.5.21. EC의 공동농업정책(CAP) 개혁으로 3년간 곡물 지지 가격 29%
   감축 등 결정이 이루어 졌으나, 미측의 수출보조 감축 요구에는 미흡

o  이로인해 모든 분야에서의 협상부진 현상 초래

## 나. 서비스 분야

o  개도국들은 금융, 통신 분야에서의 과도한 자유화에 반대

o  미국은 금융, 해운, 항공, 통신 분야에서 상대국 시장개방 수준에 따라
   조건부로 개방 하겠다는 입장 (MFN 일탈)

o  이로인해 협상 참가국간 양자 양허협상도 정체 상태

## 다. 규범제정 분야

1) 반 덤 핑
   o  반덤핑 행위에 대한 규제를 강화하려는 선진국과 반덤핑 조치의
      남발을 억제하려는 개도국간의 의견이 대립

4

0109

o 미국등 주요 선진국측은 피해 판정기준등과 관련, 개도국측의 주장이
상대적으로 많이 반영되어 국내산업 보호 수단이 제약받는 것에 대해
불만 표시.

2) 보조금·상계관세

o 전체적으로 허용 보조금 범위 축소등 보조금 사용에 대한 규제가
강화되어 선진국의 입장이 상대적으로 많이 반영.

o 개도국들은 환경보호 및 구조조정 보조금을 허용보조금으로 인정할
것을 주장

3) 세이프가드

o 세이프가드 조치 발동의 무차별원칙과 관련, 일국으로 부터의
수입량이 과다하게 증가하여 심각한 피해가 존재할 경우 쿼타
조정을 할 수 있도록 선별 적용이 허용되어 수출국이 상대적으로
불리.

라. 기     타

1) 시장접근 분야

o 미국.EC 등 주요 협상국이 분야별 무세화, 관세조화를 주장하는
대신 구체적 품목별 양허 계획을 제출하지 않아 전체협상 지연

2) 지적재산권 분야

o 미국등 선진국 관련업계가 미시판 특허물질의 보호 미흡, 개도국에
대한 장기 유예기간 부여등에 불만을 표시

5

# 4. 최근 동향과 주요국의 평가

## 가. 갓트 사무국 측의 노력과 협상 진전 움직임.

1) 92.7. 비공식 TNC 회의에서 Dunkel 사무총장의 협상 계획에 합의

   ○ UR 협상을 다시 다자화하여 9월부터 제네바에서 협상재개.

   ○ 농산물, 시장접근, 써비스, 섬유포함 전분야에 걸쳐 협상을 진행하여
     핵심적 문제점을 찾아 양자적, 다자적등 모든 방법을 동원, 해결책
     모색.

2) Dunkel 사무총장 일본경제신문 기자회견

   ○ 9.20 불란서 국민투표후 UR 협상의 진전이 이루어져 93.2월 까지는
     협상 타결될 것이라고 전망
     ※ 93.2월말은 미 행정부의 Fast Track Authority 시한 (93.6.1)에
        따른 행정부의 대의회 협정안 제출 기한임.

   ○ 미.EC간 진행되어온 협상을 다시 다자화 하여 9월중 재개하기 위해
     중남미 제국 및 일본을 순방, 협상타결 여건조성 작업 예정.

## 나. EC 측 평가

   ○ 여전히 농업문제가 UR 협상 전반의 핵심문제로 남아있으나, 그간의
     협의를 통해 실질문제에 대한 의견이 상당히 접근된 것으로 평가.
     - 미측의 조치 기대.

   ○ 9월말 농업보조금 문제가 타결될 것에 대비, 여타분야 협상도 조속
     진행 필요

다. 미측 평가

○ EC가 CAP 개혁으로 소임을 다하였으니 미측이 움직여야 할 차례라는
  인식은 적절치 않음.

○ 미국정부는 선거해에 국내여론을 의식, 고정된 협상 시한에 맞추기
  보다는 좋은 협정을 얻는데 주안점을 두고 있음.

○ 불란서 국민투표후 UR 협상의 돌파구가 마련된다 하더라고 농산물
  분야는 물론, 서비스, 시장접근 분야의 마무리 작업 및 던켈안의 수정
  작업에 많은 시간이 소요될 것이므로, 연내 타결을 위해서는 많은
  노력이 필요.


# 5. 전망과 입장

가. 전　망

○ 9.20. EC 통합관련 불란서의 국민투표가 끝나면, EC측의 다소의 양보를
  통해 미.EC간 농산물 보조금 문제가 타결될 것이라는 전망이 높아지고
  있으나, 11월 대통령 선거를 앞둔 미국의 태도도 주요 변수임.

○ 따라서, 금년 년말까지 협상종결 가능성은 크지 않으나 농산물 보조금
  문제에 관한 미.EC간 협상이 조기에 타결되는 경우, 2-3개월간 마무리
  협상을 거쳐 93년 봄 협상 종결 가능성도 상존


나. 입　장

○ UR 협상의 성공적 타결을 통한 세계 자유무역체제의 공고화가 우리의
  국익에 도움이 된다는 판단하에 UR 협상 초기부터 적극 참여중.
  - 다만, 농산물 협상에서 쌀등 필수 품목은 시장개방의 예외로 인정
    받는다는 원칙 고수

* 정부내 UR 협상 대책반(반장 : 경제기획원장관), UR 협상 대책실무위
  (위원장 : 경기원 대조실장)등이 이미 가동중이어서 관련 부처간 의견
  조정을 통해 UR 협상에 참여해 오고 있음.

o 농산물의 예외없는 관세화 문제는 유사한 입장에 있는 일본등 몇몇
  국가와 공동보조를 취하면서 우리 입장반영을 위해 노력할 것이며,
  국익에 따른 항목별 우선 순위를 정하여 마무리협상에서 우리 입장을
  최대한 반영토록 협상력을 집중할 것임. 끝.

8

0113

# 첨부 : 최종협정 초안의 분야별 주요내용

1. 시장접근

   o 관세인하 방식, 비관세조치 양허의 수정 및 철회, 부속서(국별 관세 인하 내용) 등 3개 부문으로 구성

      - 관세인하 분야 : '93년 1.1일부터 매년 동일비율로 관세를 인하하여, '97년 1.1일까지 향후 5년간 '86년 9월 현재 관세율 기준으로 1/3수준 까지 관세를 인하

      - 비관세 조치 양허의 수정.철회 : 반드시 GATT 28조(양허 재협상) 및 관련 협상절차가 적용되도록 함으로써 자의적인 양허표 수정.철회 가능성을 배제

2. 농 산 물

   가. 시장접근

      o 예외없는 관세화 및 모든 관세(TE 포함) 양허

      o 관세 상당치(TE) 감축 기준년도, 감축기간 및 감축폭
        - '86-'88년 기준 '93-'99년간 36% 감축(단, 품목별 최소 15% 감축)

      o 최소 시장접근
        - '86-'88년 평균 소비량 기준 이행 개시년도(93년) 3%, 이행 마지막 년도(99년) 5%를 최소 시장접근으로 허용

   나. 국내보조

      o 감축 기준년도, 감축기간 및 감축폭
        - '86-'88년 기준 '93-'99년간 20% 감축

0114

o 감축의무가 면제되는 de minimis 수준 (총 생산액에 대한 보조 비율)

- 선진국 : 5%

- 개도국 : 10%

다. 수출보조

o 감축 기준년도, 감축기간 및 감축폭

- '86-'90년 기준 '93-'99년간 재정지출 기준 36% 및 물량기준 24% 동시 감축

라. 개도국 우대

o 감 축 폭

- 선진국 감축폭의 최소한 2/3이상 감축 의무 부담

o 감축기간

- 최대 3년 연장가능

마. 기    타

o 92.3.1.까지 양허계획(country plan) 제출

o 92.3.31.까지 양자협상 완료

3. 섬 유 류

o 자유화 방법에 대해 세부적으로 규정

- 자유화 시한 및 단계 : 총시한은 '93.1.1일부터 2002년 12.31일까지 10년으로 정하고, 이를 '93-'95 동안의 1단계 3년, '96-'99년 동안의 2단계 4년, 그리고 2000-2002년 동안의 마지막 3단계 3년으로 나누어 점진적으로 자유화

0115

- 각 단계별 자유화되는 품목별 비율 : '93년 1.1일 이전에 협정 부속서
상에 명시된 대상품목의 '90년 수입량을 기준으로 4%를 자유화 시키고,
이어 각 단계별로 12%, 17%, 18%를 자유화시켜 10년동안 총 51%를
자유화시키고, 나머지 49%에 해당되는 품목은 2003.1.일 일괄적으로
자유화

- 자유화 기간중 규제가 계속중인 품목 : 기존 MFA상의 품목별 연증가
율이 16%, 25%, 27%를 각각 단계별로 증가

4. 규범제정 및 투자

ㅇ 반 덤 핑

- 정상가격의 인정 기준 개선 및 구성가격 산정시 이윤산정 기준 명확화

- 신규 수출자에 대한 수입국의 자의적인 반덤핑 관세부과 관행 개선

- 최소 허용마진 인정 및 자동소멸 조항 도입

- 우회 덤핑이라는 새로운 기업관행에 대한 규범제정

ㅇ 보조금·상계관세

- 현행 보조금을 무역에 미치는 영향에 따라 허용, 상계가능, 금지 보조금
등 3종류로 분류하고 각 보조금별 구제절차를 엄격히 규정

- 허용보조금에 대해서는 그 범위와 사용절차를 크게 제한하여, 당초
개도국이 주장해온 환경보호, 구조조정 보조금은 대상에서 제외

- 수입국 국내산업에 대한 피해여부에 관계없이 일정수준의 보조금 지급이
이루어진 경우에는 무조건 상계조치 발동이 가능하도록 규정

- 그러나, 개도국을 소득수준에 따라 5개그룹으로 분류하여 선발개도국은
개도국우대 조항에서 제외토록 하자는 개도국 재분류 문제는 우리나라를
비롯한 선발개도국들의 강력한 반발로 미반영

0116

o  세이프가드

  - 국내산업에 피해를 야기하는 수출국에 대해서는 선별적으로 일정조건
    하에서 쿼타 조정을 가능하게 함.

  - 회색 조치의 철폐는 그 종류와 범위를 예시적으로 명기하여 일정기한
    내에 철폐키로 약속


5. 제도분야

o  분쟁해결 절차

  - 분쟁해결 양해각서에서는 분쟁해결 절차를 신속하게 하기 위한 제도적
    장치를 마련 (단계별 시한 설정 및 최장 18개월을 초과할 수 없음)

  - GATT 체제하에서 발생하는 모든 무역분쟁에 대해서는 GATT 분쟁해결
    절차를 원용토록 함으로써, 미 통상법 301조등 일방적인 무역 보복
    조치가 도입되지 못하도록 규정

  - 단일 분쟁해결 절차규정에서는, 현재 설립문제에 대해 논의를 계속하고
    있는 다자간 무역기구(MTO) 산하에 분쟁해결 기구를 설치하여, 그간
    GATT 이사회가 다루어 왔던 상품분야에서의 무역분쟁 뿐 아니라 UR 협상
    의 결과로서 규범이 새롭게 정립되는 서비스, 지적재산권 분야에서의
    무역분쟁도 모두 관장케 함으로써 현행 GATT 체제하에서의 다원적인
    분쟁해결 구조를 일원화

o  국제무역기구(MTO) 설립

  - MTO의 구조는 각료급 총회, 일반이사회를 정점으로 이사회 산하에 상품
    교역 이사회, 서비스 교역 이사회, 지적재산권 교역 이사회 등으로
    구성


0117

- 주요기능은 GATT 협정문 뿐 아니라 상품, 서비스, 지적재산권 분야
  협정을 포함한 모든 UR 협상 결과를 이행하며, 단일분쟁 해결 절차 및
  국별 무역정책검토 제도를 관장

- MTO가 GATT를 확대.개편하여 성립되는 기구인 만큼, 기존의 GATT 체약국
  에게는 UR 협상결과를 일괄 수락한다는 조건하에 자동적으로 회원국
  자격을 부여

6. 지적재산권

o 협상과정에서 일부 합의된 분야를 중심으로 작성된 것이나, 전반적으로
  선진국의 입장이 대폭 반영됨으로써, 전체적인 보호수준은 현행 국제협약
  보다는 높은 수준

o 주요 내용
  - 기본원칙은 내국민 대우와 최혜국 대우
  - 저작 및 저작인접권, 특허, 상표, 의장, 지리적 표시, 집적회로의 배치
    설계, 영업비밀 등 8개 분야에 대한 보호기준 및 시행절차, 그리고 협정에
    관한 국가간 분쟁이 발생할 경우, 이를 해결하는 분쟁해결 절차를 규정

7. 서 비 스

o 그간의 협상과정에서 합의된 분야를 중심으로, 서비스 일반 협정문, 인력
  이동, 항공, 통신, 금융 등 4개분야 부속서를 포함
  - 그러나, 음향영상(AV), 해운, 육운 등의 분야는 최혜국 대우 예외인정
    여부와 관련하여 선진국간, 선개도국간 심한 입장차이로 부속서 초안에
    미포함

o 상품분야와 마찬가지로 한 국가에 개방한 내용은 모든 국가에 동일하게
  적용된다는 최혜국 대우(MFN) 원칙과 협정문의 운용에 영향을 미치는 모든
  법규, 행정지도 등을 공표해야 한다는 공개주의 채택

0118

o   자유화 추진 방식에 대해서는, 각국의 개별적인 약속에 의해 추진하도록
    하되, 내국민 대우와 시장접근에 대한 양허표 기재방식은 업종에 대해서는
    positive 방식을, 제도에 대해서는 negative 방식 준수

o   금융부속서에서는 금융서비스의 복잡함에 비추어 금융서비스의 포괄범위를
    규정하는 한편, 가장 논란이 컸었던 자유화 추진방식은 일반 협정상의 합의
    사항을 원용토록 규정.   끝.

# 외 무 부

110-760 서울 종로구 세종로 77번지  /  (02)720-2188  /  (02)720-2686 (FAX)

문서번호  통기 20644-283

시행일자  1992. 8.24.(        )

| 취급 | | 장    관 |
|---|---|---|
| 보존 | | 洪 / |
| 국 장 | 전 결 | |
| 심의관 | | |
| 과 장 | | |
| 기안 | 이 시 형 | 협조 |

수신  경제기획원 장관

참조  대외경제조정실장

제목  UR 협상 아국입장 반영 필요사항

　　　지난 7.31(금) 귀원 주관으로 개최된 UR 대책 실무회의에서 논의된 바 있는
표제건 관련, 이미 논의된 주요관심사항 이외 추가로 고려되어야 할 것으로 판단
되는 사항에 대하여 별첨과 같이 우리부 의견을 송부합니다.

　　　첨부 :  상기 자료 1부.  끝.

0120

# UR 협상에서의 아국입장 반영 필요사항

92.8.24.

1. 반덤핑 분야

   o 외국의 수입에 대한 피해를 각각 독립적으로 평가하는 것을 원칙으로 하고,
      누증(cumulation) 개념은 예외적인 경우에만 인정토록 함.

      - 협정안에는 누증 개념을 명시적으로 유지하는 규정이 포함되지 않아
         수입국이 피해를 누적 평가하는 관행을 유지할 우려.


2. 지적재산권 분야

   (미시판 특허물질의 소급보호 문제)

   o 협정안 70조 3항은 본 협정 발효당시 자유이용 상태(public domain)에
      있는 지적 재산에 대해 협정 발효후 보호를 복구할 의무가 없다고
      규정.

   o 갓트 사무국측은 70조 3항의 해석과 관련 public domain의 개념은 정보가
      공개되고 더 이상 법적 보호하에 있지 않은 것으로 기왕에 일단 보호
      되었던 것이 후에 보호상태에서 제외된 경우에 본 협정 발효로 인해 다시
      보호의무가 복구(restore)되는 것이 아니라는 취지로 해석하여야 한다고
      함.

   o 따라서, 미시판 특허물질(pipeline product)도 동 조항의 public domain에
      있는 지적재산에 해당되어 보호할 의무가 없는 것으로 해석 가능한지
      여부에 대해서는 명시적으로 규정하고 있지 않아 논란의 여지가 있음.

0121

o  그러므로, 우리나라가 지적재산권 보호와 관련, 미국.EC 등에 부여하고
   있는 예외적인 보호조치(미시판 특허물질 보호조치 등)를 제3국에는
   확대하지 않겠다는 것이 확고한 정부 방침인 경우, 상기 조항의 '보호를
   복구할 의무가 없는 public domain'에 미시판 특허물질도 포함되도록
   조정이 필요함.


3.  서비스 분야

o  각국의 MFN 일탈 범위 확대 추세에 따라, 협상 최종단계에서의 trade-off를
   위해서는 가급적 우리의 MFN 일탈 범위를 확대하는 것이 필요함.


4.  제도분야 (외무부 소관)

o  특별한 의견 없음. 끝.


0122

# 외      무      부

110-760  서울 종로구 세종로 77번지    /   (02)720-2188    /   (02)720-2686 (FAX)

문서번호  통기 20644-303

시행일자  1992. 9.14.(        )

| 취급 | | 통 상 기 구 과 장 |
|---|---|---|
| 보존 | | |
| 국  장 | | |
| 심의관 | | |
| 과  장 | 전  결 | |
| 기안 | 이 시 형 | 협조 |

수신  통상 1,2,3과장

참조

제목   주요 통상관련 정보 지원

1.  주 제네바 대사는 주요 국제통상 문제에 관한 협의가 수시로 이루어지고 있는
    제네바의 특성에 비추어, 주요 국제통상 관련 사항에 대하여는 주 제네바
    대표부로도 신속히 정보를 제공하여 줄 것을 건의하여 왔습니다.

2.  특히, 9월하순 UR 협상이 제네바에서 재개될 예정임을 감안, 다자협상 차원에서의
    효과적으로 대응할 수 있도록 아래사항을 포함한 주요정보가 적시에 제네바에도
    전달 될 수 있도록 지원하여 주시기 바랍니다.

    가. 통상관계 주요 국제회의 동향

    나. 주요 양자 통상관련 사항

    다. 관할국의 주요 통상정책.  끝.


# 통  상  기  구  과  장

0123

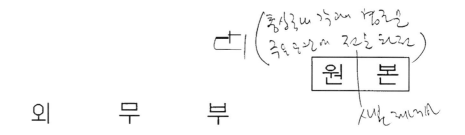

# 외　　무　　부

번　　호 : GVW-1700　　　　　　　　　　일　시 : 92 0911 1800

수　　신 : 장 관(통기,통이,정총)

발　　신 : 주 제네바 대사

제　　목 : APEC 각료회의

연: GVW-1677

1. 당지에서는 UR 문제와 관련 APEC 에서의 논의 진행 상황을 중요시하고 있어 당지대표들이 만날때마다 동 진전사항등에 관한 활발한 의견 교환이 이루어 지고 있음.

2. 당지의 모든 APEC 대표부는 APEC 각료회의 공동 선언초안의 사전 접수 및 사무국의 싱가폴설치 내정 사실등 동 진전상황에 대한 통보는 물론 9.3 미국의 소맥수출 보조금 지급 결정발표등에 대한 APEC 에서의 논의 예상방향등에 관해서도 소상한 통보를 받고있다하는바 당지에서의 빈번한 협의에 대비 금번 APEC 관련 사항뿐만 아니라 주요 국제통상문제(주요 양자관계 사항 포함)와 관련된 전문의 사본 배포등 제도적 조치 강구를 포함 여사한 정보가 당관에도 신속하게 FEED-IN될 수 있도록 조치해 주시기 바람.끝.

　　(대사 박수길-장관대리)

US
EC
JA
CA
AU
FK

---

통상국　　　통상국　　　외정실

PAGE 1　　　　　　　　　　　　　　　　　　92.09.12　　09:40 WG

　　　　　　　　　　　　　　　　　　　　외신 1과 통제관

　　　　　　　　　　　　　　　　　　　　0124

발 신 전 보

| 분류번호 | 보존기간 |
|---|---|
|  |  |

번 · 호 :   WJA-3891   920915 1540   WG 종별 : _____

수 · 신 :   주 ___ 수신처 참조 대사. 총영사 ___

발 · 신 :   장 · 관 (동 기) _____

제 · 목 :   ~~UR협상 동향 주요 통상문제 관련~~ 보고

| | |
|---|---|
| WUS -4194 | WAU -0784 |
| WCN -0945 | WEC -0650 |
| WUK -1614 | WFR -1843 |
| WGE -1274 | WIT -0912 |
| WGV -1368 | |

1. 그간 정체상태에 있던 UR 협상이 9월 하순경 제네바에서 재개될 예정이며, 미국의 Fast Track Authority 시한 등에 따라 협상이 집중적으로 전개될 경우 연내 타결 가능성도 배제할 수 없는 상황임. *주요국가간의 직접적 타협이 이루어져*

2. 마무리 단계의 UR 협상에 ~~능동~~적으로 대처하기 위하여 귀지에서도 UR 협상관련 동향을 예의 주시하여 보고 바라며, 보고시에는 주 제네바 대표부에도 사본을 송부바람.

3. 아울러, 다자 통상문제에 영향을 주는 귀주재국의 주요 통상정책이나 아국과의 양자관련 사항등에 대해서도 본부 보고시 주 제네바 대표부로 사본 송부바람. 끝.

(통상국장 홍 정 표)

수신처 : 주 일, 미, 호주, 카나다, EC, 영, 불, 독, 이태리 대사.
         (사본 : 주 제네바 대사)

| 보 안<br>통 제 | | |
|---|---|---|
| | | ルル |

| 앙<br>고<br>재 | 92<br>년<br>9<br>월<br>15<br>일 | 통<br>기<br>과 | 기안자<br>성 명 | | 과 장 심의관 | 국 장 전결 | | 차 관 | 장 관 | 외신과통제 |
|---|---|---|---|---|---|---|---|---|---|---|
| | | | 이시화 | | | | | | | |

0125

# 외 무 부

110-760 서울 종로구 세종로 77번지 / 전화 (02) 723-8934 / 전송 (02) 723-3505

문서번호 연이 20314-158
시행일자 1992.9.19.

| 선결 | | | 지시 | 통2의2 |
|---|---|---|---|---|
| 접수 | 일자시간 | | 결재 | |
| | 번호 | | 공 | |
| 처리과 | | | 람 | |
| 담당자 | 이시형 | | | |

수신 국제경제국장, 통상국장
참조

제목 제47차 유엔총회 제2위원회 토의

1. 최근 유엔은 세계 주요 경제, 사회문제 해결에 있어 그 역할을 점차 강화해
   나가고 있는 바, 우리는 92.10월 중순 개막예정인 유엔총회 제2위원회 토의에
   적극 참여함으로써 향후 유엔활동에서의 우리의 입지를 확대해 나가고자 합니다.

2. 상기 관련, 제2위원회 일반토의시 우리 수석대표 연설에서 주요 국제경제문제에
   관한 우리정부의 입장을 표명코자 하니 하기 사항에 대한 귀국 의견을 당국으로
   조속 통보하여 주시기 바랍니다.
   가. UNCED 회의평가 및 국제환경협력 추진방안 (국제경제국)
   (나) 우루과이 라운드 협상 (통상국) ― 동기
   (다) 지역경제통합 (통상국) ― 동이(+ 다른 라)
   라. 제8차 UNCTAD 총회 평가 (국제경제국)
   마. IMF 연차총회 대책 (국제경제국)
   바. 개도국 지원협력사업 현황 (국제경제국)

3. 제2위원회에서 토의예정인 Annotated Agenda를 별첨 송부하니, 귀국 소관사항중
   우리 대표의 발언이 필요한 의제에 대해서는 발언요지 및 검토의견을 당국에
   아울러 통보하여 주시기 바랍니다. (국제경제국 해당)

첨부 : 상기 Agenda 1부. 끝.

국 제 기 구 국 장

0126

# 외 무 부

110-760 서울 종로구 세종로 77번지 ／ (02)720-2188 ／ (02)720-2686 (FAX)

문서번호 통기 20644-311

시행일자 1992. 9.22.(        )

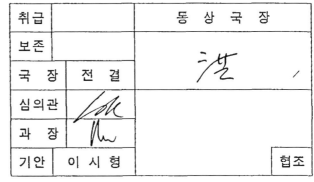

수신 국제기구국장

참조

제목 제47차 유엔총회 제2위원회 토의

대 : 연이20314-158

대호, UR 협상 및 지역 경제통합에 관한 입장을 별첨 송부합니다.

첨부 : 상기 자료 각 1부.   끝.

통 상 국 장

0127

# UR 協商에 대한 우리 立場

o  UR 協商을 조속히 成功的으로 妥結시키는 것이 世界經濟의 가장 중요한
   懸案이며 參與 國家들의 우선적인 課題임.  이러한 인식아래 韓國은
   UR협상 출범이래 積極 參與하고 있음.

o  最近 世界經濟는 地域主義가 擴散되는 傾向을 보이고 있어 자유무역체제가
   손상되지 않을까 하는 우려가 있음.  그러나, 地域經濟體制(regional
   economic arrangement)들도 궁극적으로는 UR이 追求하는 보다 自由化된
   國際 貿易秩序 確立에 기여할 것으로 기대함.

o  이를 위하여 UR 協商의 主要 參加國들은 地域經濟 體制가 UR 협상 타결에
   障碍要素가 되지 않도록 협상의 早期妥結을 위해 政治的 指導力을 발휘
   하여야 할 것임.

o  9월부터 제네바에서 모든 분야에 걸친 協商이 再開되어 각국 대표들이
   協商 妥結을 위해 노력하고 있어, 100여개국이 6년에 걸쳐 추진해 온
   UR협상이 조만간 成功的으로 妥結되리라 믿음.

o  韓國은 향후 參與國들의 핵심적 關心事項이 균형있게 反映된 포괄적인
   UR 협상 結果를 도출할 수 있도록 繼續 協商에 積極 參與할 것임.

0128

## 지역경제 통합에 대한 우리입장

92.9.21.
통상 2과

o 한국은 구주단일시장(European single market) 형성및 EEA로의 단일경제권
  확대, NAFTA 체결을 통한 북미자유무역지대 창설 추진등 세계경제의 지역화
  추세 증대에 유의하고 있음.

o 한국은 이러한 지역경제 통합협상이 배타적인 지역요새화를 초래하지 않고
  GATT 체제하에서의 세계 자유무역제도 강화에 기여하는 방향으로 발전되기를
  기대함.

o 이러한 측면에서 한국은 구주 및 북미 국가들이 지역경제 통합으로 인해
  세계 자유무역제도 강화에의 관심이 줄어들지 않았다는 것을 행동으로 입증
  하고 UR 협상의 진전에 더욱 열의를 보여줄 것을 희망함

o 한국은 지역경제 협력의 하나의 모델로서 아.태 경제협력회의(APEC)와 같은
  광역협력 체제하에서의 개방적인 협력방안이 바람직한 것으로 생각함.

0129

# 경 제 기 획 원

우 427-760 / 경기도 과천시 중앙동1 정부제2청사 / 전화 503-9149 / 전송 503-9141

문서번호 통조이 10520-76

시행일자 1992. 9. 17

(경유)

수신 수신처 참조

참조

| 선결 | | | 지시 | 과는글비. |
|---|---|---|---|---|
| 접 | 일자시간 | 9 : 7 . 18 | 결재·공람 | |
| 수 | 번호 | 33066 | | 국장 글쓴 |
| | 처리과 | | | 심의관 |
| | 담당자 | 이시행 | | 과장 |

제목 UR대책실무위 개최통보

      최근의 UR협상동향을 점검하고 향후 협상에 임하는 우리정부의 기본입장을
점검하고자 다음과 같이 UR대책실무위원회를 개최하니 필히 참석하여 주시기 바랍니다.

- 다      음 -

1. 일     시: 1992. 9.25(금), 15:00
2. 장     소: 경제기획원 소회의실
3. 참석범위: 경제기획원 대외경제조정실장(주재)
                      ”        제2협력관
           <u>외 무 부 통상국장</u>
           재 무 부 관세국장
           농림수산부 농업협력통상관
           상 공 부 국제협력관
           특 허 청 기획관리관
4. 안     건: ① 최근의 UR협상동향 및 전망(외무부 안건준비)
              ② UR협상 기본대응방향(경제기획원 안건준비)    ”끝”

# 경 제 기 획 원 장

수신처: <u>외무부장관</u>, 재무부장관, 농림수산부장관, 상공부장관, <u>특허청장</u>.

0130

# 經濟企劃院

## INTERNATIONAL POLICY COORDINATION OFFICE
## ECONOMIC PLANNING BOARD

Kwachon-Shi, Kyonggi-Do 427-760

Repulic of Korea

Tel : 503-9130,9137

Fax : 503-9138

## 【 팩시밀리 전문표지 】
### (Facsimile Cover Sheet)

Date : 1992. 9. 23

수신처 FAX 번호
(Fax Tel No.) __739-5638__

수신처 :
(To) __의무부 통상 기구과__

발신인 :
(From) __경제기획원 대외신 통상__ 통화

내 용 :
(Comment) '92 하반기 UR 협상에

총매수(표지포함)
Number of Pages
(This cover included)      ( 1 ) Pages

0131

UR 對策實務委員會 案件

管理番號 82-630

1/8

# '92 下半期 UR協商에 대한 對應

## 1992. 9. 25

經濟企劃院
對外經濟調整室

0132

# - 目  次 -

0133

# 1. 協商與件

- '92.9.20 週間부터 再開되는 UR協商은 形式上으로는 多者化하는 것으로 되어있으나 12.20字 最終協定文案(DFA)의 修正이나 이를 위한 TRACK IV (Fine-tuning)의 가동은 아직 豫定되지 않고있는 狀況

    o 이는 農産物 등 主要懸案에 관한 美.EC의 合意導出을 기다리면서 TRACK I~III(市場接近, 서비스 讓許協商과 法制化作業)을 進行시키고, 兩陣營의 합의가 이루어질 경우 그 내용 반영을 위한 극히 제한적인 DFA의 修正過程만을 거쳐 UR협상을 終結하고자 하는 協商主要國 및 GATT 事務局의 立場으로 관측

    o 한편 日本등 일부 선진국과 상당수 開途國들은 앞으로도 協商過程의 실질적인 多者化를 계속 주장할 것으로 豫想

- 따라서 우리나라는 農産物分野의 關稅化 例外認定이 반영되어있지 않는 현재의 協定文案을 고수하려는 協商의 흐름을 경계하면서 이에대한 반대입장을 再闡明하고 協商過程의 多者化와 協定文案의 수정을 위한 TRACK IV의 가동을 강력히 促求해야 할 必要

0134

## 2. 基本 對應方向

- 앞으로의 協商에 있어서도 '92.1.9 對外協力委員會의 決議를
  통하여 '92.1.13 TNC에서 表明한 政府의 旣存 基本立場을 堅持
  (別添 參照)


- 同 基本立場을 토대로 향후 각종의 公式, 非公式 會議.協議
  에서는 關稅化 例外認定의 반영 등을 위한 最終協定文案의
  수정이 필요하다는 점을 재차 強調하고 이제부터는 多者化된
  TRACK IV 협상이 가동되어야 함을 促求

  ○ 同 促求過程에서는 各 分野別 立場을 適切하게 活用
     (다음페이지 以下 參照)


- 다만 TRACK IV의 가동 촉구가 全般的인 協商妥結의 妨害 또는
  遲延 立場으로 誤解되지 않도록 配慮


- 아울러 TRACK I~III 協商過程에 적극적으로 參與하여 UR의
  成功的이며 早速한 妥結을 위한 한국정부의 協調 意志를 表示

  ○ 市場接近 協商時에는 특히 農産物分野의 立場을 相對國에
     명확히 傳達.說得하는 契機로 활용

0135

## 3. 分野別 立場

### 가. 最終 協定文案에 대한 立場 點檢

| 분 야 | 최종 협정안 내용 | 우 리 입 장 | 비고 |
|---|---|---|---|
| 농산물 | - 關稅化 및 最小市場<br>接近保障<br>  ㅇ 예외없는 관세화<br>    방식 제시<br>  ㅇ 수입실적이 미미<br>    한 품목에 대한<br>    最小市場接近<br>    保障 | - 쌀등 基礎食糧에 대한<br>關稅化 例外認定 및<br>쌀에 대한 最小市場<br>接近 保障 不可 | ㅇ기존<br>입장<br>(1.13,<br>TNC) |
| | - 開途國 優待<br>  ㅇ 非讓許品目의<br>    경우 Ceiling<br>    binding 할수<br>    있는 신축성<br>    부여<br>  ㅇ 감축폭과 이행<br>    기간에 있어서<br>    신축성 부여<br>    (감축폭: 선진국<br>    2/3 이하,<br>    이행기간:<br>    선진국+3년)<br>  ㅇ 개도국에 대한<br>    특별 Deminimis<br>    수준 인정: 10% | - 關稅 및 補助金 減縮<br>時 농업개도국으로서<br>장기이행기간 확보<br>  ㅇ 最小市場接近에<br>    있어서도 개도국<br>    우대원칙 적용 | "<br><br><br><br><br><br><br><br><br><br><br><br><br>0136 |

| 분 야 | 최종 협정안 내용 | 우 리 입 장 | 비고 |
|---|---|---|---|
| | - 基準年度<br>　ㅇ 시장접근: '86~<br>　　　　　'88년<br>　ㅇ 국내보조: '86~<br>　　　　　'88년<br>　ㅇ 수출보조: '86~<br>　　　　　'90년 | - 開途國은 자국의<br>　보조금 지급여건을<br>　감안하여 유리한 년도<br>　를 사용토록하는 것이<br>　필요<br>　ㅇ 農業開途國이라는<br>　　입장을 견지하면서<br>　　최근년도(시장접근<br>　　: '88-'90, 국내<br>　　보조: '89-'91)를<br>　　기준년도로 사용 | " |
| 시장접근 | - 관세인하<br>　ㅇ 관세인하 시행<br>　　시기 및 방법<br>　　: '93.1.1부터<br>　　5년간 균등<br>　　인하<br>　ㅇ 관세인하 내용은<br>　　추후 Annex 에<br>　　첨부될 사항으로<br>　　공란으로 처리 | - 몬트리욜 중간평가<br>　('88.12)에서 합의한<br>　관세인하목표(1/3<br>　인하)의 우선적인<br>　달성 촉구 | " |
| 보조금 및<br>상계 관세 | - 허용보조금 포괄<br>　범위<br>　ㅇ R&D및 지역개발<br>　　보조금만 허용 | - 구조조정 보조금도<br>　허용보조금에 포함 | "<br><br>0137 |

| 분　야 | 최종 협정안 내용 | 우 리 입 장 | 비고 |
|---|---|---|---|
| 세이프<br>가드 | - Quota Modulation<br>ⓐ Quota 할당시<br>　기본원칙<br>　○과거 대표적<br>　　기간동안의<br>　　수입량이나<br>　　금액비율에<br>　　근거하여 할당<br>　　(수량제한의<br>　　무차별적용)<br><br>ⓑ 무차별 적용<br>　일탈의 경우<br>　○SG 위원회의<br>　　주관하에 실질<br>　　이해관계국과<br>　　협의 실시<br>　○SG 위원회에<br>　　다음의 명백한<br>　　증거 제시<br>　．특정국가로<br>　　부터의 수입이<br>　　비균분적인<br>　　비율로 증가한<br>　　사실<br>　．ⓐ항 배제의<br>　　정당한 이유<br>　．ⓐ항 배제조건 | - Quota Modulation반대<br>○ SG조치는 공정수출<br>　에 대한 규제이므<br>　로 수입제한 쿼타<br>　설정시 차별적으로<br>　불리한 취급은<br>　과도한 규제<br>○ 단, 대다수 국가가<br>　반대입장이므로<br>　우선적인 반대입장<br>　표명은 자제 | ″<br><br><br><br><br><br><br><br><br><br><br><br><br><br><br><br><br><br><br><br><br>0138 |

| 분 야 | 최종 협정안 내용 | 우 리 입 장 | 비고 |
|---|---|---|---|
| 反덤핑 | - 원가이하 판매<br>(sales below cost)<br>인정<br>  o 상당기간(통상<br>    1년, 최소 6개월<br>    이상)동안 상당량<br>    (총거래량의 20%<br>    이상)이 원가<br>    이하로 판매된<br>    경우 정상거래<br>    불인정<br>  o 조사기간동안<br>    가중평균비용을<br>    상회할 경우<br>    정상거래로 인정 | - 불경기시 과거 대표<br>  기간동안의 평균비용<br>  고려 필요 | o추가 |
| | - 피해판정<br>  o 협정안에는 피해<br>    판정에 있어<br>    누중(Cumulation)<br>    개념을 명시적<br>    으로 배제하는<br>    규정이 포함되지<br>    않아 수입국이<br>    피해를 누적평가<br>    하는 관행의<br>    유지가 가능 | - 외국의 수입에 대한<br>  피해를 각각 독립적<br>  으로 평가하는 것을<br>  원칙으로 하고, 누중<br>  (Cumulation) 개념은<br>  예외적인 경우에만<br>  인정 | o추가 |

0139

| 분　야 | 최종 협정안 내용 | 우 리 입 장 | 비고 |
|---|---|---|---|
| | - 구성가격 산정시<br>이윤 산정기준<br>　ㅇ 실제자료 사용<br>　　의무 부과<br>　ㅇ 예외적인 경우<br>　　당해수출자의<br>　　동일부류제품<br>　　판매의 정상이윤,<br>　　동종상품 생산자<br>　　들의 가중평균<br>　　이윤, 동일부류<br>　　제품 생산자들의<br>　　정상이윤 고려 | - 실제자료 사용이외의<br>이윤산정기준중 우선<br>순위가 미설정되어<br>있어 이의 명료화<br>필요<br>　ㅇ 우리입장: 左記<br>　　이윤산정기준을<br>　　우선순위화 | ㅇ추가<br>(명료화<br>를 위한<br>논의<br>가능) |
| | - 가중평균에 의한<br>가격비교<br>(Negative Dumping)<br>　ㅇ 양시장 가격은<br>　　가중평균치 또는<br>　　거래별로 비교<br>　　하는 것을 원칙<br>　ㅇ 예외적으로 수출<br>　　가격 pattern 이<br>　　구매자, 지역,<br>　　기간별로 상당한<br>　　차이가 있는<br>　　경우 국내 가중<br>　　평균가격과 개별 | - 예외적인 경우의<br>구체적 요건이 불명확<br>하므로 실제운용상<br>분쟁의 소지가 있어<br>이의 명확화 필요 | ㅇ추가<br>(명료화<br>를 위한<br>논의<br>가능)<br><br>0140 |

| 분 야 | 최종 협정안 내용 | 우 리 입 장 | 비고 |
|---|---|---|---|
| TRIPS | - 제소자 자격<br>ㅇ 국내 동종상품 생산자의 명시적인 의사표시에 따른 지지 또는 반대의 정도에 근거하여 실시 | - 제소자 자격의 계량화 필요<br>ㅇ 우리입장: 과반수 지지요건 원칙 (국내 총생산액의 50%) | ㅇ추가 (명료화를 위한 논의 가능) |
|  | - 경과기간<br>ㅇ 선진국: 1년<br>ㅇ 개도국: 1+4년<br>ㅇ 최빈개도국: 10년 | - 법제정비, 관련산업의 취약성을 고려할때 개도국 경과기간의 적용 필요 | ㅇ추가 |
|  | - 정부제출 임상실험자료보호<br>ㅇ 정부에 제출한 임상실험자료 (test data)를 부정한 영업적 이용(unfair commercial use)으로부터 보호 (제39조 3항) | - 선진국 제약업계와 독점을 초래할 우려가 있는 정부제출 임상실험자료 보호에 관한 제39조 3항 삭제<br>ㅇ 영업비밀 보호의 취지상 정부제출 임상실험자료의 비밀보장 규정만으로 충분 | ㅇ추가 |

0141

| 분 야 | 최종 협정안 내용 | 우 리 입 장 | 비고 |
|---|---|---|---|
| | - 경과규정(P.P와 MFN 문제)<br>ㅇ IPR에 관한 모든 조치는 MFN원칙에 의해 타국에 확산(제4조)<br>ㅇ public domain에 해당되는 대상 (subject matter)에 대해서는 보호를 회복할 의무가 없음 (제70조 3항) | - 미시판 물질(P.P)도 public domain에 해당 되는 대상에 명시적 으로 포함 | ㅇ추가 |

나. 市場接近 및 서비스 讓許協商

1) 市場接近 協商

- 農産物分野에서는 關税化 例外 認定의 필요성, 基準年度, 開途國 優待 등 우리 立場을 명확히 개진

    ㅇ 이와 아울러 UR 妥結時에는 BOP 品目들이 마땅히 관세화의 대상이 될수 있다는 점을 強調

0142

- 工産品 분야에서는 몬트리올 中間評價에서 합의한 1/3 關稅引下目標의 우선적인 達成을 促求

  ○ 關稅 無稅化 協商에서는 현재의 讓許案이 最善의 案 임을 설득

  ○ 섬유 등의 高率 關稅引下를 촉구하고 우리가 각국에 request 한 사항, 특히 對日 request 사항의 實現을 위하여 努力

- 非關稅分野에 대하여는 全般的인 協商動向에 따라 愼重하게 대응

2) 서비스 讓許協商

- 그동안 우리가 서비스 讓許協商過程에서 적극적으로 참여, 協調해 왔음을 表明

  ○ '92. 2월에 제출한 修正讓許案은 최초 讓許案보다 進一步하였으며 각국의 request 내용을 가급적 수용한 것임을 說得

- 서비스協定의 기본골격인 MFN 원칙이 엄격히 준수되어야 함을 강조

  ○ 각국의 지나친 MFN 逸脫 기도에 우려를 표명하고 특히 MFN 逸脫이 협상력 강화의 수단으로 사용되어서는 안된다는 점을 언급

0143

# 〈 別添 〉 우리나라의 旣存 協商對策

※ '91.12.20 Dunkel 사무총장의 最終協定文案(Draft Final Act) 제시이후 개최된
'92.1.13 貿易協商委員會(TNC)에서의 대응을 위한 협상대책 수립('92.1.9 對外協力委
안건, 서면결의)


- 한국정부는 앞으로의 最終協商段階에서 우리가 계속 주장해온
농산물등 주요쟁점에서 보다 균형있는 合意의 導出이 필요하다고
보며 이를 전제로 금후협상에 계속 적극적인 자세로 참여할것임


① 농산물 일부분야에서 輸出國과 輸入國, 先進國과 開發途上國
의 이해가 균형을 이루지 못한 것은 유감임

ㅇ 개별국가의 특수성, 특히 農産物 純輸入國의 취약한 농업
기반을 보호할 수 있는 장치가 전혀 고려되지 않은 「 예외
없는 관세화 」에 반대

. 식량안보관련 基礎食糧에 대해서는 關稅化 例外認定 필요


ㅇ 쌀에 대한 最小市場接近은 불가하며 기타품목의 최소시장
보장에 있어서의 開途國 優待原則이 적용되어야 함

ㅇ 개발도상국에 대하여는 國內補助 등결조치가 적용되지
않았음에도 불구하고 輸出補助分野와는 달리 시장접근 및
국내보조감축상의 기준년도를 1986-88년간으로 설정한
것은 실질적으로 선진국보다 더 큰 부담을 지우는 것으로
불합리하기 때문에 開發途上國에 대해서는 통계적으로
자료산정이 가능한 최근년도(1991년)를 적용토록 함이
타당함                                                    0144

② 關稅引下에 있어서는 몬트리올 合意목표가 우선적으로 달성
되어야 함

③ 緊急輸入制限措置에 있어 국별 선택적용이 가능한 쿼타감축
(Quota Modulation)제도는 多者間 協商의 무차별 원칙에
어긋나므로 폐지되어야 함

④ 補助金 및 相計關稅分野에 있어 구조조정의 촉진을 위한 정부
보조금을 許容補助金으로 인정하지 않는 것은 급속한 산업
구조조정단계에 있는 국가들의 효율적인 雇傭·産業政策을
저해하므로 구조조정에 필요한 보조금 지급은 허용되어야 함

⑤ 서비스 협상분야에서 最惠國 待遇(MFN) 원칙은 일반원칙
으로서 준수되어야 함


- 한국정부는 과거와 마찬가지로 앞으로도 UR협상의 성공적
마무리를 위한 市場接近 및 서비스分野 讓許協商에 적극 참여
할 것이며 同 讓許協商이 각국의 기존 개방수준을 고려하고
경제적 능력의 범위내에서 균형있게 이루어질 것을 기대함


0145

---

**EMBARGO:**

NOT FOR PUBLICATION BEFORE 0500 HOURS GMT FRIDAY 25 SEPTEMBER 1992

---

ADDRESS BY ARTHUR DUNKEL, DIRECTOR-GENERAL

GENERAL AGREEMENT ON TARIFFS AND TRADE, GENEVA

TO THE

PACIFIC ECONOMIC COOPERATION COUNCIL

IX CONGRESS IN SAN FRANCISCO

24 SEPTEMBER 1992

MORE

0146

Mr. Chairman, Ladies and Gentlemen,

I must confess to a degree of excitement when I first heard of the Pacific Economic Cooperation Council's desire to invite the Director General of GATT to this Conference. Not least because it would give me the opportunity to visit San Francisco for the first time in my life.

More importantly, the reputation and record of PECC as an agent of economic change and liberalization assured me that I would be among friends. And not just rainy-day friends either; but friends prepared to work together regardless of all the negative pressures and difficulties in pursuing a vision which they know is both right and in the interests of all the people of the many countries represented here and of their partners around the world. The warmth of your welcome confirms that my instincts were right.

However, when I was told that I was expected to make an after-dinner address and that, therefore, I would need to restrain my appetite and thirst until after the speech, I began to have a few doubts. These doubts only evaporated when I thought of the food and drink which would be served during the long flight from Geneva to San Francisco. I would not, of course, mention the airline concerned but suffice to say that I arrived here this afternoon in good condition.

There was one further twist to the invitation. It was to be a testimonial dinner. But a testimonial to what? Mr. Whittemore's remarks have shed some light on the matter. But at the time I could only think that it was either a testimonial to compensate for the frustration of an apparently never-ending Uruguay Round or, perhaps, to celebrate the fact that despite all the turmoil we have faced over the past decade and continue to face in every aspect of international life, the GATT is still going strong - accepting more and more new members, handling more disputes and providing a continuing basis for growth in trade and investment.

Ladies and Gentlemen, it has been a long day for all of us so I have no wish to burden you with the technicalities of the GATT and the Uruguay Round. I thought I would simply stand back a little and draw a few contrasts which are both pertinent to the issues of the day but which are also fundamental for progress in the future. They are very simple contrasts: protection versus competition; predictability versus insecurity; regionalism versus multilateralism; information versus rhetoric; and the good versus the best.

Of course, the confrontation between the forces of protection and those of competition are at the heart of all trade policy. But let us consider the simplest possible analogy. As children are growing up their world is restricted first to their house, later to their yard and later still to

MORE          0147

their road or block.  But they grow up, travel a bit and get a job -
eventually they discover not only a country but a whole world out there
waiting for them.  Dealing with a healthy, imaginative and ambitious
twenty-year-old, does the parent say "Hold on. The world is a dangerous
place, stay around town and everything will be OK. It was good enough for
us, it will be good enough for you"?  Or does the parent let go of the
offspring to face and deal with the competition of life on its own?

It sometimes strikes me that it is the first approach which often governs
the way trade policy is presented.  The close and familiar is fine - the
distant and unknown is almost certainly unfair competition.  The reality,
which all of you grasped long ago, is that there is a global market and
there is global competition.  Because the global market exists - for goods,
capital and services - we need global rules to make the market work
properly.  That is now the role of GATT and will, ultimately, be the role
of the new system emerging from the Uruguay Round.

But what, in essence, is the system represented by GATT.  I would say it is
a system designed to bring predictability and security to traders and
investors in an uncertain and insecure world - my second theme. This is
what GATT has done for merchandise trade over the past forty-five years.
In the future the new system will extend that stability and predictability
to other economic activities including services trade, intellectual
property rights, agriculture and so on.  Can anyone be in any doubt that
the new system is badly needed?

Consider the chaos in the financial and stock markets over the past few
weeks.  It has created a further level of instability and a lack of
predictability for traders.  In parenthesis, I cannot help but feel some
sympathy for trade negotiators who may have spent long months haggling over
a couple of percentage points on a customs duty while the fruits of their
labours can be completely overwhelmed in just a few hours by massive
fluctuations in their own or their competitors' exchange rates.  It makes
cooperation between trade and monetary policy makers more critical than
ever.

Consider also the degree of political uncertainty and instability around
the world today.  Elections, newly-emerging independent countries with
fragile social and economic structures, and, sadly, wars; all have an
impact on the process of taking badly needed trade and investment
decisions.  And let us be in no doubt that the process of democratic
reform, which we all welcome, is tightly linked to that of economic and
trade liberalization.  We really are left to conclude that the multilateral
trading system is a precious source of stability and I would venture to
say, peace.

So what then of the contrast between multilateralism and regionalism?  That
is, after all, your theme this week - regionalism and global economic
cooperation.  It is indeed a crucial issue of the day.  Not because there
is a battle between two alternative approaches to trade relations.  But
because they are two different but inter-dependent parts of the same
system.  I would put it to you that multilateralism and regionalism will

MORE

0148

either live together or die together.  The one cannot prosper without the other or at the expense of the other.

Regional economic integration - through customs unions and free-trade areas - has always been a focus of activity in GATT.  Article XXIV provides the legal framework and sets out the obligations of those contracting parties entering such arrangements.  The development of the European Community, in particular, has parallelled the development of GATT and has inspired several of the trade rounds.  Indeed, both the Kennedy Rounds and the Tokyo Rounds were, in part, efforts to ensure the outward-looking evolution of the Community.  They did so by making apparent to those within the customs union that they could not and should not see their own future solely in terms of the evolution of an ever-larger local market - remember my analogy with the growing child.  That lesson was learnt by the Community which today stands as the pre-eminent example of regional integration within the multilateral trading system.  At the same time, it has to be recognized that the GATT's role in keeping the Community open to the rest of the world has itself been strengthened by the Community's own process of knocking down tariff and other trade barriers between member States;  in fact, this process has been a promoter of trade liberalization worldwide.

Currently, the GATT is discussing regional integration in Latin America - the Mercosur agreement - as well as the new trade arrangements emerging between the European Community, the European Free Trade Area (EFTA) and the countries of Eastern and Central Europe.  In the future, we will no doubt be asked to turn our attention to the NAFTA.

We know very well that negotiators engaged in developing these regional trade initiatives do have their GATT obligations very much in mind.  But an interesting paradox has also emerged due to the far-sightedness of those same negotiators.  In a number of instances the drafters of agreements like Mercosur and NAFTA have not just kept GATT in mind but have gone further into the post-Uruguay Round world by making use of the draft agreements contained in the Draft Final Act Package.  As a consequence, we are seeing large chunks of the services, intellectual property and other rule-making texts emerging from the Uruguay Round negotiations being already taken up at the regional level and this while we remain almost paralysed at the multilateral level.  In other words, what is on the table in the Uruguay Round is already seen, and rightly so, as quite indispensable to regional integration while some of the governments involved are unable to find the strength to bring the Round, in all its aspects, to a conclusion.

However, before talking further about the so urgently needed conclusion of the Round itself, I want to touch on my fourth contrast, that between information and rhetoric - or perhaps between facts and mythology.

The days when trade negotiations could begin, end and their results be implemented with neither public interest nor discussion have now gone.  Why?  Because, as with the Treaty of Maastricht, these results have an increasingly real and, sometimes immediate, effect on the day-to-day experience and fortunes of the man or woman in the street.  It is partly because we are no longer only negotiating trade barriers at the border but

MORE

0149

also dealing with some of the most sensitive areas of domestic economic policy-making where they determine conditions of competition. Yes, Ladies and Gentlemen, this is what the GATT negotiations are all about. And, as citizens have come to realize this, they have developed a thirst for information. They cannot be told, any longer, "Trust us, this is all a bit complicated for you to understand, just sign here." No, if government is no longer adequately respected in many parts of the world, it may partly be because citizens are tired of political rhetoric and wish to be treated as adults.

Why is protectionism not a vote winner? It is because people have the sense to realize that they are being cheated - protectionism is like a magician's sleight of hand; first you see some benefit, then you don't and then you realize you've lost your wallet as well. People understand that when the facts are put to them squarely and honestly.

This will all mean a greater burden for the institutions involved but, just as the European Community will have to go on explaining the obvious logic of moving from a "common" market to a common currency, so trade ministers will have to ensure that initiatives like free trade areas are adequately explained. And so too for the Uruguay Round. I am not sure the Round has had a fair hearing everywhere. I am not sure that people understand how much else is involved other than agriculture. I am not sure the costs of neglect are understood fully, nor the benefits of success.

And that brings me rather logically to my final theme. I have spent some months attempting to convince the political figures on whom we depend for a decision to conclude the Round that they should not allow the best to become the enemy of the good. What do I mean by that?

The fact is that the Draft Final Act tabled last December in Geneva gives a very concrete picture of the new rules of the game. They are the results of six years of negotiations and the 28 individual agreements cover every aspect of trade policy. Together with the market access commitments for goods and services which need to be concluded urgently, these agreements provide everything we set out to achieve in Punta del Este when the Uruguay Round was launched, and quite a bit more. The remaining areas of controversy are certainly not insurmountable. Indeed, in many cases, they are so small that it is difficult to understand why the world has been kept waiting so long for something that everyone concerned with international economic policies is convinced is so vital for our future.

We are now sufficiently close to a solid and far-reaching agreement that the degree of political courage required of world leaders to do the deal is no longer anything like as formidable as has been suggested in the past. I can think of no other immediate action on their part which could more forcefully or convincingly demonstrate their commitment to correcting the strains in the world economy and providing a basis for new economic growth. This is not to say that many of them will not face political challenges in their own legislatures when they seek ratification. But the world needs a signal that at least one facet of international economic cooperation is in good health and doing what is required of it.

MORE

0150

And when I say the world needs a signal, I am thinking of the reformers who have set off on an often lonely and politically dangerous course of economic liberalization - in Eastern and Central Europe, the old Soviet Union, but in many other parts of the world (not least around the Pacific) too. I am also thinking of the countries joining the GATT or seeking observership - of which there have been many in the past few years. They have come to us because they believe the multilateral trading system is their only guarantee of a secure place in the global economy. I am thinking of the unemployed for whom a new boost to world trade would offer a hope of stable and gainful employment. I am thinking of consumers who would see new and cheaper products on their supermarket shelves. I am thinking of the environment which, despite the vocal claims to the contrary, will be helped through enhanced economic growth in the developing countries and through more rational policies for agriculture. Finally, I am thinking of the markets, whose doubts about economic cooperation can do such damage in the short-term but whose confidence can be a great catalyst for trade and investment.

The world also needs a signal that trade disputes are going to be contained in the future - because there are a worrying number already occupying us. Indeed the needs of governments to resolve trade disputes in GATT is growing to a point where the Secretariat is hard pressed to service the special panels. But we in the GATT are certainly not complaining if this is a signal that governments are turning away from the temptation to take unilateral action to settle grievances.

However, again we face the problem - or the challenge - of anticipation of the post-Uruguay Round era. Disputes are arising in the services sector, in the intellectual property area, in agriculture, and elsewhere where contracting parties are grasping at the Draft Final Act texts or, at least, wishing that the new disciplines contained in those texts had already become legally binding so that they could seek proper redress within the new multilateral institution the GATT will become.

This tendency towards anticipation of a final success in the Round is, in a sense, welcome and a vindication of everything we have done over the past six years. On the other hand, the results of the Round are a package deal - not a candy store in which to pick and choose - and contain within them the institutional arrangements, like dispute-settlement procedures, which will underpin the new rules. I should add that the results are also there for all participants to benefit by, not just those who wish to select a few components.

Thus my message for world leaders, be they in the world of politics or the world of business, must be this: don't haggle further over percentages; you have achieved much already, enough to create the system our world desperately needs to secure new economic opportunities. If you act now the world, and future generations, will thank you for your wisdom.

END

0151

# Korea Economic Institute of America

## EXECUTIVE SUMMARY

| | | |
|---|---|---|
| **TO:** | Dr. YOO Jang Hee, President<br>KIEP | No. 9207-60 |
| **FROM:** | W. Robert Warne | |
| **DATE:** | September 23, 1992 | |
| **SUBJECT:** | Prospects for the Uruguay Round after the French vote. | |

Responding to the request by Director General Yoon Jae Lee of EPB, KEI sent to KIEP a report on Ambassador Hills' desire to move ahead with the Round negotiations now that the French have voted favorably on the Maastricht Treaty. See KEI 9209-52. KEI discussed with senior USTR staff involved in the Round negotiations their personal, off the record assessment of the outlook for the Round. Their comments follow:

-**Completion of the Round is still Possible:** Hills and other trade ministers met on the sidelines of the G-7 July economic summit in Munich. A virtual agreement ad referendum was reached on the EC-U.S. differences on agriculture. In fact, the U.S. wanted to announce the compromise at Munich but the French, among others, resisted, saying the September Maastricht vote would be at risk. Thus, Hills agreed to return to the negotiations after the French vote and USTR intends to do so. This will not be a ministerial level negotiation because Hills wants to avoid drawing press attention to the negotiations. Instead, Deputy USTR Katz or Ambassador Warren Lavorel will likely go to Brussels within the next two weeks to try to wrap up the agriculture compromise. Ambassador Hills met with the EC negotiators on September 1 and believes that another visit to Brussels by herself is not needed.

-**Complications with the French:** Despite the progress at the summit and Hills' talks earlier this month, USTR officials are not certain that Mitterrand will lift his hold on the agriculture compromise. The September 20 vote was so close that the "Eurocrats" are shaken and are now looking at revising the Maastricht Treaty. This is their first priority. Officials here conclude that it is up to EC Commission President Jacques Delors to force the French hand at this late date. The U.S. and others have obliged the Commission, France and others. It is now up to them finally to bite the bullet. No one wants to evaluate how this will come out.

-**Shift to Geneva:** The U.S. will press ahead with the ongoing, scheduled Round negotiations in Geneva. For example, the service talks continue early next month at which time the developing countries are expected to put on the table their offers. Should the EC and U.S. announce a compromise on agriculture within two to three weeks, this will give further impetus the ongoing negotiations. Participants could no longer hang back claiming that agriculture has to be resolved first.

1101 Vermont Avenue, N.W. ● Suite 401 ● Washington, D.C. 20005-3521
(202) 371-0690 ● Fax (202) 371-0692 ● Modem (202) 371-0937

0152

-2-

**Politics and Timing:** As Hills responded to my question this week, yes, it is political feasible to press ahead with completion of the Round, despite the November 3 U.S. elections. She asserts that GATT members would be better off concluding the agreement now before the new Congress comes in and there is a possible change in Administration. USTR officials concur. They believe that Governor Clinton would be handed a fait de accompli which he would likely have to go along with. The Administration would strive to complete the negotiating process by March 1 so that it could still meet the "fast track" deadline. Hills suggests that this would be the best strategy rather than seeking an extension from a new Congress. USTR officials argue that too much U.S. prestige and economic interests are at stake for Clinton not to go along with such a scenario. Additionally, should Clinton win, it's possible that his transition team could work out an agreed Round strategy over the interim period before he is inaugurated on January 20.

(**Comment:** Much of this is wishful thinking. It is too fluid a situation to judge how the Democrats would react. But USTR at least plans to press ahead with the Round. The President may see some political advantage in this. A completed Round could be a boost for him, among some business sectors at least. But USTR officials concede that it is not feasible to seek to announce an agreement before the elections. There just is not enough time. In any case, the Round is too complex and controversial to register an overall net plus with the voters, I believe.)

**Senate Trade Action:** As reported in KEI's congressional assessment yesterday, the Senate Finance Committee has dropped virtually all controversial trade measures from its trade bill. While the Senate could still add on amendments, this is not likely. This means that the Congress will not pass legislation this year to extend super "301", restrict Japanese auto imports, change the duties on mini-vans and raise domestic import content requirements on imported autos. As the attached news articles indicate, the Senate decided to await the elections and take up these issues in the next Congress. The Congress wants to close down and start campaigning. Members have been shocked by the loss of major incumbents and realize that they are in a fight for their political lives. The Democratic leadership expects to return next year with a Democratic President and Democratic controlled Congress. Conditions will be more auspicious then to enact trade legislation. In fact, Congress plans to start early to organize its committees and leadership so that it can get right down to work to respond to Clinton's first 100 days of legislation.

Attachments: News articles

cc: Korean Embassy- Minister Koo
              Counselor Chang

1101 Vermont Avenue, N.W. ● Suite 401 ● Washington, D.C. 20005-3521
(202) 371-0690 ● Fax (202) 371-0692 ● Modem (202) 371-0937

0153

Attachments:

- "Hills Dispels NAFTA Myths," Office of the United States Trade Representative, September 21, 1992

- "Intention to Enter into a North American Free Trade Agreement with Canada and Mexico," Office of the Press Secretary, the White House, September 18, 1992;

- "The North American Free Trade Agreement: Official Notification of Congress," Office of the Press Secretary, the White House, September 18, 1992;

- "Advisory Committees Assess NAFTA," Office of the Untied States Trade Representative, September 18, 1992;

- "Executive Summary: Report of the Administration on the NAFTA and Actions Taken in Fulfillment of the May 1, 1991 Commitments";

- "Text of a letter from the President to the Speaker of the House of Representatives and the President of the Senate," Office of the Press Secretary, the White House, September 18, 1992;

- "The North American Free Trade Agreement: A Promise Fulfilled," Prepared statement of Amb. Carla Hills. . ., Sept. 16, 1992;

- "Caricom and United States Trade Policy," Remarks by Myles Frechette. . . . September 11, 1992;

- "U.S., New Zealand Conclude Negotiations on Trade and Investment Agreement," Office of the U.S.T.R., September 11, 1992;

- "U.S. Trade Representative Carla Hills Address at a State Department Conference on U.S. Policy Toward Latin America," September 10, 1992;

- "Remarks by the President to the Detroit Economic Club," Office of the Press Secretary, the White House, September 10, 1992;

- "The North American Free Trade Agreement: A Promise Fulfilled," Prepared statement of Amb. Carla Hills. . ., Sept. 9, 1992;

- "The North American Free Trade Agreement: A Promise Fulfilled," Prepared statement of Amb. Carla Hills. . ., Sept. 8, 1992;

- "U.S. Announces Possible Products for Retaliation in Market Access Dispute with China," Office of the U.S.T.R., August 21, 1992.

0154

UR 대책 실무위원회 안건

# 최근의 UR 협상 동향 및 전망

## 92. 9. 25.

| 영<br>코<br>제 | 통<br>상<br>기<br>구<br>과 | 92<br>년<br>9<br>26<br>일 | 담 당 | 과 장 | 심의관 | 국 장 | 차관보 | 차 관 | 장 관 |
|---|---|---|---|---|---|---|---|---|---|
| | | 이시형 | | | | | | | |

## 외 무 부

# - 목 차 -

0156

1. 최근 UR 협상 동향

   가. 개   관
      ㅇ 7. 17. 던켈 사무총장이 9월부터 협상을 multilateralize,
        globalize 하겠다고 하였음에도 불구하고 새로운 차원의
        협상 노력은 전개되지 않고 있음.
      ㅇ 불란서 국민투표(9. 20)이후 아직 이렇다할 새로운 제안이나
        진전이 없는 가운데 농산물 G-8 실무회의가 9. 21-23간 개최
        되었고, 9. 28. 주간중 시장접근 그룹회의, 10. 5-16간 서비스
        양자협상이 재개될 예정임.

   나. 주요국 동향
      1) 미   국
      ㅇ Hills 무역대표가 8월말-9월초간 구주를 방문, Major
        영국수상, EC의 농업담당 집행위원인 Mac Sharry (8. 31),
        Andriessen 부위원장(9. 1)을 접촉
        - 향후 협상 진전방향 설정을 위한 fact finding 목적
        - NAFTA 내용 설명과 이것이 UR 타결의 방해가 될 수
          없음을 강조
        - Fast Track 시한관련 연말까지 UR 협상을 마무리
          짓는다는 일정으로 가급적 조속히 제네바에서의
          분야별 양자협상 등 추진토록 EC측에 촉구

- 1 -

0157

2) EC

   o 미국정부의 농산물 수출보조금 지급결정에 대해 강력한
      불만을 표시(9.18. 미테랑 대통령의 Bush 대통령앞 서한
      발송)하고 UR 협상 타결을 위한 미측의 새로운 협상자세
      촉구
      - 11.3. 미 대통령 선거이전 미측의 실질적 제안을 기대
        하기는 어렵다는 전망

   o 9.22. EC 농업이사회 에서는 기존입장의 변화는 없었으나,
      EC측의 적극적인 협상 의사는 확인
      - Gummer 영국 농무장관은 미측의 협력을 전제로 10월말
        까지 협상타결 가능성도 있으며, 이를 위해 노력할
        것이라고 언급
      - Mac Sharry 집행위원은 UR 협상의 적극적인 추진방안을
        모색하되, 희생을 무릅쓰고 타결을 추진하지는
        않을 것이라고 언급
      - 이사회는 Mac Sharry 위원에게 미국이 대통령 선거이전에
        진실로 UR 협상을 타결하려는 의지가 있는지를 재확인,
        보고토록 요청

다.  아국 관련동향
   o 영국 Norman Lamont 재무장관, 우리 재무부장관 앞 서한발송
      (9.8자)
      - 서비스 분야의 중요성을 언급하고 금융서비스 분야에서의
        우리 offer를 확대할 것을 촉구

- 2 -

0158

o 호주 정부대표단 방한

- 서비스 관련 비공식 협의(9.23, 경기원)를 갖고 금융.통신
  서비스에 관심을 표하였으며, post-UR 협조(타결시는 보조적
  장치, 실패 또는 장기 지연시는 대체 수단으로서) 제의
- 시장접근 분야 대표단도 9.30. 방한, 비공식 협의 예정


2. 주요 국제경제 관련동향

가. 미국내 동향

(11월 대통령 선거를 앞두고 UR 협상 타결보다는 NAFTA 타결,
대규모 보조금 지원발표 등 선거관련 정책 우선 경향)

1) NAFTA

   o 8.12. 미, 카, 멕 3국간 최종타결, 합의발표

   o 9.18. 행정부, 의회에 NAFTA 협정체결 의사 통고

   o 각국내 비준절차를 거쳐 94.1.1자 발효예정

2) 10억불 소맥수출 보조금 지급결정

   o 불란서, 호주, 알젠틴 등 주요국들로부터 강력한 반발 초래

   o 미국의 UR 협상타결 의지 희석


나. EC내 동향

   o 마스트리트 조약안, 불란서 국민투표에서 51:49로 통과

   o 최근의 유럽통화 위기에 따라 마스트리트 조약 비준 등
     93년 단일시장 발족에 부정적 영향

- 3 -

0159

다. 미.EC간 Oilseed 분쟁

  ○ 9.16 및 미.EC간 협의가 개최되었으나 결론에 이르지 못하고,
    미국이 보복조치를 유보한 가운데 추후 협의가 계속될 전망


라. 제4차 APEC 각료회의 개최(9.10-11, 방콕)

  ○ 사무국 설치 및 기금조성 등에 구체합의 함으로써 기구화 단계
  ○ 멕시코 가입이 기정사실화 되어 NAFTA 3국 포함
  ○ 본격적 역내 무역자유화 추진
    - 저명인사 그룹 설치, 관세통계의 전산망 구축, 통관절차
      상호조화, 시장접근 관련 행정조치 검토, 투자안내서 발간
  ○ UR 타결 촉구 별도선언문 채택
    - 과거 2차례 선언문 보다 약화
    - UR 협상에 대한 전반적 열의가 부족한 인상


3. 평가 및 전망


가. 협상 현황에 대한 평가


  1) 부정적 견해
    ○ 미.EC(불)측이 표면적으로는 협상의 진전을 위해서는
      상대방의 양보가 필수적이라는 입장 고수
    ○ 불란서로서는 93.3월의 국회의원 선거를 앞두고 49%에
      달하는 마스트리트 조약 반대표가 나옴에 따라 협상에
      융통성을 보여주기 어려운 상황임.


- 4 -


0160

o 미국이 대통령 선거를 앞두고 대 EC 양보로 비쳐질
  결단을 내리기는 어려움.

o EC 등 주요참가국도 불투명한 미국 선거 결과를 앞두고
  진지한 노력을 기울일 수 있을지 의문시

2) 낙관적 견해

o 근소한 차이기는 하나 마스트리트 조약이 불란서 국민
  투표를 통과함에 따라, EC로서는 협상에 입할 수 있는
  내부사정이 호전되었다고 할 수 있음.

o 미.EC간 농산물 보조금과 관련한 이견은 기술적 측면에서
  보면 상당히 좁혀져 대체적 합의를 마친 상태로서 정치적
  타협을 거쳐 발표하는 시점 선정만 남았다는 관측도 있음.

o 일부 언론은 미국이 내부적으로 구체적으로는 92. 10월
  중순까지 농산물 분야, 선거후 연말까지 여타 분야를
  마무리 한다는 내부계획을 갖고 있다고 보도

나. 전   망

o 당분간 미.EC간 농산물 분야의 타협을 기다리며, Track 1-3의
  협상을 진행하는 종전의 협상형태가 계속될 전망

o 미.EC간 주요쟁점 타결시점까지 또는 미국 대통령선거 종료시까지
  협상의 실질적 진전은 일단 기대하기 어려울 전망

o 다만, 미국 Fast Track을 감안한 협상시한은 92. 3. 1. 이므로,
  미.EC간 타협이 있는 경우 협상이 주요국의 주도하에 급전
  (steam-rolling)할 가능성 상존.   끝.

- 5 -

0161

```
┌─────────────────────────┐
│                         │
│   UR 대책 실무 위원회    │
│                         │
│      참가 자료          │
│                         │
└─────────────────────────┘
```

일   시 : 92. 9. 25(금) 15:00

장   소 : 경기원 소회의실

| 앙고재 | 통상기구과 | 내년신과인 | 단 단 | 과 장 | 신의관 | 국 장 | 차관보 | 차 관 | 장 관 |
|---|---|---|---|---|---|---|---|---|---|
| | | 이ㅏ╯╯ | | 서명 | 서명 | 서명 | | | |

외   무   부

통   상   국

# 1. 기본 대응 방향 검토

o 경제기획원측의 대책안에 별다른 이견 없음.

o 다만, 협상이 급진전할 가능성에는 대비할 필요가 있으며, 9월말-10월의 탐색전 성격의 협상이 끝난후, 농산물 분야에서 아래 현안사항에 대한 내부검토 추진 필요

가. 식량안보 대상 품목 확정 필요
   - 91.1월 대외협력위 결정대로 현행 15개 품목을 쌀+알파(1-2개)로 조정

나. Dunkel 사무총장의 Flexibility 제안 검토
   - 일정기간 유예후 관세화
   - non-sticky rice 만 개방

다. 개도국 우대 확보 가능성 및 대책 강구
   - Dunkel 사무총장은 방한시 한국의 이행기간을 7년으로 언급
   - Hills 대표도 방미중인 농협회장 면담시(9.22) 한국에 대해 개도국 조항을 적용할 수 없다고 언급.

라. BOP 품목의 관세화 가능성 및 대책
   - 미, 호주, 뉴질랜드 등이 쇠고기 협상에서 BOP 품목을 관세화 대상으로 인정하지 않으려는 태도를 보이고 있음을 감안

   ※ 대세에 따라 관세화가 불가능한 경우에 대비, 쇠고기등 극히 일부 민감품목에 대해서는 97.7월 이후 양허 재협상 가능성등 대안을 내부적으로 검토할 필요.

0163

# 2. 분야별 입장

(농산물 분야)

ㅇ 쇠고기 협상과 관련, 농산물 협상 차원에서 관세화 대상 조치에 관한 Dunkel Text 협정안 Annex 3의 Footnote 해석문제에 대해 아측입장을 명확히 개진

- Footnote 에서 BOP 를 이유로한 수량제한 조치를 관세화의 대상에서 제외한 것은, 동 조항 Draft History 에 비추어 수입 개도국이 BOP 를 이유로 수입제한을 계속 유지 하고자 한다면 관세화하지 않아도 된다는 융동성을 부여하려는 취지임.

- 우리나라의 경우 90.1.1.자 GATT 18조 B항 disinvocation 에 따라, 그 시점 이후 취하고 있는 수량제한 조치는 BOP 원용이 아니라 협정안 본문상 관세화 대상이 되는 수량제한 조치로 간주됨.

- 따라서, 본 Footnote 와 관련하여 우리의 잔존 수입제한 조치는 관세화 대상이 됨. 끝.

0164

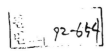

92-654

# 외 무 부

110-760  서울 종로구 세종로 77번지  /  (02)720-2188  /  (02)720-2686 (FAX)

문서번호  통기 20644-

시행일자  1992. 9.25.(        )

수신  주 제네바 대사

참조

| 취급 | | 장        관 | |
|---|---|---|---|
| 보존 | | | |
| 국 장 | 전 결 | 洪 | / |
| 심의관 | | | |
| 과 장 | | | |
| 기안 | 이 시 형 | | 협조 |

제목  UR 대책 실무위 개최

일반문서로 재분류 (1992 . 12. 31)

1. 9.25(금) 경제기획원 대외조정실장 주재로 표제회의가 개최되어 최근 UR 협상 관련 동향과 금후 협상 대처방향에 대한 협의가 있었는 바, 주요토의 내용을 아래 통보하니 참고 바랍니다.  (회의안건 별첨)

가. DFA에 대한 종전입장 유지

최근까지의 UR협상 진전 상황에 비추어

ㅇ 92.1.13. TNC 회의시의 입장을 유지하되, 농산물에서의 입장 관철을
기본 확인하였으며
위한 협상력 강화 방안으로 반덤핑, TRIPs 등 분야에서 일부 입장 추가

ㅇ 농산물분야 이외 분야에서는 우선순위가 큰 의미가 없으나(반드시 관철해야 한다는 성격보다는 필요시 협상용으로 활용할 수 있는 자료로 발굴한 것임), 필요시 우선순위를 정할 것임.

나. BOP 품목의 관세화 문제

ㅇ 농산물 협정 Annex 3의 Footnote 해석에 관한 여타 국가들의 입장을 파악하여 우리측 논리 강화 (별도 타전 예정)

/ 계속...

0165

2. 금번 실무대책위 회의는 금후 귀지에서 각종 협상이 재개된 경우에 대비,

   아측 입장을 점검하는 정도였으며, 협상 진전에 따른 contingency plan 등에

   대하여는 추후 필요시 다시 협의키로 하였음을 참고 바랍니다.

   *협상노력과 기본입장은 재검토해야한 할 것이며 대두된 경우*

   첨부 : 1. 최근 UR 협상 동향 및 전망 (외무부 작성)

   2. UR 협상 기본대응 방향 (경기원)

   3. 농산물 수입개방관련 대외현안 문제 검토 (경기원). 끝

검인
1992. 9. 2▨
문지관

0166

# 경 제 기 획 원

우 427-760 / 경기도 과천시 중앙동1 정부제2청사 / 전화 503-9146 / 전송 503-9141

문서번호 통조이 10520-106

시행일자 1992. 9. 28

(경유)

수신   수신처 참조

참조

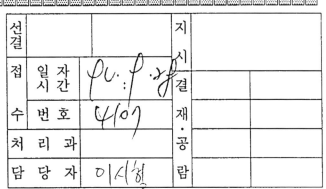

제목  UR대책 실무위원회 회의결과 통보

검 토 필 (1992. 12. 31.) 希

검 토 필 (1993. 6. 30.) 希

1. 통조이 10520-76('92.9.17)관련 사항임.

2. 최근의 UR협상동향 및 향후 협상대비 우리정부의 기본입장 점검을 위하여
   '92.9.25 개최된 UR대책실무위원회 회의결과를 다음과 같이 통보합니다.

- 다      음 -

가. 회의개요

- 일시 및 장소: '92.9.25(금), 15:00-16:30 경제기획원 소회의실

- 참석자:  경제기획원  대외경제조정실장, 제2협력관
          외 무 부  통상심의관
          농림수산부  농업협력통상관
          상 공 부  국제협력관
          특 허 청  기획관리관
          재 무 부  국제관세과장

- 의 제:  ① 최근의 UR협상동향 및 전망
          ② '92 하반기 UR협상에 대한 대응

나. 회의결과

- 향후 협상대응은 회의의제 ②「'92 하반기 UR협상에 대한 대응」에
  따르도록 함.

0167

2-1

o 동의제 " 3. 분야별입장"중 다음사항을 수정하고 이중 농산물분야 이외의
사항들은 각 분야의 협상력 강화 및 TRACK IV의 가동촉구라는 차원에서
활용토록 함.

. 최종협정문의 TRIPs 부문에 있어 "경과기간" 및 "경과규정" 사항은
삭제토록하며, "정부제출 임상실험자료보호"의 경우는 기존입장대로
반대하되 "단, 일부 선진국 및 대다수 개도국이 반대입장이므로
우선적인 반대입장 표명은 자제"라는 단서조항을 추가토록 함.

. 관세무세화 협상에서는 "각국의 경제력, 산업발전 수준이 감안된
응능부담 원칙의 적용필요" 라는 표현으로 수정함.

o 제네바대표부에 동 자료 송부 (외무부)


- BOP품목의 관세화문제와 관련하여서는 관계부처간에 면밀하게 점검하여
적절한 대응방안을 강구토록 함.


- 9.30 UR/시장접근분야 호주정부대표단 면담과 관련하여서는 재무부 관세
국장이 본 면담을 주관하고 관계부처에서 함께 참석토록 함.      끝.


경 제 기 획 원 장

수신처:  외무부장관, 재무부장관, 농림수산부장관, 상공부장관, 특허청장


0168

2-2

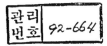

# 외 무 부

110-760  서울 종로구 세종로 77번지   /  (02)720-2188   /  (02)720-2686 (FAX)

문서번호  통기 20644-2513

시행일자  1992. 9.30.(        )

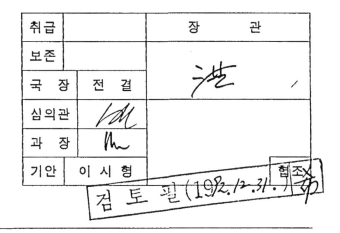

| 취급 | | 장      관 |
|------|------|------|
| 보존 | | |
| 국 장 | 전 결 | |
| 심의관 | | |
| 과 장 | | |
| 기안 | 이 시 형 | 협조× |

검 토 필 (1992. 12. 31. )

수신   주 제네바 대사

참조

제목   UR 실무대책위 회의결과

───────────────────────────────

연 : 통기 20644-2467

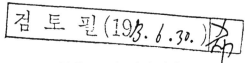
검 토 필 (1993. 6. 30. )

1. 연호 첨부 2 '92 하반기 UR 협상에 대한 대응' 내용중 일부를 표제 회의결과
   아래와 같이 수정키로 하였으니 참고 바랍니다.

- 아            래 -

o  TRIPs 분야의 아국입장 3개항중 '경과기간' 관련 항목과 '경과규정' 관련
   항목은 삭제하고, '정부제출 임상실험 자료보호' 항목에서는 기존입장을
   유지하되, "단, 일부 선진국 및 대다수 개도국이 반대 입장이므로 우선적
   반대입장 표명은 자제" 키로 단서를 붙임.

o  시장접근 분야 협상중 관세 무세화 협상에서는 "각국의 경제력, 산업발전 수준이
   감안된 응능부담 원칙의 적용 필요"라는 표현으로 수정

2. 아울러 연호 공문의 예고문을 93.6.30.로 수정 바랍니다.   끝.

접수<br>1992. 10. 02<br>통지과

외  무  부  장  관

0169

| 局 長 | 室 長 |
|---|---|
| | |
| | |

# 農産物 輸入開放관련 對外懸案問題檢討

'92. 9

## 對外 經濟 調整室
## 通 商 調 整 2 課

0170

# 《 目　次 》

0171

# I. 輸入自由化現況 總括

## 1. 品目別 輸入自由化 現況

(單位: HS 10單位)

| 區 分 | | 總 計 | 輸 入 自 由 化 品 目 數 | | | | | | 輸入制限 品 目 數 |
|---|---|---|---|---|---|---|---|---|---|
| | | | '89年以前 自由化 | '89~'91 自由化 | '92~'94 自由化 計劃 | | | | |
| | | | | | | '92 | '93 | '94 | |
| 總 計 | | 1,790 | 1,518 | 1,130 | 257 | 131 | 43 | 44 | 44 | 272 |
| | 輸 出 入 | 1,637 | 1,495 | 1,130 | 234 | 131 | 43 | 44 | 44 | 142 |
| | 統 合 | 153 | 23 | - | 23 | - | - | - | - | 130 |
| 農 畜 産 物 | | 1,166 | 961 | 736 | 156 | 69 | 23 | 23 | 23 | 205 |
| | 輸 出 入 | 1,028 | 938 | 736 | 133 | 69 | 23 | 23 | 23 | 90 |
| | 統 合 | 138 | 23 | - | 23 | - | - | - | - | 115 |
| 林 産 物 | | 282 | 276 | 266 | 9 | 1 | - | 1 | - | 6 |
| | 輸 出 入 | 282 | 276 | 266 | 9 | 1 | - | 1 | - | 6 |
| | 統 合 | - | - | - | - | - | - | - | - | - |
| 水 産 物 | | 342 | 281 | 128 | 92 | 61 | 20 | 20 | 21 | 61 |
| | 輸 出 入 | 327 | 281 | 128 | 92 | 61 | 20 | 20 | 21 | 46 |
| | 統 合 | 15 | - | - | - | - | - | - | - | 15 |

## 2. 輸入自由化計劃에 따른 輸入自由化率

(單位: HS 10單位, %)

| | 總品目 | 輸 入 自 由 化 率 | | | |
|---|---|---|---|---|---|
| | | '91 | '92 | '93 | '94 |
| 全 體 | 10,274 | 97.2 (283) | 97.7 (240) | 98.1 (195) | 98.5 (150) |
| 農畜水産物 | 1,790 | 84.7 (273) | 87.1 (230) | 89.5 (186) | 91.9 (142) |
| 工 産 品 | 8,484 | 99.9 (10) | 99.9 (10) | 99.9 (9) | 99.9 (8) |

* 註 : ( )내는 輸入制限品目

## 3. 輸入制限品目의 現況

(單位: HS 10單位)

| | 合　計 | | BOP 品目 | | 特別法 品目 | |
|---|---|---|---|---|---|---|
| | | NTC | | NTC 1」 | | NTC 2」 |
| 合　　計 | 272 | 124 | 142 | 79 | 130 | 45 |
| 農畜産物 | 205 | 124 | 90 | 79 | 115 | 45 |
| 林産物 3」 | 6 | - | 6 | - | - | - |
| 水産物 3」 | 61 | - | 46 | - | 15 | - |

註 : 1」쇠고기(15), 돼지고기(12), 닭고기(2), 우유 및 유제품(32), 감귤(11), 마늘(4), 참깨(3)

2」쌀(10), 보리(12), 옥수수(7), 고구마(4), 감자(6), 양파(2), 고추(3), 대두(1)

3」林産物, 水産物은 농산물 협상대상 품목이 아니고 市場接近 對象品目임.


## 4. 農産物 輸入制限品目 關税讓許現況

(단위: HS 10단위)

| | 合計 | BOP | | 特　別　法 | |
|---|---|---|---|---|---|
| | | 讓　許 | 非讓許 | 讓　許 | 非讓許 |
| 合　　計 | 272 | 36 | 106 | 22 | 108 |
| 農畜産物 | 205 | 28 | 62 | 22 | 93 |
| 林　産　物 | 6 | 2 | 4 | — | — |
| 水　産　物 | 61 | 6 | 40 | — | 15 |

註」 '93-94년에 수입자유화를 예시한 품목(88개)중 15개의 관세를 양허

- 2 -

0173

## 5. Country Schedule 의 主要內容과 BOP 와의 關係

(단위: HS 10단위)

| | | T . E | M M A | C M A |
|---|---|:---:|:---:|:---:|
| B O P (142) | 쇠 고 기 (15) | × | 0 | 0 |
| | 돼지고기 (12) | × | 0 | 0 |
| | 닭 고 기 ( 2) | × | 0 | 0 |
| | 우유및 유제품 (32) | × | 0 | 0 |
| | 감 귤 (11) | × | 0 | 0 |
| | 마 늘 ( 4) | × | 0 | 0 |
| | 참 깨 ( 3) | × | 0 | 0 |
| | 기타품목 (11) | 0 | 0 | 0 |
| 특별법 (130) | 쌀 (10) | × | × | × |
| | 보 리 (12) | × | 0 | 0 |
| | 옥 수 수 ( 7) | × | 0 | 0 |
| | 대 두 ( 1) | × | 0 | 0 |
| | 고 추 ( 2) | × | 0 | 0 |
| | 양 파 ( 2) | × | 0 | 0 |
| | 감 자 ( 6) | × | 0 | 0 |
| | 고 구 마 ( 4) | × | 0 | 0 |
| | 기타품목 (58) | 0 | 0 | 0 |

주」 '92. 4. 10 GATT 에 제출한 C/S 에는 BOP 대상품목중 수산물. 임산물 제외

0174

II. 農産物 輸入開放關聯 對外懸案問題 檢討

1. BOP條項 援用中斷 對象品目 範圍

〈 問題의 提起 〉

- GATT/BOP 對象品目範圍와 관련하여 최종협의문에서 단지
  "its remaining restrictions"으로 표기됨에 따라
  具體的인 品目의 범위가 불분명

   ㅇ 우리나라는 對外貿易法에 수입제한의 근거를 두고
      있는 수출입공고상 制限品目(현재 : 142개)에 한정

   ㅇ 美國등 일부 농산물 수출국은 현재 한국이 수입을
      제한하고 있는 모든 農産物이 포함되어야 한다는 입장

      · 수출입 공고상 제한품목 뿐만 아니라 特別法에
        수입제한의 근거를 두고 있는 統合公告品目도 포함.

- 農産物 輸入制限 現況

(單位: HS 10單位)

| 구        분 | 합      계 | '91년<br>이전자유화 | '92~'94<br>자유화예시 | 수입제한 품목수 |
|---|---|---|---|---|
| 合        計 | 1,790 | 1,387 | 131 | 272 |
| 輸  出  入<br>統        合 | 1,637<br>153 | 1,364<br>23 | 131<br>- | 142<br>130 |

〈 檢討意見 〉

- 輸出入公告上 制限品目만을 대상으로 하여 '92~'94
  農産物 輸入自由化 豫示計劃을 작성, GATT에 통보하였음
  에도 미국등 이해관계국이 이의제기를 하지 않았다는
  사실을 감안할 때 일단 BOP 對象品目을 수출입공고상
  制限品目으로 限定하여도 타당

0175

- 4 -

- 다만, 統合公告上 對象品目의 수입을 계속 제한하기 위해
  서는 동 품목이 GATT規定에 일치하는지 여부를 점검하여
  '95-97 輸入自由化 計劃의 작성시점('94.3). 또는 늦으면
  '97.7까지 GATT에 통보하는 것이 필요

  ㅇ 特別法上 輸入制限根據가 GATT규정에 일치하지 못할
    경우에는 輸入自由化 不可避

  ㅇ '97.7이전에 UR협상이 타결될 경우에는 UR協商結果에
    따라 關稅化가 가능할 것으로 판단


2. 統合公告上 輸入制限品目의 GATT規程 一致與否

    〈 品 目 現 況 〉                        (單位: HS 10單位)

| 根據法律 | 品 目 名 | 品目數 |
|---|---|---|
| 양곡관리법<br>사료관리법<br>주요농작물<br>종자법 | 쌀, 보리, 밀, 고구마, 감자,<br>대두, 옥수수등 | 71 |
| 잠업법 | 잠종, 뽕나무 | 2 |
| 수산업법 | 활어, 미역, 해초류등 | 12 |
| 축산법 | 소, 돼지, 닭등 | 10 |
| 종묘관리법 | 사과나무, 배나무, 복숭아나무,<br>귤나무, 채소종자등 | 5 |
| 담배사업법 | 연초종자, 잎담배, 담배부산물 | 12 |
| 인삼사업법 | 수삼, 백삼, 홍삼등 | 18 |
| 합 계 | | 130 |

< 檢討意見 >

- 糧穀管理法, 飼料管理法에 대한 Grandfather조항의 원용,
  수산업법, 주요농작물종자법, 잠업법에 대한 GATT 20조
  (b)항(인간 및 동식물의 생명 혹은 건강의 보호를 위하여
  필요한 조치)의 援用은 일부 가능

- 다만, 축산법상, 종묘관리법상등 기타 法에 의한 制限品目은
  GATT규범에의한 대응논리마련이 어렵다고 판단됨.

| GATT 規程 | 對象法令 | 檢 討 意 見 |
|---|---|---|
| ① Grandfather條項 | 양곡관리법 | - 우리나라가 GATT가입(1967)이전에 제정된 법률(1950년 제정, 63년 전문개정)로서 Grandfather조항 援用要件(GATT가입이전 존재, 강행규정)을 만족시킨다 할 수 있으므로 원용가능하다고 판단됨.<br>O '90. 2월 GATT事務局의 재검토 요청으로 糧穀管理法만을 Grandfather조항 원용 근거 법률로 통보 |
| | 사료관리법 | - GATT가입이전(63년제정)에 존재하며 農林水産部長官의 사료수입 및 공급등에 대한 수급계획수립 등은 강행규정으로 볼 수 있으므로 援用 可能하다고 판단됨. |
| ② GATT 20條(b)<br>(人間 및 動植物의 生命 혹은 健康의 保護를 위하여 필요한 조치) | 수산업법<br>주요 농작물<br>종자법<br>잠업법 | - 水産業法上 制限品目인 양식용 수산 동식물의 이식제한 또는 금지, 주요농산물 종자법에 의한 수입추천요건, 축산법상의 종축, 정액 및 정란에 대한 輸入制限規程은 GATT 20조의 규정을 援用할 수 있다고 봄. |

- 6 -

0177

## 3. GATT/BOP 合意事項과 UR 協商과의 連繫問題

### 1) GATT/BOP 自由化計劃 協議('91.7)時 對應論理

< 그간의 現況 >

- 우리나라는 '91.3 GATT/BOP 合意事項을 이행하기 위한 輸入 自由化 豫示 計劃('92-'94)을 GATT에 통보하면서 UR協商이 타결될 경우 妥結時点에서 輸入이 制限된 品目은 UR協商 결과에 일치시키겠다는 입장을 조건으로 제시

- 이에 미국, 호주 등 農産物 輸出國은 한국이 '89.11 GATT/BOP 위원회에서 약속한 사항('97.7까지 殘存輸入制限品目을 단계적으로 輸入을 自由化 하거나 GATT規定에 一致)은 UR협상의 타결과 관계없이 준수되어져야 한다는 입장을 제시

| 韓　　　國 | 美　　　國 |
|---|---|
| - 한국은 GATT/BOP 合意에서 약속한바에 따라 '97.7까지 단계적으로 輸入을 自由化 하거나 GATT規定에 一致시켜 나갈 것임<br>- 다만, UR협상이 타결되면 그동안의 協商結果가 새로운 國際貿易規範으로 역할을 하게 되어 기존의 GATT規範을 포괄하게 될것이므로 UR협상 타결 시점에서 殘存 輸入制限品目을 UR 협상결과에 따라 關稅化하는 것이 GATT/BOP 합의 사항에 위배되지 않는다고 봄 | - 한국은 원칙적으로 '90.1.1부터 GATT/BOP 條項의 援用을 中斷하였으며, 다만 한국농업의 어려움을 감안하여 '97년까지 7년간의 유예기간을 부여한 것에 불과하기 때문에 7년간의 유예기간동안 유지되고 있는 輸入制限措置는 UR협상의 대상이 아니고 GATT/BOP 합의내용에 따라 輸入開放이 되어야 함<br>* 최근 쇠고기 협상과정에서 미국은 설사 GATT규정에 UR협상이 포괄된다 하더라도 덴켈 Text에서는 국제수지를 |

| 韓　　　　國 | 美　　　　國 |
|---|---|
| * 최근 농수산부는 쇠고기협상 과정에서 '90.1.1 이후 한국이 취하고 있는 수입제한 조치는 BOP 조항의 원용이 아닌 잔존수입제한 조치로써 관세화 대상이라는 입장을 미측에 제시 | 이유로한 조치는 관세화의 예외 대상으로 제시되어 있기 때문에 한국의 BOP 품목은 UR 농산물 협정문의 단서(footnote)에 의하여 관세화 하는 것이 불가능하다는 새로운 입장을 제시 |

< 대응논리 >

- 우리나라가 GATT/BOP 協議에서 약속한 사항은 '97.7까지 殘存輸入制限 品目(수출입공고 대상품목)을 自由化하거나 GATT規定에 一致시킨다는 것이므로 UR협상이 타결되어 UR협상결과가 새로운 國際貿易規範으로서 역할을 수행하게 된다면 殘存輸入制限品目에 대한 關稅化도 GATT/BOP 합의사항을 위배한다고 볼수 없음

* 동건관련 GATT 事務局意見(農業局長, 法律局長)

ㅇ UR 협상이 아직 타결되지 않는 상태에서 BOP 합의사항에 따른 수입자유화 예시 계획을 작성, GATT에 통보하는 작업이 필요하다고 보나,

ㅇ UR 농산물협상이 종료되는 시점에서 미집행 자유화 예시 품목(예: '93년도에 협상이 타결되었을 경우 '94년도 자유화 예시품목)에 대하여 UR 협상결과를 원용(관세화)하는 것은 법률적으로 문제가 없다고 판단됨

ㅇ 다만, 교역상대국의 양해가 필요한 정치적 사항이므로 당사국간의 협상으로 해결되어야 할 것으로 봄

2) 한.미 쇠고기 協商시 제기된 爭點에 대한 檢討意見

< 問題提起 >

- 최근 쇠고기 협상과정에서 쇠고기의 關稅化 不可理由로서
  미측이 새로이 제시한 입장에 대해서는 輸出入公告上 輸入
  制限品目(HS 10단위 142개)전체와 관련된다는 점에서
  설득력있는 論理 開發과 정확한 對應이 必要

- 특히 동 문제와 관련하여 ① BOP對象 品目의 定義 ② UR協定
  文의 footnote에 대한 검토가 필요

| 미 측 입 장 | 우 리 입 장 |
|---|---|
| - 쇠고기는 BOP대상품목(GATT 18조에 의한 제한)이므로 던켈 최종협정문(안)의 단서 (foot note)에 의하여 관세화 대상에서 제외 | - '90.1.1이후 한국이 취하고 있는 수입제한조치는 BOP원용이 아닌 잔존수입제한조치로서 관세화 대상이며, <br> - UR협정문 footnote의 취지는 관세화 대상을 제한하려는 것이 아니라 개도국의 특수상황을 고려하여 T.E적용에 신축성을 부여하기 위한 것임 |

< 檢討意見 >

① BOP 對象品目의 定義

- 미국은 금번 쇠고기 협상에서 그동안 '90.1.1부터 한국이
  BOP조항의 援用을 中斷했다는 主張(즉, BOP 협의시 GATT에
  통보된 품목은 '90.1.1부터 원칙적으로 수입이 자유화된
  것으로 간주)을 변경하여 '97.7까지의 유예기간이 GATT
  18조에 의한 制限으로 간주한다는 立場을 제시

- 반면, 農林水産部는 그동안 '97.7까지 BOP 조항을 이유로 輸入制限을 계속 유지한다는 입장을 견지하고 있었으나, 금번 쇠고기協商에서는 '90.1.1 이후 한국이 취하고 있는 輸入制限措置는 BOP조항을 이유로한 수입제한이 아니고 (즉, '90.1.1 부터 BOP조항의 원용중단) UR協定文(案)의 關稅化 對象인 수량 제한조치로 설명

- 현재 동 개념과 관련하여 미국, 우리나라 모두가 종전과 다른 立場을 제시하고 있으나 ①BOP對象品目은 GATT 18조 B항을 근거로 수입을 제한하고 있는 품목으로 해석 가능하고 ②'97.7까지의 輸入制限措置도 동 조항의 원용이 지속되고 있는 상태로 판단 가능하다는 점을 감안하여 우리나라는 既存立場을 견지, '97.7까지의 輸入制限을 BOP 조항을 이유로한 輸入制限 조치로 보는 것이 타당

  < 참고 > BOP협의시 관련 합의내용

     The Committee had welcomed Korea's decision to disinvoke Article XVIII;B by I January 1990.

     The Committee had welcomed Korea's undertaking to eliminate its remaining restrictions or otherwise bring them into conformity with GATT provisions by I July 1997.

② UR協定文의 footnote 解釋 問題

- 동건관련 UR/最終協定文(案)의 內容

  ㅇ 輸入數量制限, 可變附課金制, 輸出自律規制, 기타 GATT 規定上 例外措置등 비관세장벽을 국내가격과 국제가격의 차이에 상당하는 關稅相當置(Tariff Equivalent; T.E)로 전환하여 7년간(개도국: 10년간) 36%(개도국: 24%) 減縮

0181

- 10 -

o 國際收支 이유에 의해서거나 緊急輸入制限, 국민의 건강등
  一般的 例外, 國家安保를 이유로하는 예외조항(GATT 12,
  18, 19, 20, 21조)에 의하여 유지되고 있는 조치들은 제외

〈 참고 〉 던켈 최종협정문(안) Annex 3, para 1

1. The policy coverage of tariffication shall include all
   border measures other than ordinary customs duties * such
   as: quantitative import restrictions, variable import
   levies, minimum import prices, discretionary import
   licensing, non-tariff measures maintained through state
   trading enterprises, voluntary export restraints and any
   other schemes similar to those listed above, whether or
   not the measures are maintained under country-specific
   derogations from the provisions of the General Agreement.

---

   * Excluding measures maintained for balance-of-payments
     reasons or under general safeguard and exception
     provisions(Articles XII, XVII, XIX, XX and XXI of the
     General Agreement)

- UR/最終協定文(案)에서 제시된 본 조항과 단서(footnote)는
  양자택일적 조항이라기 보다는 關稅化를 하기 어려운 국가에
  제한적으로 예외를 인정하기 위해 마련된 條項으로 해석하는
  것이 보다 타당

- 따라서 현재 BOP나 緊急 輸入制限措置를 이유로 수입을 제한
  하고 있는 국가는 UR협상 이행시점에서 당연히 關稅化 對象
  에서 동 품목을 제외할 수 있을 뿐만아니라 동 국가의 판단에
  따라 關稅化 措置를 시행할 수 있다고 판단됨

0182

- 이러한 점을 감안할 때 현재 우리나라가 '97.7 까지 유지
하게될 輸入制限措置는 BOP를 이유로한 수입제한의 연속
으로 볼 수 있기 때문에 BOP品目에 대하여 UR협상 결과에
따라 關稅化 할 것인지 또는 97년 7월까지 단계적으로
輸入을 自由化할 것인지는 UR협상결과 이행시점에서 우리
나라가 판단하여 추진하여도 國際規範에 위배되지 않는
것으로 주장 가능

  ㅇ 다만, 우리나라의 동 조치가 GATT規定에 일치하지 않는
    다고 생각하는 국가는 GATT에 提訴하여 동 조치가 GATT
    규정에 일치하는지 여부를 계속 논의하게될 것으로 예상

< 참고 >  Walter 농업국장의 견해

- 단순히 문맥상으로는 미측 견해와 같이 해석될 수 있으나 동 조항
  의 배경은 개도국이나 수입국에게 제한적으로 관세화의 예외를
  인정하려는 것임

- 따라서 한국의 잔존수입 제한처리 방법은 ① 별도 Track 인 BOP
  협의결과에 따르는 방안 ② 잔존수입제한을 현싯점에서 관세화
  하는 방안 모두가 가능할 것으로 해석됨

- 그러나 이러한 문제는 미국등 이해당사국과의 협상을 통해 결정될
  문제임

0183

- 12 -

| 정 리 보 존 문 서 목 록 | | | | | |
|---|---|---|---|---|---|
| 기록물종류 | 일반공문서철 | 등록번호 | 2020030183 | 등록일자 | 2020-03-17 |
| 분류번호 | 764.51 | 국가코드 | | 보존기간 | 영구 |
| 명 칭 | UR(우루과이라운드) 협상 실무대책위원회, 1992. 전3권 | | | | |
| 생 산 과 | 통상기구과 | 생산년도 | 1992~1992 | 담당그룹 | |
| 권 차 명 | V.3 10-12월 | | | | |
| 내용목차 | * UR 협상 실무대책위 등 협상 관련 자료 | | | | |

0001

# UR 對應資料

## '92. 10. 10

## Ⅰ. 美國-EC間 合意에 이를 경우의 對應(案)

### 1. 豫想動向

- 兩陣營 및 던켈總長은 미국·EC간의 합의내용만을 반영하는 制限的인 協定文案 調整作業(TRACK Ⅳ)을 가동시키고 아울러 市場接近, 서비스讓許協商(TRACK Ⅰ~Ⅱ) 및 法制化(TRACK Ⅲ) 協商을 가속화시킬 것임.

- 이러한 作業推進을 위하여 일단 TNC召集이 있을 것으로 예상할 수 있으며 美國과 EC 그리고 Dunkel總長은 각각 여타 협상 참가국들에게 美國·EC間 合意結果를 수락하도록 多者的 또는 雙務的 外交力量을 총동원할 것임.

- 日本등 關稅化例外를 주장하는 국가들과 개도국들은 兩陣營의 一方的 協商進行企圖에 반발할 것이나 어느정도의 結束力이 유지될 수 있을지는 未知數임.

  ○ 美國등은 개별적인 deal making을 통한 전형적인 "divide and rule"이 試圖될 것으로 예견됨.

- 한편 國內的으로는 다음과 같은 動向이 예상됨

  ○ 韓國이 주장해 온 關稅化 例外認定이 현실적으로 매우 어려워졌다는 論評이 많을 것이며

  ○ 이러한 狀況에서 ① 관철이 현실적으로 불가능한 내용을 政府가 아무 대안없이 계속 주장만 하고 있다는 批判과, ② 혹시 정부가 이제는 立場修正을 하는 것이 아닌가 하는 의구심이 함께 나타날 것임.

  ○ 이에 따라 向後의 政府協商戰略이 무엇인가에 대한 추궁이 예상됨.

0003

## 2. 美國·EC間 妥結發表時의 對應課題

### 가. 政府立場의 整理, 表明

- 美國·EC間 妥結發表가 있은 후 ① 즉각적으로 政府立場을 표명하는 방안과 ② 일체의 公式反應表明을 자제하고 UR對策實務委(또는 對協委)의 논의, 점접과정을 거친후 政府立場을 표명하는 方案의 두가지가 있음.

  ○ 合意內容의 면밀한 분석과 關係部處間의 일관된 대응 등을 위하여 일단 신중한 ②의 對應이 바람직함.

- 政府基本立場은 협상테이블인 TNC에서 발언하는 형식이 바람직하나 國內에서의 需要(國會, 言論등)를 감안할 때 시기적으로 국내에서의 立場表明이 앞설 可能性이 높음.

  ○ 이경우 어떤 계기와 형식으로 政府立場을 표명할 것인가에 대하여도 檢討가 필요함.
  ○ 政府基本立場 및 對國會 言論對應(案)은 첨부내용을 토대로 함.

### 나. 向後 協商戰略의 樹立

1) 向後의 協商進行過程에 대한 면밀한 전망작업 실시
   ○ 協商發效時点까지의 일련의 과정을 분석

2) 最終協商過程에 임하는 政府立場의 點檢, 確定
   ○ TRACK Ⅳ에서 반드시 貫徹시킬 사항을 확인
   ○ 農産物 讓許協商에 대응하기 위한 구체적 입장확정

3) 우리立場 反映을 위한 교섭노력 강화
   ○ 共同戰略과 差別化戰略의 병행
   ○ 美國등 주요국과의 개별교섭 검토

다. 協商對應體制의 強化

1) UR對策實務委員會를 常時稼動體制로 운영
   ㅇ 필요시 對外協力委員會도 소집

2) 協商結果의 國內受容 작업추진

< 添附 >

1. 政府의 基本立場(案)

1) 한국정부는 美國-EC間의 合意導出이 UR협상의 교착상태를
벗어날 수 있는 重要한 契機를 마련하였다는 점에서 이를
환영함.

2) 한국정부는 그러나 美國-EC間의 合意는 어디까지나 兩當事者間
의 合意이며, 동 내용이 그대로 UR협상의 최종적 結果로 채택될
수는 없다는 立場을 分明히 하고자 함.

3) 한국정부는 '92.1.13 TNC 회의에서 밝힌바와 같이 農産物등
主要爭點에서 輸出國과 輸入國, 先進國과 開發途上國의 보다
균형있는 合意의 導出이 必要하다고 보며 특히, 식량안보관련
基礎食糧에 대하여는 반드시 關稅化의 例外가 인정되어야 함을
다시한번 강조하고자 함.

4) 한국정부는 앞으로 보다 均衡있는 합의도출을 위하여 UR협상
참가국 모두가 참여하는 多者化된 協商過程이 조속히 再開.
進行될 것을 축구하며 아울러 한국정부는 1986년 UR협상 개시
이후 일관되게 보여온 바와 같이 UR협상의 成功的 妥結을
위하여 계속 적극적인 참여와 협조자세를 견지할 것임.

2. 國會, 言論에의 對應(案)

- 上記 基本立場을 說明하고 아울러 다음과 같은 背景說明을 追加

    1) 이번 美國-EC間의 合意로 UR妥結의 展望이 可視化된 것은 사실
       이며 또한 우리가 주장해오던 關稅化例外認定이 더욱 어려운
       狀況에 놓이게 되었다는 事實을 부인할 수는 없음

    2) 그러나 UR協商은 어디까지나 GATT체제를 강화하려는 多者間協商
       이라는 측면이 強하기 때문에 兩陣營의 合意結果가 餘他國에
       그대로 강요되는 방식이 통용될 수는 없고 반드시 多者化시키는
       과정을 밟아야 한다는 것이 多數 協商參加國 특히 開途國들의
       확고한 입장이기 때문에 앞으로도 협상내용의 최종적인 마무리
       절충과정이 남아있는 것임.

       ㅇ 더우기 關稅化例外認定과 관련하여서는 한국뿐 아니라 일본,
          캐나다, 스위스등도 계속 이견을 보이고 있으므로 아직
          최종적인 절충과정을 남겨놓고 있는 사안으로 볼수 있음.

    3) 앞으로 政府의 協商戰略은

       ㅇ 한편으로는 開途國들과 연대하여 미국-EC간 합의결과의
          多者化를 계속 촉구하고,

       ㅇ 한편으로는 예외없는 관세화에 반대하고 있는 국가들과
          연대하여 최종협정문안의 절충과정에서 關稅化例外認定을
          반영시키기 위한 最大限의 協商努力을 傾注할 방침임.

    4) 정부는 이상과 같은 狀況 인식하에 향후 협상에 임할 것이기
       때문에 현단계에서 關稅化 例外認定이 반영되지 못했을 경우를
       前提로하는 어떠한 對策도 고려하고 있지 않음.

    5) 政府는 현재 정부내에 구성되어 있는 UR對策實務委員會(委員長:
       經濟企劃院 對外經濟調整室長)를 常時稼動體制로 운영하여
       앞으로의 協商展開狀況에 기민하게 最善의 對應策을 강구해
       나가도록 할 것임.

0007

## II. 美國-EC間 妥結에 失敗할 경우의 對應(案)

※ 協商妥結의 失敗가 명백해 질 경우 정부는 다음의 基本立場과 國會, 言論에의 對應資料를 토대로 일관된 입장을 表明하도록 함.

1. 政府의 基本立場(案)

   1) 한국정부는 자유무역체제의 多者間 規範을 만들고자하는 6년여에 걸친 UR협상노력이 결렬된데 대하여 심각한 우려를 表明함.

   2) 한국정부는 UR협상을 통하여 가장 많은 이득을 볼수 있는 미국과 EC 兩陣營이 상호절충에 실패하여 UR협상이 다시 표류하게되고 많은 나라들 특히 開發途上國들이 다시 雙務的인 貿易摩擦과 지역주의장벽에 부딪치게된 상황에 이르게된데 대하여 실망을 금치 못하며 하루속히 모든 협상 참가국들이 보다 均衡된 協商結果를 도출해내기 위한 진지한 자세를 가지고 협상을 재개할 것을 촉구함.

      ㅇ 최근 급속히 확산되고 있는 지역주의 추세하에서 한국은 UR협상의 成功的 妥結이 세계경제의 均衡있고 持續的인 發展에 필수적이라고 인식하여 왔으며, 이러한 인식에서 1986년 UR협상 초기단계부터 모든 협상분야에 적극적으로 참여하여 왔음을 상기할 필요가 있음.

0008

## 2. 國會, 言論에의 對應(案)

- 上記 基本立場을 説明하고 아울러 다음과 같은 背景説明을 추가

   1) UR妥結이 사실상 失敗함에 따라 우리경제는 매우 어려운 狀況에
      놓이게 될 가능성이 큼.

      ○ UR협상과정에서 제기되었던 문제들이 거의 예외없이 雙務的인
         통상압력의 형태로 우리에게 요구될 것임.

      ○ 미국, EC등의 保護主義는 더욱 강화되고 반덤핑조치의
         빈발, 일방적인 무역보복조치의 강화등 회색조치의 확산이
         예견됨.

      ○ EC 봉합, NAFTA등 지역주의가 한층 강화되는 추세하에서
         多者體制下의 規範定立이 늦어짐으로써 城外國인 한국은
         더욱 불리해 질 것으로 예견됨.

   2) 따라서 앞으로 우리가 취할 대응방향은,

      ○ 한편으로는 多者體制의 強化를 위한 UR협상의 노력이
         어떠한 형태로는 다시 再開되도록 촉구하면서

      ○ 다른 한편으로는 과연 현재의 표류상태가 향후 어떻게
         발전될 것인가에 대한 면밀한 분석을 하여 對外經濟戰略을
         새로이 再點檢. 整備해 나갈 방침임.

0009

# 미.EC간 유지종자(oilseed)분쟁 전망

92. 11. 7.

통 상 기 구 과

0010

## - 목 차 -

0011

# 미.EC간 유지종자(oilseed)분쟁 전망

## 1. EC의 oilseed 보조금 체계

o EC는 1960-61간 제네바에서 개최된 딜론라운드 관세 협상시 미국에 대해
oilseed를 무관세로 양허하였으며, 동 무관세 양허는 1963.1.12부터 발효

o EC는 각 회원국 별로 상이한 oilseed 보조금 제도를 일원화하고 적정
생산수준 확보를 위해 1966년 9월 EEC Regulation 136/66을 채택하여
EC 역내에서 생산되는 oilseed에 대해 목표가격과 세계시장 가격차이
만큼의 보조금을 지급하는 가격보조제도 채택

- 형식적으로는 EC역내에서 생산되는 oilseed를 목표가격에 구입하는
가공업자들(processor)에게 보조금을 지급하는 형식을 취함.

o 90.1.25. 제1차 패널보고서 채택이후 EC는 oilseed 생산자에 대해 직접
보조금을 지급하는 직접보조 제도로 전환 (91.12)

## 2. 미.EC간 oilseed 분쟁

### 가. 1차 패널

o 미 대두협회가 1986년부터 EC의 oilseed 보조금으로 인해 피해를 보고
있다고 주장하고 EC의 보조금 지급 중단을 요구함에 따라 USTR은
88.1월 동건과 관련하여 301조 발등

o 미국과 EC 88.2.19 및 4.19. 2차에 걸쳐 갓트 23조 1항에 따른 양자
협의 개최

- 1 -

0012

o  2차에 걸친 양자협의에서 합의가 이루어지지 않음에 따라 미국은
   88.4. EC의 oilseed 생산 및 가공업자에 대한 보조제도가 갓트3조
   (내국민 대우) 및 2조(관세 양허) 위반임을 들어 갓트에 제소

o  88.6. 설치된 패널은 89.12.14. EC의 보조금 제도 (EC산 oilseed 구입
   조건으로 가공업자에 대해 보조금 지급)가 갓트 3조 및 2조 위반이라고
   판정하고 EC가 등 보조금 제도를 합리적인 기간내에 갓트에 합치시키도록
   하되 등기간중 체약국단이 보복조치를 취하지 않을 것을 권고
   (등 보고서는 90.1.25. 채택)

o  상기 패널 권고사항에 따라 EC는 기존의 가격 보조금 제도를 oilseed
   생산자에게 생산량에 관계없이 직접보조금을 지급하는 직접보조금
   제도로 변경 (EC는 등 제도를 91.12. 공식 채택)

나. 2차 패널

o  미국은 상기 EC의 새로운 직접보조금 제도가 여전히 갓트 2조 및 3조
   위반임을 들어 91.10.8. 원패널 재소집을 요구

o  갓트 총회는 91.12.3. 원패널 재소집을 결정하였으며, 재소집된 패널은
   92.3.31. EC의 새로운 직접보조금 제도가 oilseed에 대한 무관세양허
   효과를 계속 침해하고 있다고 판정하고 EC에 대해 등 보조금 제도를
   수정하거나 갓트 28조에 의거 관세양허 재협상을 하도록 권고하는 2차
   패널보고서 배포

o  상기 2차 패널 보고서는 92.4.30. 갓트이사회에서 EC의 거부로 채택
   되지 못함.

o  EC는 92.6.19. 갓트이사회에서 갓트 28조 4항에 따른 양허 재협상
   착수 승인을 요청하였으며, 이에 미국이 동의함에 따라 60일간의
   양허 재협상 실시

- 2 -                                            0013

o 미국과 EC는 92.6.19-8.18간 양허 재협상을 실시하여 타협을 모색하였으나 합의에 실패

o 92.9.29-10.1간 개최된 갓트이사회에서 미국은 EC에 대해 30일 시한의 구속력 있는 중재 패널설치를 요구하였으나 EC가 반대

## 3. 미국의 대 EC 보복조치 발표

o 미국은 EC가 92.6.5. 갓트이사회에 양허 재협상을 공식 요청한 것과 관련 EC의 등 요청을 지연 전술로 간주하여 92.6.12. 20억불상당의 보복관세 부과 대상품목 list를 발표
   - 동 list는 30일간의 의견 수렴 과정을 거쳐 10억불 규모의 최종 보복 대상품목을 선정한다는 방침하에 농산물을 대상으로 작성

o 미국과 EC는 60일간의 보상협상 이후에도 양자 협상을 계속하였으나 92.10.19-21간 실무급 협상 및 92.11.1-3간 시카고에서 개최된 농무장관 회담에서도 끝내 이견을 좁히지 못함에 따라 92.11.5. 하기 내용의 대 EC 보복조치를 발표 :
   - 발효시기 : 92.12.5.
   - 대상품목 : 백포도주, 유채유, 소맥 글루틴(이들 3개 품목의 EC로부터 연간 수입액은 3억불로서 미국의 92.6.12. 발표한 보복대상 품목중에서 선정)
   - 보복조치내용 : 등 3개 품목에 대해 양허철회 및 200% 관세부과 (단 보복조치 발효이전 30일간 EC와 계속 협상 용의)
   - 추가보복 대상품목 : EC로 부터 수입액이 연간 17억불에 달하는 품목들을 추가 보복대상으로 선정

- 3 -

0014

# 4. oilseed 분쟁과 UR 협상과의 관계

o oilseed 분쟁은 미 대두협회의 제소로 시작되어 갓트 분쟁해결 패널에
   의한 판정을 받은 사안으로서 원칙적으로 UR 농산물 협상과는 무관하나
   사실상 UR 농산물 협상과 밀접한 관계를 가짐.

o 즉 EC로서는 oilseed 보조금 문제가 매우 민감한 사안으로서 현실적으르
   등 보조금을 갓트 패널 권고사항에 따라 갓트 규정에 일치시키기가 극히
   어려운 사안이므로 동 패널보고서 이행문제를 UR 농산물 협상타결에 연계
   하여 UR 농산물 협정 이행을 통해 해결할 수 밖에 없는 입장임.

o 미국은 UR 협상에서 농산물 협상의 성공적 타결에 커다란 비중을 두고
   있으며 과거 등경라운드 협상과정에서 EC의 반대로 농산물분야가 최종협상
   결과에서 제외되었던 경험을 되풀이 하지 않기 위한 전략의 하나로서 EC의
   oilseed 보조금 문제를 활용한 측면도 있음.
   - 즉 미국은 UR 협상이 중반에 접어든 시점('88.6월)에서 패널을 설치하여
     EC의 oilseed 보조금 제도에 대해 갓트 위반판정을 도출해낸후 UR 협상
     막바지 단계에서 oilseed 패널 권고사항 이행을 무기로 UR 농산물 협상에서
     EC로부터 최대한의 양보를 이끌어내어 궁극적으로 UR 농산물 협상 결과를
     자국에 유리한 방향으로 유도한다는 전략을 구사

o 현재 oilseed 분쟁과 관련 미국이 연간 EC의 oilseed 생산량을 900만톤으로
   감축할 것을 요구하고 있는데 반해 EC는 950만톤으로 이하로의 감축에 반대
   함에 따라 타결이 지연되고 있음.   특히 EC는 연간생산량 상한선을 명시적
   으로 설정하는데 반대하고 있는바, 이러한 EC의 입장은 지난 5월 채택된
   CAP 개혁의 범위내에서 UR 농산물 협상을 타결함으로써 별도로 oilseed
   패널 권고사항을 이행치 않으면서 UR 농산물 협상결과의 이행을 통해 동
   분쟁을 해결하려는 EC의 기본전략에서 비롯됨. (UR 농산물 협정 초안에
   보조금 감축은 규정되어 있으나, 생산량 상한선 설정등 생산량 감축에 관한
   명시적인 규정은 없음)

# 5. 전  망

o 미국이 보복조치 발표시 12.5까지 30일간의 유예기간을 설정한 것은
  동 기간중에 EC와 양자적 타결을 계속하겠다는 의사를 암시하므로
  미국이 보복조치를 실제로 발동하기 이전인 12월초까지 미국과 EC는
  타협안을 계속 모색할 것으로 전망됨. (단, EC가 미국과의 협상에서
  대등한 지위확보를 위해 대미 대응보복 조치를 일단 발표할 가능성도
  있음)

o 미국과 EC가 12월 5일까지 oilseed 분쟁에 대한 궁극적인 해결책을 모색
  하는데 실패하더라도 양자합의에 의하여 미국이 보복조치의 발동을 몇개월
  동안 연기할 가능성도 있음. (과거 미.EC간 citrus 분쟁시 미국이 85.6.20.
  대 EC 보복조치를 85.7.13부터 발동하겠다고 발표한바 있으나 EC와의 협의를
  통해 보복조치의 발동을 85.10.31.까지 연기한 전례가 있음)
  - 특히 미국과 EC는 보복조치 발동시 상호 커다란 피해를 보게 되며,
    oilseed 분쟁이 우선 해결되어야 UR 협상타결의 관건이 되고 있는 UR
    농산물 협상에서의 돌파구가 마련된다는 점을 인식하고 있기 때문에
    양측은 oilseed 분쟁으로 인해 UR 협상자체가 무산되는 사태를 방지하기
    위해 가급적 보복조치를 실제로 발동하지 않는 방안을 모색할 것으로 보임.

o 실제로 미국과 EC가 보복조치를 발동한다 하더라도 전면적인 무역전쟁으로
  확산되기 보다는 내년초에 Clinton 미 행정부가 들어서고 EC도 Andriessen
  대외관계 집행위원과 MacSharry 농업담당 집행위원이 경질되는등 집행위원회가
  개편되어 양측 모두 새로운 협상담당자들이 oilseed 분쟁의 해결 및 UR
  농산물 협상의 타결을 모색할 것이므로 미.EC간 무역전쟁은 제한적이 될
  것으로 전망됨.

o 결론적으로 현 단계에서는 oilseed 분쟁이 UR 협상 진전에 장애 요인이
  되고 있으나 UR 협상 타결의 세계적인 중요성에 비추어 결국 미국과 EC가
  oilseed 분쟁과 UR 농산물 협상을 동시에 해결하는 방안을 모색할 것으로
  전망됨. 끝.

# UR 협상 현황
============

- 92.11.14 -
통상기구과

## 가. 최종 협정초안(Draft Final Act) 제시

o Dunkel 갓트 사무총장은 91.12.20. TNC 회의에서 답보상태에 머물러 있는 협상의 돌파구를 마련키 위해 모든 협상 분야에 걸쳐서 최종협정 초안을 제시

o Dunkel 총장은 각국이 최종 협정 초안을 검토, 92.1. TNC회의에서 최종 입장을 밝히고 92.3.까지 협상을 종결하기를 희망.

## 나. 92.1.TNC 회의결과 및 그후 협상경과

o 92.1. TNC 회의에서 4원 협상전략(Four Track)에 따라 최종협정 초안을 기초로 하여 4월중순 종결 목표로 양자.다자간 협상을 추진하기로 결정
  - Track 1 : 농산물 등 상품분야의 양허협상
               (농산물의 보조금 감축 계획 포함)
  - Track 2 : 서비스 분야의 양허 협상
  - Track 3 : 협정 초안의 법적인 정비작업
  - Track 4 : 협정 초안 내용중 특정 사항의 조정 필요성 검토

o T1-T3 협상은 진행되고 있으나 다소 부진한 편이며, 미.EC간의 농산물 관련 막후 쌍무협상도 고위 또는 실무급에서 수시 개최

o 미.EC간 농산물 보조금 관련 이견 해소 지연으로 협상 교착상태 지속

o 92.7월 뮌헨 서방 7개국 정상회담에서 연내 타결 원칙을 확인하고, 불란서 국민투표 (9.20) 까지는 관망키로 양해.

0017

다. 최근 UR 협상 관련동향

o 불란서 국민투표결과 마스트리트 조약안 51:49로 동과(9.20)

　- 농민층의 70%가 반대하는등 근소한 표차로 통과함에 따라 불 정부가
　　UR 협상타결을 위한 농산물분야 대미 양보에 어려움.

o Carla Hills 미 무역대표 구주순방(9월말)

　- 불란서 국민투표이후의 EC 동정 파악

o 시장접근 및 서비스 양자협상 개최

　- 시장접근 ： 10.6.

　- 서 비 스 ： 10.5-16.

o EC 일반이사회 개최(10.6, 룩셈부르그), 외무.통상장관 참가

　- UR 협상의 조속 타결을 희망하는 독일과 더 이상의 양보불가 입장을
　　고수하는 불란서의 의견대립

o Green Room 회의 (10.9)

　- T1, T2, T3 협상 진전상황 점검 및 향후 추진방안 협의 목적으로 소집
　- 상황 점검에 그침

o 미.EC 각료회담(10.11-12, 브랏셀)

　- 미측 Hills USTR, Madigan 농무장관, EC측 Andriessen 부위원장,
　　MacSharry 농업담당 집행위원 참석
　- 시장접근 및 서비스 분야에는 진전, 농산물분야 시장접근 및 수출
　　보조에는 기본방향에 관한 의견접근, Oilseed 문제 및 CAP 개혁에
　　따른 손실보장 직접보조금 처리문제는 미결
　- 실무회담은 지속키로 합의

o Bush 미 대통령, EC 정상들에게 서한발송(10.15)

　- 양측 협상대표들은 최선을 다하였으며, EC 정상들의 정치적 결단만
　　남았다고 언급

0018

o EC 긴급정상회담(10.16, 영국 버밍햄)

  - 집행위의 대미 협상 기본입장 보고 지지

  - 집행위에 92년말까지 UR 협상타결을 위한 교섭 Mandate 부여

o 4개국 통상장관회담(10.17-18, 토론토)

  - 미,EC,일,카 통상장관 참석

  - 미.EC 양자회담 결과 청취

  - 서비스, 시장접근, 공공구매, MTO 설치, 무역과 환경문제등 UR 협상
    타결에 직.간접으로 영향을 미칠 제반문제 논의(농산물 문제는 거론
    되지 않음)

  ※ 한국이 금융서비스, 시장접근, Chemical harmonization등에서 좀더
    진전된 입장을 보여야 한다는 의견도 있었음.

o 미.EC간 고위실무대표단 협상 실패(10.19-21, 브랏셀)

  - 미측 O'Mara, EC측 Legras

o Green Room 회의 개최(10.27)

  - UR 협상현황 점검 및 향후 추진방안 모색

  - TNC개최 문제등 논의하였으나 참가자 의견만 청취

o 미.EC 농업장관회담(11.1-3, 시카고)

  - Oilseed 생산물량 감축문제 타결 실패

o 제네바 주재 29개국 대표, G-7 정상들에게 UR 협상타결을 위한 정치적
  결단을 촉구하는 멧세지 전달(11.2)

  - 한국, 베네주엘라, 알젠틴, 호주, 오지리, 볼리비아, 브라질, 칠레,
    콜롬비아, 코스타리카, 체코, 폴란드, 핀랜드, 홍콩, 헝가리,
    아이슬랜드, 인니, 말레이, 멕시코, 뉴질랜드, 놀웨이, 파키스탄,
    페루, 필리핀, 싱가폴, 스웨덴, 탄자니아, 태국, 우루과이

0019

o 미 대통령선거 Clinton 후보 당선(11.3)

o 갓트이사회, 미국의 대 EC 보복신청 거부(11.4)
   - EC의 반대

o 미 Hills USTR, Oilseed 분쟁관련, 대 EC 3억불상당 보복조치 발표(11.5)
   - 백포도주 포함, 치즈, 코냑은 제외
     . 불란서 약 1.27억불 예상
   - 2차 대상품목으로 향수 및 공산품 포함
   - 30일 유예후 시행

o Green Room 회의(11.6)
   - 던켈 총장이 워싱턴, 브랏셀을 방문하여 현 위기상황에 대한 협상
     참가국 전체의 강한 우려를 전달하고, 미.EC의 정치적 의지 여부를
     먼저 확인하고 동 결과에 입각, 향후 방향 설정키로 함.
   - 던켈 총장은 회원국 전체로 부터의 공식 Mandate 부여 희망

o EC 무역장관회의(11.6-7, 런던)
   - 미국의 대 EC 제재에 대한 보복조치 일단 보류키로 결정
   - 프랑스에 대해 좀더 유연한 자세 촉구

o Green Room 회의(11.9)
   - TNC(11.10) 회의에서 Dunkel 총장이 발표할 Statement 내용 및 TNC
     운영방안 합의

o EC 일반이사회(외무장관 회의)(11.9, 브랏셀)
   - 집행위에게 대미 교섭계속, UR 및 Oilseed 문제 조속해결 노력촉구
   - 미국의 일방적 보복조치 발표에 우려, 양측의 보복조치 상승작용
     회피를 위한 조속한 조치 필요성 강조

0020

o   TNC 회의(11.10)

-   Dunkel 의장 Statement 요지

    .   TNC는 UR 협상이 위기에 직면하였음을 인식

    .   이 위기는 대체로 미.EC간 양자협상의 지연이 다자협상을 촉발하지
        못한데 기인

    .   더 이상의 다자협상 지연은 협상의 실패를 의미

    .   미.EC에 대해 다자무역체제에 대한 책임 촉구

    .   던켈의장으로 하여금 브랏셀과 워싱턴에 대해 공식적으로 상기
        우려 전달, 제네바에서 다자협상이 재개되도록 협조촉구

    .   의장은 모든 정부가 협상 참가준비가 되었다고 판단되면 조속히
        구체적인 작업계획을 제시

-   TNC 결의에 따라 던켈 의장은 브랏셀(11.12)과 미국(11.16)을 방문
    예정

※ 참고자료 :

    .   미.EC 각료회의(10.11-12) 내용

    .   Oilseed 분쟁 관련자료

11.16   던켈 의장 미국 방문

11.18~19. 미.EC 협상 재개 ( D.C)

11.20.  협상 타결 주발표
        미.EC

0021

# 미.EC 각료회의(92.10.11-12) 협의내용
========================================

(서비스, 시장접근 분야)

○ 양측 이견접근, 특히 금융서비스 분야에서는 양측 의견일치

○ 시정접근 분야의 의견접근이 있었으나 농산물 협상과의 package deal을
  위해 결론을 보지 못함.


(농 산 물)

○ 국내보조 : 미국은 EC가 미국의 결손지불정책(Deficiency Payment)을
  인정하는 대신 EC의 지지가격 인하 및 Set-Aside 시행에 따른 국내 보조
  문제에 대하여는 감축기간을 설정하지 않고 인정할 수 있다는 입장을
  보여 줌으로써 양측 입장차 축소

○ 수출보조 : 미국은 93-99 기간중 보조수출물량 감축을 23% 수준으로
  제시하는등 다소 양보한다는 입장을 보인 반면, EC는 14% 이상은 감축할
  수 없다는 당초 입장을 견지함으로써 의견차이 조정에 실패(특히 불란서는
  물량기준 감축공약은 수용할 수 없다는 의견)

○ REBALANCING : EC는 CAP 개혁의 기본원칙이 수입곡물 수요를 역내산
  곡물로의 대체를 촉진한다는 데에 있음을 강조하면서, REBALANCING의
  인정 필요성을 역설, 미국은 관세인하등 새로운 무역장벽의 설정을
  받을 수 없다는 입장을 견지

○ PEACE CLAUSE : 미국은 공식적 또는 다자적으로 일방적 무역보복
  조치를 포기한다는 공약에는 반대한다는 입장을 보였으나, 비공식적,
  쌍무적인 측면에서는 받아들일 수 있다는 입장

0022

( OILSEEDS 문제 )

o  미국은 EC가 동 품목 생산량을 7백만톤 수준까지 감축할 수 있는 조치를
   취해 줄 것을 요구한바 있으나, EC는 CAP 개혁에 따른 소맥 생산량의
   감축과 동시에 OILSEEDS의 생산량의 감축을 초래하는 여하한 조치도
   어렵다는 입장을 보임으로서 의견조정에 실패

0023

# 경 제 기 획 원

우 427-760 / 경기도 과천시 중앙동1 정부제2청사 / 전화 503-9146 / 전송 503-9141

▨▨▨▨▨▨▨▨▨▨▨▨▨▨▨▨▨▨▨▨▨▨▨▨▨▨▨▨▨▨▨▨▨▨▨▨▨▨▨▨

문서번호 통조이 10520- 97

시행일자 1992. 11. 13

(경유)

수신    수신처 참조

참조

| 선결 | | | 지시 | 공다· |
|---|---|---|---|---|
| 접수 | 일자시간 | 92: 11 16 | 결재·공람 | 국차 洪 |
| | 번호 | 39834 | | 심의관 |
| | 처리과 | | | 과장 |
| | 담당자 | 이시청· | | |

제목   UR 대책실무위 개최 통보

　　　　최근 UR 협상 동향을 점검하고 향후 협상에 임하는 우리정부의 대응방향을
점검하고자 다음과 같이 UR대책 실무위원회를 개최하니 필히 참석하여 주시기 바랍니다.

- 다　　　음 -

1. 일시:  1992.11.20(금), 15:00

2. 장소:  경제기획원 소회의실

3. 참석범위:  경제기획원  대외경제조정실장 (주재)
　　　　　　　　　　 ″　　　제2협력관
　　　　　　　　 외 무 부  통상국장
　　　　　　　　 재 무 부  관세국장
　　　　　　　　 농림수산부  농업협력통상관
　　　　　　　　 상 공 부  국제협력관
　　　　　　　　 특 허 청  기획관리관

4. 안건:  ① 최근의 UR협상 동향 및 전망(외무부 안건준비)

　　　　　 ② UR협상 대응방향 검토(경제기획원 안건준비)

경 제 기 획 원 장

수신처:  외무부장관, 재무부장관, 농림수산부장관, 상공부장관, 특허청장

0024

이버

管理
番號 92-844

# UR 協商對應方向檢討

## '92. 11. 20

## 經濟企劃院
## 對外經濟調整室

0025

# I. 向後 UR協商 推進日程 展望

- 美.EC간 合意가 있을 경우 앞으로의 UR협상은 다음과 같이
  몇차례의 시기적으로 중요한 段階를 거쳐 추진될 것으로 전망

  (1) 미.EC 協商妥結 ~ 協商내용에 대한 정치적 타결
     : 일단 '92년말까지 協定文案의 終結 시도 예상

  (2) 최종협정문 확정 및 가서명 개방 :  '93.2월말로 예상

    ㅇ 市場接近 및 서비스 讓許協商의 加速化를 통한 마무리 作業
       추진

    ㅇ 동 협상종료 결과를 토대로 미 행정부는 fast-track 절차
       만기일인 '93.3.1까지 국회에 협정안 제출 시도

    ㅇ TNC 閣僚會議등 개최여부는 不分明

  (3) 協定發效
     :  '94.1.1 예상 (별도의 각료회의에서 결정할 수도 있음)

- 政府는 이상의 중요한 段階마다 對內外的으로 명료한 立場을

  결정하여 對應해야 하는 상황에 당면하게 될 것으로 예상

0026

# < 向後 UR 協商 進展 日程 豫想 >

| 豫 想 進 行 狀 況 | 豫 想 日 程 | 備　　　考 |
|---|---|---|
| - 協商 最終마무리 作業<br>　ㅇ 最終協定文案('91.12.20) 수정<br>　　. Track Ⅳ(Fine-tuning)에서의<br>　　조정작업 실시<br><br>　ㅇ 市場接近 및 서비스양허협상 완료 | - '92.12月末<br><br><br><br><br>- '93.2月末 | ㅇ 일단 년말까지 마무리<br>　작업을 추진하고 일부<br>　미조정문제에 대하여는<br>　'93.2월까지 협상진행예상 |
| - 最終協定文 確定 및 假署名 開放<br>　ㅇ MTO 설립협정문 확정 및 부속서에<br>　　1993 GATT, GATS, TRIPS등 협정문<br>　　과 관세 및 서비스양허표 일괄<br>　　포함<br>　ㅇ UR 最終協定文案 채택을 위한<br>　　각료급 TNC 개최<br>　ㅇ 發效時期의 時限설정도 가능 | - '93.2月末 | ㅇ 美國의 경우 현행 Fast<br>　Track 절차를 활용하기<br>　위해서는 大統領은 늦어도<br>　'93.3.1까지는 協定締結<br>　의사를 의회에 통보해야<br>　하고 '93.6.1 이전까지<br>　협정을 체결해야 함<br>　('88 미 종합통상법<br>　제1103조) |
| - GATT 체약국단의 閣僚會議 開催<br>　ㅇ 각국의 批准節次 및 국내관련법<br>　　개정등 필요조치를 취하는데<br>　　소요되는 기간등 진행상황을<br>　　고려하여 同 協定의 發效時期<br>　　결정 | - '93.10~11月頃 | ㅇ UR 多者間 貿易協商結果를<br>　구체화 시키는 최종의정서<br>　초안: 3항 ('91.12.20) |
| - 協定 發效<br>　ㅇ 각국의 加入開放 | - '94.1.1 ~<br>　'95.12.31 까지 | ㅇ 閣僚會議에서 달리 결정치<br>　않는한 發效日부터 2년의<br>　기간동안 수락을 위하여<br>　개방(MTO 設立 協定文<br>　제14조 제1항, '92.5.27) |
| - 개별 신규가입 | - '96.1.1 以後 | ㅇ 原會員國이라도 發效後<br>　2년 이내 미가입시 개별<br>　新規加入國으로서 MTO와<br>　협의를 거쳐 가입의정서상<br>　의 조건에 따라 本 協定에<br>　加入(MTO 設立 協定文<br>　제12조 1항, '92.5.27) |

8 - 2

0027

## II. 主要時点別 對應課題

### 1. 미.EC 協商妥結 시점

#### 가. 豫想動向

- 일단 양측이 합의할 경우 미국과 EC 그리고 던켈 사무총장은 제네바에서 미국.EC간 합의결과를 多者化 하는 작업을 빠른 속도로 진행하고자 할 것임.

  ○ 일단 '92年末을 目標로 하여 全般的인 協商日程을 마련, 提示할 것으로 예상됨.

- 국내적으로는 미.EC간의 합의에 따라 UR의 전반적 타결이 임박했다는 언론보도와 다음과 같은 여론이 조성될 것으로 예상됨.

  ○ 우리가 이제까지 주장해온 관세화 예외인정은 현실적으로 더욱 어려워졌다는 평가를 바탕으로

    ①정부가 우리입장의 관철을 위해 이제부터 어떠한 협상 전략으로 임하고자 하는가에 대한 의문과

    ②사실상 관철이 어려운 내용을 정부가 대안 마련없이 계속 주장만 하고 있을 것인가 라는 비판과

    ③혹시 정부가 이제는 입장수정을 하는것이 아닌가 하는 의구심이 함께 제기될 것임.

#### 나. 對應

- 정부로서는 기존 기본입장을 확인, 천명하고 아울러 양측의 합의내용 및 협상동향을 신속히 파악.대처하여야 할 것임 (대응안 참고)

8 - 3

0028

< 參考 > 美.EC 妥結發表時의 對應(案)

---

政府의 基本立場(案)

---

1) 한국정부는 美國-EC間의 合意導出이 UR협상의 교착상태를
   벗어날 수 있는 重要한 契機를 마련하였다는 점을 확인하고자
   함.

2) 한국정부는 그러나 美國-EC間의 合意는 어디까지나 兩當事者間
   의 合意이며, 동 내용이 그대로 UR협상의 최종적 結果로 채택될
   수는 없다는 立場을 分明히 하고자 함.

3) 한국정부는 '92.1.13 TNC 회의에서 밝힌바와 같이 農産物등
   主要爭點에서 輸出國과 輸入國, 先進國과 開發途上國의 보다
   균형있는 合意의 導出이 必要하다고 보며 특히, 식량안보관련
   基礎食糧에 대하여는 반드시 關稅化의 例外가 인정되어야 함을
   다시한번 강조하고자 함.

4) 한국정부는 앞으로 보다 均衡있는 합의도출을 위하여 UR협상
   참가국 모두가 참여하는 多者化된 協商過程이 조속히 再開.
   進行될 것을 촉구하며 아울러 한국정부는 1986년 UR협상 개시
   이후 일관되게 보여온 바와 같이 UR협상의 成功的 妥結을
   위하여 계속 적극적인 참여와 협조자세를 견지할 것임.

國會, 言論에의 對應(案)

- 上記 基本立場을 説明하고 아울러 다음과 같은 背景説明을 追加

  1) 이번 美國-EC間의 合意로 UR妥結의 展望이 可視化된 것은 사실
     이며 또한 우리가 주장해오던 關稅化例外認定이 더욱 어려운
     狀況에 놓이게 되었다는 事實을 부인할 수는 없음

  2) 그러나 UR協商은 어디까지나 GATT체제를 강화하려는 多者間協商
     이라는 측면이 強하기 때문에 兩陣營의 合意結果가 餘他國에
     그대로 강요되는 방식이 통용될 수는 없고 반드시 多者化시키는
     과정을 밟아야 한다는 것이 多數 協商參加國 특히 開途國들의
     확고한 입장이기 때문에 앞으로도 협상내용의 최종적인 마무리
     절충과정이 남아있는 것임.

     ○ 더우기 關稅化例外認定과 관련하여서는 한국뿐 아니라 일본,
        캐나다, 스위스등도 계속 이견을 보이고 있으므로 아직
        최종적인 절충과정을 남겨놓고 있는 사안으로 볼수 있음.

  3) 앞으로 政府의 協商戰略은
     ○ 한편으로는 開途國들과 연대하여 미국-EC간 합의결과의
        多者化를 계속 촉구하고,

     ○ 한편으로는 예외없는 관세화에 반대하고 있는 국가들과
        연대하여 최종협정문안의 절충과정에서 關稅化例外認定을
        반영시키기 위한 最大限의 協商努力을 傾注할 방침임.

  4) 정부는 이상과 같은 狀況 인식하에 향후 협상에 임할 것이기
     때문에 현단계에서 關稅化 例外認定이 반영되지 못했을 경우를
     前提로하는 어떠한 對策도 고려하고 있지 않음.

  5) 政府는 현재 정부내에 구성되어 있는 UR對策實務委員會(委員長:
     經濟企劃院 對外經濟調整室長)를 常時稼動體制로 운영하여
     앞으로의 協商展開狀況에 기민하게 最善의 對應策을 강구해
     나가도록 할 것임.

## 2. 미.EC 妥結 ~ 協商最終마무리 時点('93.2월말)

### 가. 豫想動向

- 미.EC간의 합의결과를 기초로 제네바에서 多者間 協商이 재개되고 최종협정문안의 마무리조정(Track Ⅳ)작업을 중심으로 TRACK Ⅰ~Ⅲ(시장접근 및 서비스양허협상과 법제화 작업)이 급속하게 진전될 것임.

  ㅇ 미국,EC,던켈사무총장은 兩陣營의 합의결과를 수용하기 위한 다자적 또는 쌍무적 노력을 총동원할 것이며 특히, 관세화 예외주장이 완강한 한국, 일본, 스위스등에 대한 적극적인 설득, 타결전략을 구사할 것으로 예상됨.

  . 이 과정에서 협상의 신속한 마무리를 위하여 농산물 관세화에 대한 부분적인 타협대안이 제시될 가능성도 배제할 수 없음(예: 스위스 제안방식의 일정기간 유예후 관세화등)

  ㅇ 아울러 협정문안에 대한 마무리 작업과 市場接近 및 서비스協商이 동시에 진행되는 과정에서 미국.EC는 유리한 협상력을 바탕으로 여타국과 본격적인 Trade-off를 추구할 가능성도 예견됨.

- TRACK Ⅳ 작업은 '92年末까지 政治的 妥結을 마무리 짓고자 할 것이며 TRACK Ⅰ~Ⅲ 는 '93.2월말까지 진행될 것으로 일단 豫想할 수 있음.

8 - 6

0031

## 나. 對應課題

- 농산물분야에 대하여 정부가 결정하여야 할 사항
  - ㅇ 관세화 예외인정 추진범위에 관한 우리입장의 분명한 확정
    - . 기초식량(쌀+ $\alpha$ )범위의 결정
  - ㅇ 관세화 예외인정의 추진전략 관련 사항
    - . 미국과의 양자간 독자적인 전략 추진 여부
    - . 일본.스위스 등과의 연대전략 추진의 구체적 방식과 이해득실 점검
  - ㅇ 관세화 예외인정에 관한 수정대안이 제시될 경우의 대응 방안
    - . 스위스 방식의 유예기간 인정등이 시도될 경우 우리의 대응 입장과 적정한 국내절차 문제
  - ㅇ 관세화 예외인정 불가가 명백해 질 경우의 대응
    - . 여타분야 협상에의 계속참여 문제등 향후 대응과제

- 농산물분야 이외의 協定文案 조정작업에서 제기되는 수정 사항에 대한 입장 결정
  - ㅇ 미국.EC간 여타분야 합의사항에 대한 검토 특히, 서비스 분야 합의내용의 검토
  - ㅇ 미국은 업계요구에 따라 지적재산권, 반덤핑, 섬유등에서 협정문안 수정을 기도할 가능성이 있는바, 그럴경우 종합 적인 이해득실의 점검

- 그 밖에 市場接近, 서비스 양허협상, 調達協定上의 진행상황에 따라 수시로 신속한 정부입장을 결정하여 대응
  - ㅇ 무세화, 관세조화등 진전에 따른 관세양허 입장조정.확정
  - ㅇ 서비스 최종양허안 조정.확정
  - ㅇ 조달협정 양허안 조정.확정등

0032

3. 最終協定文 確定 및 假署名 開放

　가. 豫想動向

　　- 최종협정문이 채택되면 최종협정문에 대한 확인(假署名 開放)
　　　이 각국에 의하여 진행될 것이며 그에 따라 각국의 국회비준
　　　동의등 國內節次가 진행될 것임.

　　　ㅇ '93年 2月末頃 最終協定文案 採擇을 위한 閣僚級 TNC 개최
　　　　예상

　　　ㅇ 대체로 假署名 開放은 '93년 2월말부터 시작될 것으로
　　　　추정 가능

　　- 同 時点에서 선진국들을 중심으로 假署名이 進行될 것이며
　　　假署名 국가의 증가와 더불어 未署名 國家들의 參與를 촉구
　　　하는 주요국의 압력이 가중될 것임.

　나. 대응 과제

　　- 우리입장이 반영되었을 경우 假署名 開放에 따른 負擔은
　　　없음

　　- 만일 우리입장이 반영되지 않은채 假署名 開放절차가 진행될
　　　경우 국회의 비준동의를 비롯한 국내적 합의기반의 미비를
　　　이유로 行政府의 協定加入 의사표시인 假署名을 계속 미룰
　　　것인가, 아니면 일단 國會次元의 論議進行을 실질화 하기
　　　위하여 行政府 責任下의 假署名은 추진할 것인가를 검토하여야
　　　할 것임.

　　　ㅇ 假署名을 계속 留保할 경우에는 어떤 時点까지 UR 전체의
　　　　수용여부에 대한 國民的 合意를 어떤 방법으로 導出해 낼
　　　　것인가에 대한 결정이 필요

# 최근의 UR 협상 동향 및 전망

92.11.20.

(마.타결 발표 이전 작성)

외  무  부

18-2

# - 목    차 -

18-3                                    0035

## 1. 최근 UR 협상 관련동향

o 최근 UR 협상에서는 농산물 보조금 감축문제, Oilseed 분쟁을 위요한
  미.EC간 의견차이등 실질문제외에도 불란서의 국내사정, EC 내부의
  협상 mandate 문제등 정치적 사정이 협상타결의 장애요인으로 작용

o 미국의 oilseed 분쟁관련 보복계획 발표이후, UR 협상 실패와 GATT
  체제의 붕괴에 대한 국제적인 위기감이 팽배해짐에 따라, 미.EC 양측은
  파국을 피하기 위한 협상을 재개하였으나, EC내 불란서의 태도는
  여전히 강경

가. 미.EC 양자 협상

1) 미.EC 각료회담(10.11-12, 브랏셀)

   o 미측 Hills USTR, Madigan 농무장관, EC측 Andriessen 부위원장,
     MacSharry 농업담당 집행위원 참석

   o 시장접근 및 서비스 분야에는 진전, 농산물분야 시장접근 및 수출
     보조에는 기본방향에 관한 의견접근, oilseed 문제 및 CAP 개혁에
     따른 손실보장 직접보조금 처리문제는 미결

   o 실무회담은 지속키로 합의

1944

0036

2) 미.EC 농업장관회담(11.1-3, 시카고)

　o 미 대통령선거이전 oilseed 분쟁 및 UR 농산물 협상 타결을 모색
　　하였으나, oilseed 생산물량 감축문제로 인해 타결 실패

3) 미국의 대 EC 보복조치 발표

　o 11.4. 갓트이사회에서 oilseed 분쟁관련 미국의 보복 승인 신청을
　　EC가 거부함에 따라, 미국은 대 EC 3억불상당 품목에 대해 200%
　　보복관세 조치 발표(11.5)
　　- 백포도주, 유채유 및 소맥글루틴등 3개품목
　　　. 불란서의 동품목 대미 수출액 : 연간 약 1.27억불
　　- 30일 유예후 12.5.부터 시행
　　- 2차 보복 대상품목으로 향수등 공산품 포함 17억불상당 품목
　　　선정, 발표

4) 미.EC 각료회담 개최(11.18-19, 워싱턴)

　o 미측 Hills USTR, Madigan 농무장관, EC측 Andriessen 부위원장,
　　MacSharry 집행위원 참석

　o 동 회담에서 양측은 실질적인 진전을 이룩하였으나 구체적인
　　합의에는 이르지 못하였으며 빠른시일내에 재협상키로 함.

0037

나. 갓트차원의 노력

1) TNC 회의(11.10) 개최

 o 아래 요지의 Dunkel의장 Statement 채택

  - UR 협상의 위기는 대체로 미.EC간 양자협상의 지연이 다자협상을
   진전시키지 못한데 기인

  - 더 이상의 다자협상 지연은 협상의 실패를 의미

  - 던켈의장으로 하여금 브랏셀과 워싱턴에 대해 공식적으로
   상기 우려 전달, 제네바에서 다자협상이 재개되도록 협조촉구

  - 의장은 모든 정부가 협상 참가준비가 되었다고 판단되면
   조속히 구체적인 작업계획을 제시

2) 상기 TNC 결의에 따라 던켈 의장은 브랏셀(11.12)과 미국(11.16)을
 방문

 o 미.EC 양측의 협상 조기타결 의사는 확인하였으나, 구체적인 양보
  의사 확인에는 미흡

다. EC의 동향

1) EC 외상 회의 (11.9, 브랏셀)

 o 집행위에게 대미 교섭계속, UR 및 Oilseed 문제 조속해결 노력촉구

o 미국의 일방적 보복조치 발표에 우려 표명 및 양측의 보복조치
　상승작용 회피를 위한 조속한 조치 필요성 강조

2) EC 집행위원회 (11.11)

o Andriessen 대외관계 집행위원과 MacSharry 농업담당집행 위원에게
　대미 협상 mandate 부여

o 대미 협상에서 도출되는 합의사항은 집행위원회를 거치지 않고
　곧바로 EC 이사회에 보고

3) EC 농업이사회(11.16-17)

o UR 협상은 CAP 개혁과 양립할 수 있어야 하며 전반적으로 균형된
　결과가 도출되어야 함.

o MacSharry 농업담당 집행위원에게 대미 농산물 협상(11.18-19,
　워싱턴)에 대한 협상권한 위임

라. 미국의 입장

1) Clinton 대통령 당선자의 입장

o Clinton 당선자가 UR 협상에 대해 직접적인 언급은 하지 않고
　있으나, 민주당 의원 및 분석가에 의하면 Clinton 후보는 UR
　협상이 부쉬 행정부에 의해 조기타결 되기를 희망

0039

2) USTR 등의 실무입장

o  UR 협상의 연내타결 방침에는 변화가 없으나, EC측의 양보가 필요
   하다는 입장

o  연내타결 전망에 대하여는 조심스런 낙관론 견지

마. 불란서의 입장

1) CAP 개혁안과 미.EC간 협상 절충안에 대한 비교자료 작성제출(11.16.
   EC 농업이사회)

o  Set-aside 면적, oilseed 생산감축폭, 쇠고기 생산감축폭 등에서
   현저한 차이가 있음을 주장

o  동 자료를 언론에 유포, 정치적 분위기 조성 시도

2) 11.18. 대통령 주재하 특별각료회의 개최

o  CAP 개혁과 양립하지 않는 EC의 합의안에 반대

o  UR 협상관련 입장 채택을 위한 의회 소집

18-8

0040

2. UR 협상 전망

> o Oilseed 분쟁과 관련한 미.EC간 협상은 12.5. 시한전에 타결될 가능성이
> 있으며, 이에따라 UR 협상에서도 조기에 돌파구가 마련될 가능성 상존
>
> o 이경우 UR 협상은 일단 연말까지 정치적 package에 대한 합의가 이루어
> 지고, 3-6개월간에 걸친 시장접근, 서비스 부문에서의 마무리 협상을 거쳐
> 미국의 Fast Track 시한내에 종결될 가능성도 있는 것으로 전망

가. oilseed 협상 전망

o 11.18-19. 워싱턴 농무장관 회담에서 타협의 기초가 마련되었으며,
또한 하기사항을 감안할 때 12.5이전까지 양측이 협상을 계속하여
합의를 이룰 가능성도 있음.

- EC의 oilseed 연간 생산량 상한선 설정 문제를 둘러싸고 미국이
900만톤, EC가 950만톤을 주장하고 있듯이 양측간 견해 차이가
50만톤에 지나지 않는등 실질적으로 양측 입장이 상당히 접근

- 미국이 12.5부터 발동키로 한 대 EC 보복조치가 시행되는 경우
oilseed 분쟁이 미.EC간 무역전쟁으로 비화하여 양측 모두 커다란
피해를 본다는 점.

18-9

0041

- oilseed 분쟁이 우선 해결되어야 UR 협상타결의 관건이 되고 있는 UR 농산물 협상에서의 돌파구가 마련된다는 점을 미국과 EC가 모두 인식

- 11.11. EC 집행위원회에서 워싱턴 각료회담 결과를 집행위원회 차원에서 재검토없이 EC 이사회에 보고토록 함으로써 Delors EC 집행위원장이 개입할 소지를 없앴으며, 11.16. EC 농업이사회에서 프랑스의 반발에도 불구하고 MacSharry 농업담당 집행위원회에게 협상 전권을 부여

## 나. UR 협상 전망

o 현재 불란서가 UR 협상타결의 걸림돌이 되고 있으나 미국이 12.5부터 대 EC 보복조치 강행의지를 확고히 하고 있는 상황에서 불란서로서도 EC 통합 문제등과 관련 EC내에서 고립을 탈피하는 것이 바람직하므로 oilseed 분쟁 및 UR 협상에서 신축성을 보일 가능성도 있을 것으로 전망

o 92.11.18-19. 워싱턴 각료회담에서 미.EC가 실질적인 진전을 이룬 것으로 평가되며, 양측이 12.5까지 협상을 계속하여 돌파구를 마련하는 경우, 금년말까지 정치적인 package에 합의하고 내년 2월말까지 시장 접근, 농산물, 서비스 분야에서의 양자 협상을 완료함으로써 미 의회의 Fast Track 시한에 맞추어 UR 협상을 종결할 가능성 상존

18-10

0042

- 11.16. 던켈 사무총장은 Hills USTR에게 미.EC 각료회담에서 합의가
  이루어지는 경우 11.24. TNC 회의개최, 12.20까지 협정초안을
  마무리 한다는 일정 제시

O 시장접근, 서비스분야 양자협상의 복잡성으로 인해 다소 협상종결이
  지연되는 경우도 미국 Fast Track의 운용을 융통성 있게 함으로써
  최종시한인 93.5월말까지 협상 종결도 가능. 끝.

# UR 대책 실무위원회 참가자료

일시 : 92.11.20(금) 15:00

장소 : 경제기획원 소회의실

외 무 부
통 상 국

0044

# 1. 기본 대응 검토방향

o 92.11.18-19간 워싱턴에서 개최된 미.EC간 농무장관 회의에서 양측은
  oilseed 분쟁 및 UR 농산물 협상과 관련하여 실질적인 진전을 이룩하였으며
  조만간 재협상키로 함에 따라 미국의 대 EC 보복조치 발동시기인 12.5.
  이전에 양측이 UR 농산물 협상에서 돌파구를 마련할 가능성도 있음.

  - 이경우 UR 협상이 제네바에서 다자화 되어 연말까지 UR 협정문안을
    확정하고 93.2월말까지 시장접근(공산품 및 농산물) 및 서비스 양허
    협상이 종결될 가능성에 대비할 필요가 있음.

o UR 협상참가국들이 연말까지 최종 UR 협정문안 확정을 추진하는 경우
  예외없는 관세화 문제에 대한 결론도 미국과 EC간의 의견 해소 시점이후
  부터 연말사이에 내려지게 될 것이므로 예외없는 관세화 문제를 포함하여
  농산물 협상에서의 우리의 입장을 조기 정립할 필요가 있음.

# 2. 협상 분야별 검토사항

가. 농 산 물

UR 협상 조기 타결시 하기 사항에 대한 신속한 결정 필요 :

1) 15개 NTC 품목수 조정문제

2) 쌀등 기초식량에 대한 예외확보가 어려운 경우 대안 마련
   o 쌀에 대한 예외없는 관세화 문제와 관련 Dunkel 사무총장의
     flexibility 제안 검토  ;
     - 일정 유예기간 경과후 관세화
     - non-sticky rice만 개방하는 문제

3) BOP 품목 관세화 문제
   o 미국, 호주, 뉴질랜드등이 BOP 품목(쇠고기 포함)에 대한 관세화를
     인정치 않으려는 데 대한 대책

0045

4) 개도국우대 확보문제

   o  Dunkel 갓트사무총장 방한시 한국의 이행기간을 7년으로 언급하는
      등 아국에 대한 개도국 지위 불인정 움직임에 대한 대책


나. 기타 분야

   o  서비스 협상과 관련 하기사항에 대한 대책 마련 필요
      - 금융시장 개방 확대문제
      - 기본통신 협상 참여문제

   o  시장접근관련 관세조화, Zero for Zero 참여 확대문제에 대한 대책
      마련 필요


## 3. UR 협상 종결절차 관련사항

가. 가서명 개방 문제

   o  UR 협상이 미 의회의 신속승인처리절차 시한에 맞추어 종결된다고
      가정하는 경우 최종 UR 협정문안 채택을 위한 TNC 회의가 93.2월말
      개최될 것으로 예상

   o  이경우 최종 UR 협정문안은 TNC 회의에서 consensus로 채택되며,
      별도의 가서명 개방 절차는 없을 것으로 예상


나. 최종 UR 협정문 채택 TNC 회의 대책

   o  최종 UR 협정문에 대해 아국이 불만이 있는 경우 대책  :
      최종 TNC 회의에서 consensus를 block할 것인지 또는 아측의 불만
      사항을 기록으로 남기되 consensus에 반대치 않을 것인지 여부. 끝.


0046

펼 1/5

# 경 제 기 획 원

우 427-760 / 경기도 과천시 중앙동1 정부제2청사 / 전화 503-9146 / 전송 503-9141

문서번호  통조이 10520-108

시행일자  1992. 11. 23

(경유)

수신      수신처 참조

참조

| 선결 | | | 지시 | |
| --- | --- | --- | --- | --- |
| 접수 | 일 자<br>시 간 | : : | 결재·공람 | |
| | 번 호 | 468 | | |
| | 처 리 과 | | | |
| | 담 당 자 | 이시형 | | |

검 토 필 (1992.12.31.)

일반문서로 재분류 (1993. 3. 31.)

제목      UR 대책실무위원회 회의결과 및 차기 회의개최 통보

1. 통조이 10520-97('92.11.13) 관련 사항임.

2. 최근의 UR협상 동향과 향후 협상의 대응방향 점검을 위하여 '92.11.20일
   개최된 UR대책 실무위원회 회의 결과 및 차기 회의개최 계획을 다음과
   같이 통보합니다.

                    - 다          음 -

   가. 회의 결과 ('92.11.20)

     - 향후 UR협상 진전에 따라 관계부처별로 소관사항에 대한
       세부적인 작업계획 및 준비작업을 철저히 하도록 하고
       외무부에서는 UR 최종협정문 채택과정의 구체적인 절차를
       파악하기로 함.

     - 농산물 협상 대응과제에는 BOP 품목의 관세화 적용 및
       개도국 우대 문제등도 포함키로 함.   다만, 「UR협상의
       대응방향 검토」안건중 8-7page 는 이를 현장에서 회수.
       파기함.

0047

나. 차기 UR대책 실무위원회 개최계획

- 일시: '92.11.25(수) 17:00

- 장소: 경제기획원 소회의실 (1동 7층 721호실)

- 참석범위: 경제기획원  대외경제조정실장 (주재)
      〃      제2협력관
      외 무 부  통상국장
      재 무 부  관세국장
      농림수산부  농업협력통상관
      상 공 부  국제협력관
      특 허 청  기획관리관

- 회의안건:  각 부처별로 다음과 같이 분야별 향후협상

        대응방안을 준비

  ㅇ 경제기획원(총괄, 서비스분야)

  ㅇ 외무부(향후 예상작업 일정, MTO 등 제도분야)

  ㅇ 재무부(시장접근분야)

  ㅇ 농수산부(농산물분야)

  ㅇ 상공부(시장접근분야 관련사항 및 섬유, 규범 제정 분야)

  ㅇ 특허청(지적재산권분야)

- 회의자료는 관계부처별로 준비하여 회의 개최전까지 당원에

  송부 요망.     끝.


경 제 기 획 원

수신처: 외무부장관, 재무부장관, 농림수산부장관, 상공부장관, 특허청장.

0048

# 경 제 기 획 원

우 427-760 / 경기도 과천시 중앙동1 정부제2청사 / 전화 503-9146 / 전송 503-9141

문서번호 통조이 10520-*100*

시행일자 1992. 11. 24

(경유)

수신 수신처 참조

참조

| 선결 | | | 지시 | |
|---|---|---|---|---|
| 접수 | 일자시간 | 92 . 11.26 | 결재·공람 | |
| | 번호 | 40991 | | |
| | 처리과 | | | |
| | 담당자 | 이시영 | | |

제목 UR대책 실무위원회 개최일시 변경 통보

1. 통조이 10520-126('92. 11. 23) 관련임.

2. TNC 일정 확정에 따라 위 대호로 통보한 UR대책 실무위원회 개최일시를
   아래와 같이 변경.통보하니 양지하시기 바랍니다.
   (개최일시 변경이외의 여타사항은 종전과 동일)

|        현 행        |        변 경        |       |
|:------------------:|:------------------:|-------|
|   '92. 11. 25 (수)  |   '92. 11. 27 (금)  |       |
|       17:00        |       15:00        |  끝.   |

# 경 제 기 획 원

수신처: <u>외무부장관(통상국장)</u>, 재무부장관(관세국장), 농림수산부장관(농업협력통상관),
상공부장관(국제협력관), 특허청장(기획관리관).

0049

UR 대책 실무위원회 보고자료


## 향후 UR 예상 작업 일정
======================

검 토 필 (1992. 12. 31)

1992.11.21 검 토 필 (1993. 6. 30.)


외 무 부
통 상 국

# - 목 차 -

첨부 ： 제13차 TNC 회의록중 UR 협상결과 채택방법 관련부분

# 1. 예상 일정

UR 협상이 11.20. 미.EC간 합의를 토대로 순조롭게 진행된다고 가정할 경우 일응 하기와 같은 마무리 절차를 거치게 될 것으로 예상

1) 92.12.20경까지 political package(최종 UR 협정문 text) 확정
   - 92.12월말 또는 93.1월초 political package 공식 확정을 위한 TNC 회의 개최 예상

2) 93.2월말까지 농산물 포함 시장접근 협상 및 서비스 양허협상을 완료함으로써 UR 협정분야별 양허표 확정 (T1 및 T3 작업완료)

3) 93.2월말 또는 3월초 TNC 회의를 개최하여 UR 협상결과(협정문 text 및 분야별 양허표) 채택

4) UR 협상결과의 국제적 이행문제 결정을 위한 각료급 갓트총회 개최

5) UR 협상참가국, UR 협정 비준을 위한 국내절차 이행

6) UR 협정 발효일자 결정을 위한 각료급회의 개최

   ○ 93년말이전에 개최하여 각국의 비준 상황을 고려하여 발효일자 확정

# 2. 단계별 고려사항

가. UR 협상결과 채택을 위한 TNC 회의

   ○ 동 TNC 회의시 만장일치(consensus)에 의하여 UR 협상결과를 채택 하므로 별도의 법적 의미의 가서명(initialing) 절차는 없을 것으로 예상됨.

- 1 -

- 단, UR 협상결과를 지지한다는 점을 공개적으로 표명하기를 원하는
  UR 협상 참가국은 정치적인 제스쳐로서 가서명 할 수 있으며, 이를
  위해 최종의정서는 제네바에서 공개됨.

o 상기 방식은 90.11.26. 제13차 TNC 회의시 Dunkel 의장이 브랏셀
  각료급 TNC 회의를 염두에 두고 언급한 내용이며, 상기 1. 3)항의
  TNC 회의에서도 이에 따르게 될 것으로 전망됨.
  (제13차 TNC 회의록중 UR 협상결과 채택방법 관련부분 별첨)

나. UR 협상결과의 국제적 이행에 관한 각료급 갓트총회

o 최종의정서 제3항에 협정발효일 결정을 위한 각료급 회의가 추후
  별도로 예정되어 있음을 감안할 때, UR 협상결과의 국제적 이행에
  관한 각료급 갓트총회는 UR 협상결과 채택을 위한 TNC 회의와 동시에
  개최될 것으로 예상됨.

o 즉, UR 협상결과를 채택하는 TNC 회의(각료급 회의 예상)직후 각료급
  갓트총회를 개최하여 MTO 설립 협정을 채택함으로써 UR 협상결과의
  국제적 이행문제를 처리함.

o 당초 UR 협상결과 이행에 관한 각료급 회의는 UR 협정 발효일자를
  결정하는 각료회의와 동시에 개최하는 것으로 되어 있었으나, 2개의
  각료급회의를 별도로 개최토록 한 것은 하기와 같은 이유에 따른 것으로
  분석됨.
  - 당초 UR 협상결과 이행을 위한 다자간 무역기구(MTO) 설립문제는
    UR 협상기간중에는 설립원칙에만 합의한후 동기구 설립을 위한 상세한
    사항은 UR 협상타결직후 부터 논의할 예정이었으나, Dunkel Paper
    확정직전에 EC의 주도로 MTO 설립 협정문(안)이 최종의정서에 포함
    됨으로써 MTO 설립협정 채택을 위한 각료급회의를 뒤로 연기할
    필요성이 없어짐.

- 2 -

- 91.12.15. UR 최종의정서 검토를 위한 비공식 회의시 미국이 UR 협상 결과 이행문제에 관한 각료회의 결과가 없이는 UR package를 의회에 재출키 어렵다는 점을 지적함.

o 또한 UR 협상결과의 국제적 이행문제 결정을 위한 각료급 갓트총회를 별도로 개최함으로써 최종의정서(Final Act) 확정시까지 MTO 설립 협정문에 대해 협상참가국들간에 완전한 합의가 이루어지지 않을 경우에 대비한다는 측면도 있음.


다. 국내 비준절차

o 협상 참가국들은 UR 협상 채택을 위한 TNC 회의시 최종의정서를 채택함으로써 동 협상결과를 국내 비준절차에 회부하게 되므로 일반 조약 체결절차(서명 → 국회 비준동의 → 비준서 기탁)와는 달리 최종 수락행위 이전에 별도의 가서명 또는 서명절차는 없으며, 참가국들은 국내절차를 거쳐 최종의정서를 수락하게 되며, 이경우 수락의 형식은 서명 또는 수락서 기탁의 형태를 취할 것으로 예상

o 아국의 경우도 국회 비준 동의를 거쳐서 최종의정서를 수락(서명) 하는 절차를 취해야 함.


# 3. 대 책

o 최종 UR 협정문 text(political package)를 확정하는 TNC 회의, UR 협상 결과 채택에 관한 TNC 회의 및 동 협상결과 이행에 관한 각료급 갓트총회시 아국이 어떻게 대응할 것인지가 UR 협상종결과 관련 시급한 문제로 대두할 것으로 예상됨.

- 즉, 최종 UR 협정문 및 분야별 양허협상 결과가 아국의 입장에서 볼때 만족스러운 내용이 되는 경우에는 아무런 문제가 없을 것이나, 만일 아국이 수락하기 어려운 내용으로 확정될 경우 하기 2가지 방안중 택일 하여야 할 것으로 보임.

  제1안 : UR 협상결과에 대해 거부입장을 표명함으로써 consensus 저지

  제2안 : UR 협상결과중 아국이 수락할 수 없는 부분에 대한 아국의 입장을 공식 표명하여 기록으로 남기되 consensus에는 반대치 않음.

o 아국이 UR 협상의 진전을 block 한다는 인식을 주는 경우 앞으로의 협상 과정에서 아국이 배제될 우려가 있으므로 상기 제2안을 취하는 것이 바람직함. 끝.

MULTILATERAL TRADE

NEGOTIATIONS

THE URUGUAY ROUND

RE_ .IICTED

MTN.TNC/17
3 December 1990
Special Distribution

Trade Negotiations Committee

## TRADE NEGOTIATIONS COMMITTEE

### Thirteenth Meeting:  26 November 1990

1.    The Trade Negotiations Committee held its thirteenth meeting, under the chairmanship of Mr. Arthur Dunkel.

2.    The Chairman noted that the document to be forwarded to the Ministerial meeting of the TNC in Brussels was now before the Committee (MTN.TNC/W/35).  He thanked all those who had contributed to its elaboration, and in particular the chairpersons of the various groups.  He stated that this document would be accompanied by the report of the Chairman of the Surveillance Body (MTN.SB/14), by the communications which participants wished to send to the Brussels meeting, and by the present record of the TNC's thirteenth meeting.  He noted that document MTN.TNC/W/35 was just one step in an on-going process and merely transmitted to the next meeting of the TNC the state of work done to date. Nothing in the document committed any participant in any formal way.

3.    The Chairman stated that formal credentials would not be required for the Brussels meeting.  At the end of previous rounds, there had been a Final Act or Procès-Verbal to be signed by participants.  However, this was not necessary.  His conclusion was that the TNC should adopt a Final Act by consensus, on the banging of the gavel by the Chairman.  However, for those participants that wished to make a public expression of their support for the results, the text would be open for initialling in Geneva.  This would be a political gesture.  The real decision would be taken when Ministers met on the occasion of a Special Session of CONTRACTING PARTIES.  The Committee noted this statement.

4.    The Chairman said that the organization of work at the Brussels meeting would be based on the procedures of the previous Ministerial meetings in Punta del Este and Montreal.  Ministers would make their formal statements in the plenary sessions of the TNC (see MTN.TNC/INF/10, part 6). Negotiations on issues requiring policy decisions would continue in parallel to this.  The Chairman of the meeting, Minister Gros Espiell of Uruguay, would be organizing these negotiations.  As in the previous Ministerial meetings, informal meetings of Heads of Delegations to the TNC would ensure that all delegations were informed of developments.  The first such meeting would be held on Monday, 3 December 1990 at 3 p.m.  The evaluation of the results attained in the negotiations, referred to in Part I:G of the Punta del Este Declaration would be carried out in Brussels.  The Committee noted this statement.

5.    The Committee noted that the five international organizations (IBRD, IMF, UN, UNCTAD and WIPO) that attended the Montreal Mid-Term Meeting would be invited to attend the Brussels Ministerial Meeting on the same terms as they attended the Montreal Meeting.

GATT SECRETARIAT
UR-90-0733

0056

# 외 무 부

우110-760    서울 종로구 세종로 77번지  /  전화(02)720-2408  /  구내 2108

문서번호    공보20525-171

시행일자    1992.11. 25

수 신    통상국장

참 조

| 선결 | | | 지시 | | |
|---|---|---|---|---|---|
| 접 | 일자 시간 | | 결재·공람 | | |
| 수 | 번호 | | | | |
| | 처 리 과 | 통기 | | | |
| | 담 당 자 | 이시영 | | | |

제 목    UR 타결대비 해외홍보 논리


　　　공보처는 별첨 공문을 통해 UR협상 타결에 대비하여 우리 입장에 대한

해외홍보 논리 작성을 위해 우리부 의견을 문의하여 왔으니 동 의견을 11.29한

회보하여 주시기 바랍니다.


　　첨 부 : 공보처 공문(외신35264-440) 사본.    끝.


　　　공보처   정책실 씨 통화 : 현재제도  공정하겠음 여기준

　　　　　공정처에 현지회보


공 　　　 보 　　　 관

# 공  보  처

우110-050 서울 종로구 세종로 82-1    / 전화 ( 02 ) 720-4728 / 전송 723-4047

문서번호  외신 35264-44

시행일자  '92. 11

수신  외무부장관

참조  공보관

| 선결 | | | 지시 | 화상그라바유 |
|---|---|---|---|---|
| 접수 | 일자시간 | 91· :11·25 | 결재·공람 | 凡 |
| | 번호 | 40777 | | |
| | 처리과 | | | |
| | 담당자 | | | |

제목  해외 홍보논리 작성

　　　1. 미국과 EC간 농업 보조금에 관한 의견 합의로 GATT의 오랜 숙제였던 UR협상이 타결될 전망인바 동 협상이 타결 됐을때를 감안, 동건에 관한 해외 홍보논리 작성에 필요한 귀부의 의견을 11.30한 알려주시기 바랍니다.

　　　2. 상기 해외 홍보 논리는 해당 분야에 대한 관계 부처의 의견을 종합, 외국 언론 및 해외 여른 형성층에 대한 아국의 대응 홍보 논리로 활용하게 됨을 귀부의견 작성에 참고하여 주시기 바랍니다.  끝.

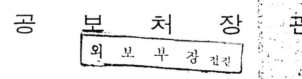

공  보  처  장  관

0058

# 발 신 전 보

| | 분류번호 | 보존기간 |
|---|---|---|
| | | |

번  호 : WGV-1827   921126 1943  FY  종별 :

수  신 : 주  제네바   대사. 총영사

발  신 : 장 관 (통 기)

제  목 : UR 협상 대책 실무위원회 개최


      UR 협상 대책 실무위원회가 ~~협상~~ 협상 대책을 논의하기 위해 92.11.27(금)

개최될 예정~~인바~~ 인바, 결과 추후 통보하겠음. 끝


              ( 통상국장 대리   오 행 겸 )


| 앙고재 | 통상기구과 | 기안자 성명 | | 과 장 | 심의관 | 국 장 | | 차 관 | 장 관 |
|---|---|---|---|---|---|---|---|---|---|
| '92년 11월 26일 | | 申 | | 黃 | 대 | 전결 | | | |

| 보안 통제 | 黃 |
|---|---|

| 외신과통제 |
|---|
| |

# 經濟企劃院

## ECONOMIC PLANNING BOARD

Tel : 503-9144,9145

Fax : 503-9141

Kwachon-Shi, Kyonggi-Do 427-760

REPUBLIC OF KOREA

☆☆☆☆ 팩시밀리 전문표지 ☆☆☆☆

## Facsimile Message Covering

Date 19 92 . 11 . 26

| 수신처FAX번호<br>(Fax Tel No.) | 725 - 1737 |
|---|---|
| 수 신 처<br>(To:　　) | 외무부 |
| 발 신 인<br>(From:　　) | 대외경제조정실 통상조정2과 |
| 제 목<br>(Subject: ) | UR 관련 자료 |
| 비 고<br>(Comment: ) | |

총매수(표지포함)

Number of Pages

(This cover included)

( 2 ) Pages

- 0060

報道資料

# UR協商 對應을 위한 UR對策實務委 開催
## ('92. 11. 28 朝刊부터)

- 政府는 지난주 美.EC間의 UR關聯 合意内容 發表에 이어
 '92.11.26일 제네바에서 있었던 우루과이라운드 貿易協商委員會
 (TNC)에서 앞으로의 우루과이라운드 協商 日程이 마련됨에 따라

 '92.11.27일(금) 오후 3시 UR對策 實務委員會(委員長: 經濟企劃院
 對外經濟調整室長, 委員: 經濟企劃院, 外務部, 財務部, 農林水産部,
 商工部, 特許廳 擔當局長)를 召集하여 全般的인 動向을 點檢하고
 앞으로의 對應方向을 論議하였음.

 ◇ TNC 論議結果에 따른 向後 協商日程은 別添參照


- 向後 協商過程에서의 政府의 對應方向

 ① 農産物分野에    서는 우리 政府의 旣存立場대로 食糧安保
  關聯 基礎食糧에 대한 關稅化 例外認定, 쌀의 最小市場 接近
  例外認定 등이 反映될 수 있도록 最善의 協商努力을 傾注함.

 ② 今後 本格的인 마무리 協商이 進行될 市場接近 및 서비스
  讓許協商 過程에서 우리의 利益이 最大限 反映되도록 關係
  部處가 철저히 準備하여 對應하도록 함.

 ③ 이를 위하여 UR對策 實務委員會를 常時 稼動體制로 維持하고
  제네바 代表部와 함께 緊密한 協商對應 體制를 구축하는 등
  汎政府 次元에서 앞으로의 協商展開 狀況에 기민하게 對應해
  나가도록 함.


0061

# UR/시장접근분야 관세협상

('92. 11. 27. UR 대책실무위 보고자료)

## 1. 협상 진행상황

- 아국은 '92. 3 UR 관세양허안을 GATT에 제출

```
┌─────────────────────────────────────────────┐
│        아국의 UR 관세양허안 내용              │
│                                               │
│  o 양허품목 : 총 9,044개 품목중 7,389개 품목 양허│
│                                               │
│           · 품목수 기준 : 82%                 │
│           · 수입액 기준 : 80%                 │
│                                               │
│  o 인 하 율 : 32% (17.9% → 12.2%)            │
└─────────────────────────────────────────────┘
```

- 브랏셀 각료회의('90. 12) 이후 분야별 무세화 및 관세조화협상 중심
  으로 협상을 진행하였으나 합의된 사항은 없슴.

- 상호 관심품목의 관세인하를 위한 양자협상도 현재까지는 의견타진
  수준에 머물러 있슴.

  o 미국·일본등과의 양자협상에서 아국은 의류, 신발등 수출관심품목
    의 관세인하 촉구중

0062

# 2. 향후 협상대책

## 가. 무세화 협상

- 대상분야(9개 분야)

> 전자, 건설장비, 의료기기, 철강, 의약품, 비철금속, 종이,
> 목재, 맥주등 주류

  o '91 수출액 : 18,047백만불(총수출의 약 25%)

  o '91 수입액 : 24,750백만불(총수입의 약 30%)

- 각국입장

  o E C : 일부분야 무세화에 참여 예상

      (참여예상 분야)

      철강, 건설장비, 의료기기, 비철금속, 의약품

  o 미국·일본등 선진국 : 무세화에 대체로 동조

  o 개도국 : 참여대상이 아니거나 부분적인 참여대상으로 큰 부담
      이 없슴.

- 아국입장

  o 기본입장

    참가국의 경제발전 수준, 관련산업의 경쟁력 정도를 고려해
    참여 범위에 신축성이 부여되어야 함.

0063

o 분야별 입장

```
o 철    강 : 전면 참여가능

o 전자·건설장비 : 부분적 참여

o 여타분야 : 수입일방 분야로서 참여불가
```

- 향후 협상대책

  o 현재 무세화 참여 대상품목은 경쟁력이 있거나 수입이 불가피
    한 분야 및 품목에 한정하여 우리에게 유리한 방향으로 선정
    되어 있음.

  o 따라서 추가 무세화를 요구할 가능성이 크고 이경우 관계부처
    협의 및 UR 대책 실무위를 거쳐 참여 방안을 마련할 계획임.

나. 관세조화 협상

- 대상분야 : 화학제품, 섬유 및 의류, 수산물

- 각국입장

  o 화학제품 : 미·EC·일본·캐나다 등이 대체로 동조.

  o 섬유 및 의류 : EC는 적극적이나 미국·일본이 소극적임.

  o 수 산 물 : 일본과 EC가 소극적임.

0064

- 아국입장

  o 기본입장

    각국의 경제발전 수준 등을 감안 조화세율에 차등이

    두어져야 함.

  o 분야별 입장

    1) 화학제품 : 부분참여

       조화세율이 5.5~6.5%인 품목은 참여가능하나
       협상전략상 일단 민감품목은 제외할 계획임.

    2) 섬유 및 의류 : 적극참여

       o EC가 제안하고 있는 섬유조화제안 적극지지

       EC의 섬유류의 관세조화 제안('90.12)

       (단위 : %)

| | 선 진 국 | 개 도 국 |
|---|---|---|
| 원 재 료 | 0 | 0~5 |
| 반 가 공 품 | 2 | 6~8 |
| 사 인 조 사 | 4~5 | 10~12.5 |
| 천 연 사 | 4~5 | 10~12.5 |
| 직 물 | 8 | 15~20 |
| 의 류 | 12 | 30~35 |

    3) 수산물 : BOP 수입자유화와 동시에 관세인하는 어려움.

       캐나다의 수산물 관세조화 제안('91.12)

| 구 분 | 조화세율 (%) |
|---|---|
| 활어상태 | 0 |
| 신선, 냉장, 냉동, 염장, 건조상태 | 5.0 |
| 훈제, 소금에 절인 상태 | 7.5 |
| 가공된 상태 | 10.0 |

0065

다. 양자협상

(1) 미 국

 - 아국 수출관심품목인 섬유, 의류등 고관세 유지 분야의 관세
   인하 적극 노력

   o 아국은 '92.1 미국에 대해 섬유, 의류등 48개 우선관심품목
     (대미 총수출의 12.3%) 제시

(2) 일 본

 - '92.1 한·일 정상회담에서 제시한 16개 아측 관심품목의 관세
   인하 적극 노력

   o 16개 품목 대일 수출액 : 약 10억불(대일 총수출의 약 8.2%)

0066

# UR농산물 협상전망 및 대응방향

## 1992.11.27.

## 농 림 수 산 부

0067

0068

I. UR협상 최근동향 및 전망


1. 미-EC 양국간 합의


가. 협상경위

    O '91.12.20 던켈초안(DFA) 제시이후 양국간 기본입장 차이로 인하여 UR협상 전체가 답보상태

    O '92.10월이후 양국간 고위급 협상을 연속 개최하여 견해차를 좁힘

        - 10.11-12 브랏셀에서 미.EC 통상, 농무장관 회담

        - 10.19-21 브랏셀에서 고위실무급 협상

        - 11.1 - 3 시카고에서 미.EC 농무장관 회담

    O 11.5 미국이 Oilseed분쟁과 관련하여 보복조치계획 발표

        - 약 3억불상당 EC농산물(백포도주, 유채유, 밀글루텐)에 대하여 200%까지 수입관세부과
          (12.5시행)

    O 11.18-19 워싱턴에서 미.EC 각료급 협상을 재개, 실질진전 이룩

    O 11.20(서울시간 11.21, 03:00) Bush 미대통령, Major EC이사회의장이 미.EC협상타결을 발표

나. 합의내용

| 구 분 | 합 의 내 용 | 던 켈 초 안 |
|---|---|---|
| 1. Oilseed<br>(대두, 유채,<br>해바라기씨) | O EC의 Oilseed 생산면적 감축<br>  - 1차년도 15%휴경, 그이후는<br>    10%이상 휴경<br><br>O 휴경지에 대하여는 비식용작물 식부만<br>  허용 | O UR과 직접적 관계가 없는<br>  양자문제임(미국은 UR협상의<br>  전제조건으로 간주) |
| 2. UR농산물협상<br>  가. 수출보조 | O 물량기준 : 21% 삭감<br><br>O 금액기준 : 36% 삭감<br><br>O 기준년도 : '86-'90평균 | O 24% 삭감<br><br>O 좌 동<br><br>O 좌 동 |
| 나. 국내보조 | O 총량 AMS기준<br><br>O 6년간 20% 삭감<br><br>O 생산감축과 직결된 직접지불정책을<br>  조건부로 허용 | O 품목별 AMS기준<br><br>O 좌 동<br><br>O 삭감대상정책에 분류 |
| 다. Rebalancing | O EC의 곡물대체품 수입이 급증하여<br>  CAP개혁조치를 위협할 경우 양국간 협의 | O 언급없음 |
| 라. 평화조항 | O 합의사항에 대하여는 GATT의 분쟁해결<br>  절차를 취하지 않음 | O 분쟁절차를 삼가한다는 권장<br>  규정(협정문안 18조) |

0070

## 2. 주요국가의 입장

### 가. 미 국

- 양측간 합의를 기초로 넌내에 UR협상의 정치적 타결 시도

  o '93.1.20 신행정부 출범전에 매듭을 지으려는 의도로 관측

### 나. E C

- EC집행위원회에서는 만장일치로 합의안을 지지(11.20)

- EC이사회의 승인을 받아야 하나 아직 일정이 확정되지 못한 상태

  o 12.3-4 불.독 정상회담, 12.6-7 EC 각료이사회(외무,통상장관) 및 12.11-12 EC정상회담이 주요계기가 될 전망

- 영국.독일등 대부분 회원국은 지지하고 있으나 불란서는 반대입장을 강력히 표명

- 불란서의 강경한 반대 배경(벨지움, 포르투갈, 화란등은 불란서입장을 비공식적 지지)

  o 정치적으로는 3월 총선을 앞두고 사회당정부가 농민의 반발을 최소화할 필요성

  o 경제적으로는 EC내 최대농업국으로서, 농산물이 전체 불란서 수출의 16%를 차지하는 주요 교역품목이므로 경제실익과도 직결됨

  o 그러나, 유럽통합과정에서 불란서의 Leadership 필요성과 상치되므로 최종결정과정에서 Veto권 행사여부는 불투명

- 미.EC간 합의내용과 CAP개혁내용과의 합치여부에 대한 논쟁

  o 불란서는 미.EC간 합의내용이 CAP개혁범위를 벗어났다고 주장

0071

다. 일 본

- 미국.EC간 타결로 일본의 쌀시장 개방문제가 현안으로 부각

- 공식적입장은 쌀시장 개방불가의 기본입장을 재확인

  o UR실패 책임문제와 관련지워 쌀에 대한 정치적 결단이 필요하다는 문제가 제기되고 있으나 쌀시장 개방불가 입장을 현재까지 계속 유지

  o 미.EC간 농산물문제는 타결되었으나 서비스,반덤핑등 여타 협상분야에 아직 이견이 남아 있어 양국간 협상동향을 더 관망한다는 입장

  o 미.일간 현안인 60여개 가공식품 관세인하 문제와 연계시켜 쌀문제를 미국과 직접 협의할 가능성

- 제네바 협상재개시 던켈초안 수정을 제안할 것으로 예상


라. 스위스

- 민감품목에 대하여는 10년간 유예기간후 관세화 하겠다는 입장
  o 대신 품목별로 던켈초안보다 높은 수준의 최소시장접근을 허용

- 제네바 협상재개시 던켈초안 수정제안 가능성이 큼


마. 카나다

- 유제품, 계란, 닭고기등 생산통제품목에 대하여 관세화 예외주장[갓트 11조2(C)에 의한 수입제한]

- 최종단계에서 스위스 방식의 융통성을 보일 가능성이 있는 것으로 관측


바. EC의 바나나 수입제도 문제

- 바나나에 대해서는 ACP국가의 어려움을 감안 수입쿼타를 계속 유지하면서 당장 관세화 하지는 못할 것으로 전망

0072

## 3. 향후 협상전망

o 미국의 신속처리절차 시한('93.3.1)내 UR협상타결을 목표로 하여,

o '92년말까지 정치적 Package 합의도출,

o '93.1-2월중 시장접근, 서비스 양허협상등 세부 마무리 협상전개

o '93.2월말 최종협정문 채택이 예상됨(가장 낙관적 시나리오)


- 11.26 제네바에서 TNC회의를 개최하여 구체적인 다자간 협상계획 제시

- 던켈초안(최종협정문안) 조정협상 : T-4

  o 12월중 1-2주간 최종협정문안 조정협상 전개예상

  o 일단 미.EC 양자합의 사항의 다자화가 추진될 전망

  o 여타 이해관계국의 던켈초안 수정요구도 함께 제기될 전망

  ※ 여타 수정요구는 매우 계한적일 것으로 예상됨(농산물의 경우 관세화 예외, 여타분야의
      경우 반덤핑, 지적소유권등)

- 시장접근 및 서비스 양허협상 : T-1,2

  o EC의 농산물 이행계획 제출 및 미국과 EC의 공산품 이행계획 제출

  o 11.30 주간부터 2-3주간 집중적 양자.다자간 협상예상

─────────── 〈 참고사항 〉 ───────────

  미국,불란서등의 정치적 상황과 양허협상의 기술적 복잡성 때문에 협상타결이 3-4개월

늦춰질 가능성이 있으며, 경우에 따라 93년말 또는 94년까지 연기될 가능성도 배제할 수 없음


0073

## Ⅱ. 아국의 대응방향

```
    쌀의 관세화 예외등 핵심사항은 협상의 마지막 단계까지 기본입장을 유지하면서,
최종협상 결과에 반영되도록 범부처적으로 총력을 집중
```

## 1. 기본입장('91.1.9 및 '92.4.8 대외협력위 결정사항)

| 아국의 이행계획서 주요내용 | 던켈초안 |
|---|---|
| - 쌀은 관세화, 최소시장접근대상에서 제외<br>ㅇ 여타 14개주요품목(NTC)은 관세화 대상에서는 제외하되 최소시장접근 2%는 인정<br><br>- 기준년도는 최근년도 평균을 사용<br>ㅇ 국내보조 : '89-'91<br>ㅇ 시장접근 : '88-'90<br><br>- 개도국우대 반영<br>ㅇ 삭감폭은 선진국의 2/3수준<br>ㅇ 이행기간은 3년 추가연장 | - 예외없는 관세화 및 최저 3-5% 시장접근 인정<br>ㅇ TE는 6년간 최소한 15% 삭감<br><br>- '86-'88년 평균 적용<br><br><br><br>- 구체적 분류기준은 없음<br>ㅇ 미국.EC등 주요국은 아국의 개도국 지위에 의문 표명 |

0074

## 2. 협상전략

가. 일본, 스위스, 카나다등 입장이 유사한 국가들의 협상동향을 면밀히 파악, 대처

 o 재외공관을 통하여 정책변경 여부등을 신속히 파악, 분석

 o 제네바등지에서 수시로 접촉하여 상호 공동대처방안등을 협의

나. 던켈초안에 아국입장 반영을 위한 다각적 노력 전개

 o 일본, 카나다, 스위스등과 공동보조를 취하여 예외없는 관세화가 저지되도록 총력을 집중

 O 아국의 독자적인 던켈초안 수정제안 또는 일본, 카나다, 스위스등과 공동수정제안을 제출

  (융통성 있게 대처)

 o 미국.EC등 주요국가와 사전 접촉, 아국입장 반영을 위한 협조요청

─────〈 던켈초안의 수정요구 대상 〉─────

O 관세화예외규정 반영

 - 식량안보를 위한 기초식량과 생산통제품목(갓트 11조 2)은 관세화 대상에서 제외

O 기타사항

 - 기준년도 : 개도국의 경우 기준년도 선택의 융통성 인정

 - 개도국우대 : 최저시장접근폭도 선진국 2/3수준으로 조정

 - 국내보조 허용정책 조건완화 : 공공비축의 구매 및 판매조건등

 - 관세양허 : 소수 민감품목의 경우 비양허 가능성 유보

0075

다. 시장접근 협상에 적극 참여

　　O 미국, EC, 호주, 카나다등 주요 교섭상대국과 양자.다자간 협상을 개최

　　O '92.4 갓트에 제출한 이행계획서를 기초로 협상하되 기술적 사항에 대해서는 최대한
　　　융통성을 발휘


라. UR협상대책반을 재구성.운영

　　O 협상동향 분석 및 협상전략과 대응논리의 개발

　　O 정부의 대응방향을 신속하게 대외 홍보


마. 본부 협상대표단 파견

　　O 11.30부터 예상되는 각종 협상에 고위급 실무대표단을 파견

　　O 필요시 상주체제 확립


바. UR타결에 대비한 국내보완대책의 면밀한 사전 준비

　　O 시장개방, 보조금 감축등에 따른 농가소득 보상책 강구

　　O 국내 시장가격안정, 수입급증 방지등을 위한 수입.통관체계 보강


0076

(UR 對策 實務委員會 案件)

# UR 協商 分野別 評價 및 對應方案

'92.11.27

商 工 部

# 目　　　　　次

1

# 1. 纖 維

## 가. 主要爭點事項 및 主要國 立場

| 區分 | 先進國 立場 | 開途國 立場 | 協定 草案 |
|---|---|---|---|
| o GATT 복귀 시한 | 12 - 13년 | 6-8년 (인도, 파키스탄) | 10년 |
| o GATT 복귀 비율 | 3단계로 5%,10%,15% | 20%,25%,30% | 12%,17%,18% |
| o 규제지속중인 품목의 쿼타 연증가율 | 3단계로 8%,12%,15% | 40%,50%,70% | 16%,25%,27% |

## 나. 最終協定文案의 評價

o UR 纖維 最終協定文案은 핵심내용인 GATT 復歸時限, 復歸比率, 非復歸品目의 연증가율에 있어 先進輸入國의 양보로 輸出開途國의 입장이 상당부분 反映 특히 我國등 쿼타 다량보유국에 유리

- GATT 復歸時限과 관련, 향후 10년간에 걸쳐 纖維類 交易이 단계적으로 자유화되므로, 아국의 경우 최근 國際競爭力을 잃어가는 狀況에서 현재 推進 中인 纖維産業構造改善 7개년 계획의 終了後에도 5년여의 시간적 여유를 갖고 대응 가능

- GATT 復歸期間中 비복귀품목의 단계별 쿼타 연증가율 水準이 輸出開途國의 主張쪽으로 反映

- 規制의 基礎物量을 현행 兩者 纖維協定上의 規制水準으로 하게 되어 있어 아국등 쿼타 大量保有國의 기득권 보호

2

0079

## 다. 對應方案

o 協商이 재개될 경우, 아국으로서는 가능한한 동 문안의 기본골격 (復歸時限, 復歸比率, 年增加率)이 變更되지 않도록 하는 방향에서 對處

- 美國이 GATT 復歸時限 延長 (10년 → 15년) 을 제기할 경우 我國으로서는 復歸時限이 연장되게 되면 국내 섬유산업구조조정을 위한 시간적 여유를 더 갖게 되고, 쿼타의 조기 상실로 인한 市場잠식이 지연되므로 反對할 필요는 없음

- 後發開途國들이 GATT 復歸比率, 年增加率에 대해 協定案 수준보다 上向調整을 主張할 경우, 아국으로서는 연증가율의 上向調整은 반대할 이유가 없으나, GATT 復歸比率의 상향조정은 後發開途國에 의한 아국시장 침식 우려가 있는 바, 受容되지 않도록 誘導

- 規制의 基礎物量을 양자협정상 물량으로 規定한데 대해 後發開途國(현 수출량에 일정비율 증가시킨 物量 主張)이 문제를 제기할 경우, 쿼타 다량보유국인 아국으로서는 協定案 규정이 유리한 입장이므로 受容 不可

3

0080

# 2. 탄덤핑

## 가. 主要爭點事項 및 主要國 立場

| 分野 | 輸出國 立場 | 輸入國 立場 | 協定 草案 |
|---|---|---|---|
| o 규범강화 분야 | - 원가이하 판매가격을 통상거래로 인정 | | o 일부반영 (경기불황시 원가이하 판매불인정) |
| | - 정상가격과 수출가격 비교시 가중평균에 의한 가격비교 | | o 반영 |
| | - 구성가격의 이윤산정 기준 설정 | | o 반영(실제 자료기준) |
| | - 제소자 자격기준 강화 | | o 미반영 |
| | - 반덤핑 관세의 소멸조항 설정 | | o 반영(5년) |
| o 우회덤핑 분야 | | o 수입국내 조립 우회 덤핑 규제 | o 반영 |
| | | o 제3국 조립 우회 덤핑 규제 | o 소급효만 인정 |

## 나. 最終協定文案의 評價

o 그간 美國.EC와 輸出國들의 첨예한 대립을 折衷한 선에서 提示된 Medium package 수준으로서 대체로 輸出國이 주장하는 기존규범의 强化와 수입국이 주장한 우회덤핑 規制가 均衡

- 기존 규범의 상당부분이 改善되어 반덤핑 措置의 濫用을 抑制할 수 있는 근거가 마련

- 우회덤핑은 기본적으로 先進 輸入國 요구사항이 反映된 것이긴 하나 그간 先進 輸入國이 국내법에서 이를 자의적으로 規定, 運營한 現實을 고려할때 이에 관한 多者間 規範을 설정, 객관적이고 明瞭한 規範을 制定함으로써 해외투자의 豫測可能性을 確保한 점에서 의미가 있음

4

0081

o 다만, 반덤핑 規定의 성격상 구체적 기술적 表現이 중요한 바, 상당부분
   애매하거나 불충분한 표현이 있고 앞으로 紛爭의 소지가 있는 부분도 있으나
   全體的으로 평가할 때에는 이번 協定案은 대체로 受容可能


나. 對應方案


o 기본적으로 아국등 輸出國 立場과 美.EC등 輸入國 입장을 均衡있게 折衷
   反映하고 있어 우리로서는 受容 可能하나 협상 재개시 輸出國과 공동으로
   대응하여 더이상 후퇴되지 않도록 하고 表現이 모호한 부문에 대해서는
   明瞭化에 주력


  1) 現在 美國, EC가 現 Dunkel 最終協定案에 대해 강한 불만을 보이고 있다는
     점에 비추어 동 국가들이 最終協定案에 이의를 제기할 경우

    - 我國은 반덤핑 분야가 UR 全體 協商分野中 차지하는 重要性을 强調하고
      반덤핑 분야에 滿足할 만한 결과가 없이는 均衡된 UR 協商 結果를 도출할
      수 없다는 原則的인 立場을 表明하고,

    - 사무국이 現 Dunkel 最終協定案에 輸出.立國의 입장을 어느정도 均衡있게
      反映하기 위한 노력을 기울였다는 점을 評價하고, 이에 기초하여 最終
      協定案이 合意되어야 한다는 점을 强調하도록 함


  2) 홍콩, 싱가폴, 日本등 輸出國이 현 최종협정안을 더 명료히 改正하여야
     한다며 이의를 제기할 경우

    - 我國은 기본적으로 現 議定書案에 수출입국의 立場을 均衡있게 反映하기
      위한 사무국의 努力을 評價하고

- 다만, 자의적인 반덤핑 協定 運營을 방지하기 위해서는 協定의 具體的·技術的 表現이 중요한 바, 現 議定書案에 있는 애매하거나 불충분한 表現에 대해 추후 보다 명료하게 規定할 필요가 있음을 言及토록 함

※ 規定의 明瞭化 問題提起時 다음의 우선순위로 對應
===================================================

(ⅰ) Targeted Dumping의 要件 設定 强化

(最終協定案)
  o 輸出價格이 구매자, 지역 또는 期間別로 상당한 차이가 있는 경우 가중 평균 정상가격을 거래별 輸出價格과 비교하여 산정가능

(提起事項)
  o 예외적인 경우의 구체적 要件이 불명확하여 실제 운용상 紛爭의 소지가 있어 이의 明確化 必要
    - 소비시장의 조작등 要件 追加
    - "상당히 다른 경우"를 調査期間 평균가격과 20% 이상 차이가 나는 경우로 明瞭化

(ⅱ) 提訴者 資格

(最終協定案)
  o 덤핑조사는 국내 동종상품 生產者의 명시적인 지지 또는 反對意思 表示를 基礎로 국내산업에 의한 要請이 있을 경우 실시

(提起事項)
  o 지지, 반대정도에 관한 要請與否의 판단기준을 計量化하여 明確히 해야 함

6

0083

- 과반수 지지 요건 原則 (國內 總生產額의 50% 이상)

(iii) 構成價格 算定時 利潤算定基準

(最終協定案)

o 실제資料 사용의무 賦課

o 例外的인 경우
  - 당해 수출자의 동일부류제품 販賣의 正常利潤
  - 동종상품 生產者들의 加重平均 利潤
  - 동일부류제품 生產者들의 正常利潤

(提起事項)

o 실제자료 사용이외의 利潤算定 기준예중 우선순위가 미설정되어 있어 이의
  明瞭化 필요
  - 상기 이윤 算定基準의 우선 순위 設定

(iv) 原價以下의 販賣 (sales below cost) 認定

(最終協定案)

o 상당기간 (통상 1년, 최소 6개월 이상) 동안 상당량 (總去來量의 20% 이상)
  이 原價以下로 販賣된 경우 正常去來로 認定

o 調査期間동안 加重平均 費用을 상회할 경우 正常去來로 認定

(提起事項)

o 경기순환산업의 경우 不景氣時 過去 代表期間동안의 平均費用 考慮

7                                                    0084

(ⅴ) 被害算定時 누증적 評價 (Cumulation)

(最終協定案)

o 被害 判定時 누증적으로 評價하는 槪念을 명시적으로 배제하는 規定이 포함
  되지 않아 輸入國이 被害를 누적 평가 가능

(提起事項)

o 外國의 수입에 대한 被害는 각각 독립적으로 評價하고, 예외적인 경우에만
  누적 평가인정

8                                                    0085

# 3. 세이프가드

## 가. 主要爭點事項 및 主要國 立場

| 分野 | EC等 先進國 | 開途國 | 協定 草案 |
|---|---|---|---|
| o 무차별<br>  원칙 | o 세이프가드 조치<br>  시 선별적용 인정<br>  (EC) | o 무차별원칙<br>  준수 | o 다자간 감시하에 예외<br>  적인 경우 특정국에<br>  대한 쿼타 감축허용 |
| o 회색조치 | o 특정품목에 대하<br>  여는 예외적으로<br>  8년까지 시한허용<br>  (EC) | o 3~4년내 철폐 | o 4년내 철폐 (단, 예외<br>  적으로 8년까지 시한<br>  연장) |
| o 보상·보복<br>  면제 | o 보상·보복면제 | o 무차별원칙 준<br>  수시 허용(3년) | o 최초 3년간 보상·보<br>  복 면제 |
| o 개도국<br>  우대 | - | o 개도국 우대<br>  조항 인정 | o 수입비중 3%이하의 개<br>  도국에 대한 발동금지등 |

## 나. 最終協定文案의 評價

o Quota Modulation 에서 最終案은 EC가 主張하는 수량규제시 特定輸出國에
  대한 쿼타 삭감과 여타 대다수 國家가 主張하는 QM 반대입장을 折衷하여
  제한적 要件下에서 특정 수출국에 대한 쿼타를 削減하도록 規定하여
  無차별 원칙을 主張한 아국 입장이 일부 反映되지 않음

  - 同 規定은 사실상의 선별 적용이 可能하며, 濫用 가능성이 많아 我國의 경우
    否定的 影響이 큼

  - 다만, QM의 계량적 分析에 따르면 아국의 主種 輸出品目이 EC등 先進國
    市場에서 中國等 競爭國에 비하여 輸出增加가 낮아 그 대상이 될 可能性이
    적고, QM은 반덤핑 조치나 補助金·相計關稅 措置와 Trade-off 되는 면이
    있으며, 我國으로서도 이의 활용 가능성을 고려할때 유리한 점도 있음

9

0086

o 여타 灰色措置의 範圍를 명확히 하고 原則的으로 4년내 모두 撤廢키로 한 것은 肯定的으로 評價

o 따라서 綜合的인 面에서는 예외적인 QM 措置가 負擔이 되지만 QM도 GATT나 多者間 規範의 엄격한 適用을 反映하였고, 모든 灰色措置를 撤廢토록 하여 肯定的으로 評價됨

나. 對應方案

o Quota Modulation 問題

  - 기본적으로 세이프가드 조치시 選別的인 效果가 있는 QM에 반대입장이나 肯定的인 면도 있으므로 우선적으로 反對할 필요는 없음

  - 대다수 國家가 QM에 反對立場이므로 여타국이 동 문제 提起時 공동으로 對應

  - 다만, 農産物等 주요협상 이슈와 관련 協商戰略으로 活用하고 QM을 認定할 경우 QM 發動基準 및 要件強化에 협상노력 경주

    . SG 委員會 機能의 대폭 強化 (발동국 決定의 번복권한 賦與)

    . QM 發動時 報復措置 免除規定의 排除

o 여타 爭點은 협상대세 受容

10                                    0087

# 4. 市場接近 (非關稅)

## 가. 協商進展現況

o 我國은 EC.美國등 14개 國家로 부터 request를 받아 7개국에 offer 提出
   (日本에 대해서는 offer가 불가능함을 通報, 오스트리아.칠레등 6개국에
   대해서는 offer 여부를 檢討中)

o 我國은 EC.호주등 13個國家에 request 하여 3개국으로 부터 offer를 받음
   (美國, 카나다는 offer가 불가능함을 通報해 왔고 태국등 8개국은 offer
   여부에 관해 立場 表明없음)

o '92.3.5 我國은 각국이 要請한 품목중 數量規制가 해제된 品目
   (전화기등 HS 6단위 178개 품목)에 대한 讓許計劃書 提出
   - 我國이 유일한 非關稅 讓許計劃書 提出國家

o 向後 各國 request 事項中 가격표시제 및 輸入許可制 廢止, 쵸코렛 검역개선등
   讓許되지 아니한 事項에 대한 讓許協商

## 나. 對應方案

o 各國의 非關稅 讓許內容 및 양자협상 과정에서의 요구정도를 勘案한 讓許
   - 原則的으로 '92.3.5 기제출한 讓許計劃表內에서 對應
   - 追加要求 및 수량제한 이외의 事項에 대해서는 關係部處의 意見을 收斂하여
     양허여부 決定

o 기 제출한 讓許計劃表를 協商의 leverage로 적극 活用
   - offer 提出國에 대한 조속한 讓許計劃表 提出 促求 및 我國의 request에
     대해 offer를 提出하지 아니한 國家에 대한 조속한 offer 提出 要求
   - 他國이 조속한 시일내에 滿足할만한 offer 및 讓許計劃表를 提出하지 아니할
     경우 기제출한 讓許計劃表의 철회여부 檢討

11

# UR/TRIPs 협상 대책

검토필(1992.12.31.)

일반문서로 재분류 93. 3. 31

'92. 11. 27 (금)

# 특 허 청

0089

I. UR 협상 동향

1. 최근 협상 동향

o '92. 11. 5        Oilseeds 분쟁과 관련하여 미국이 EC에 대한 보복 관세
                    조치 발표
                    - 30일 유예후 12. 5 부터 시행 계획

o '92. 11.18-19     미국.EC 각료회담 개최
                    - 농산물을 포함한 포괄적인 사항에 대해 합의

    ※ 미.EC의 공동 Communique 요지

        - 미.EC는 농산물, 시장접근, 서비스, 정부조달 협상에 대한 논의의
          진전을 이룩함.
        - 양국은 UR 협상의 성공적인 타결을 위해 노력할 것임.
        - 농산물 협상의 국내 보조, 수출보조, 시장보조에 관해 합의함.
        - Oilseeds(유지종자) 분쟁에 대해 합의함.

o '92. 11. 25       Geneva에서 Green Room 회의 개최

o '92. 11. 26       10:00 Geneva에서 TNC(무역협상위원회) 회의 개최 예정
                    - 향후 작업 일정 제시 (내용 미입수)

0090

1

&lt; 미.EC간 합의 내용 &gt;

| 구 분 | 합 의 내 용 | 최종 협정 초안 | 비 고 |
|---|---|---|---|
| 국내보조 | o 6년간 21%씩 삭감<br><br>o 소득 보상, 직접 지불정책은 허용 | o 6년간 24%씩 삭감 | o 협정 초안 수정 필요 |
| 수출보조 | o 물량기준 21% 삭감<br><br>o 금액기준 36% 삭감 | o 24% 삭감<br><br>o 36% 삭감 | o 협정 초안 수정 필요 |
| Oilseeds 분쟁 | o 생산면적 감축<br><br>- 1 차년도 : 15% 감축<br>- 후속년도 : 매년 10% 감축 | - | |
| Green Peace 조항 | o 합의된 사항에 대해서는 일방 조치 제한 | - | |

2. 향후 예상 동향

가. 예상 동향

o 미.EC간 합의결과를 기초로 제네바에 다자간 협상이 재개

- 협상 계획 (Program of Work)은 11. 26 TNC 회의시 제시될 예정

- TRACK I - III (시장접근 및 서비스 양허협상과 법제화 작업)과 TRACK IV (최종 협정 문안의 마무리 조정) 작업이 진행될 것으로 전망

. TRACK I - III와 TRACK IV 의 선후에 대해서는 이견이 있으나, 12월중 TRACK IV (최종 협정문안 조정)를 통한 협정문안 확정이 불가피 하다는 것이 지배적인 관측

. TRACK IV 협상은 미.EC간 합의사항을 중심으로 제한적으로 개방될 것이나, 아직 협상방법 및 범위가 확정되지는 않았음.

2

0091

o 따라서, TRACK IV 협상은 12월 말까지 타결하고 TRACK I - III은
'93. 2월 말까지 진행될 것으로 예상

- 미국의 Fast-Track Authority 시한을 고려함.


나. 예상 추진 일정

| 시 기 | 진 행 상 황 | 비 고 |
|---|---|---|
| o '92. 12월말 | o 협상 최종 마무리 작업<br><br>  - 최종 협정문안 수정 (TRACK IV 작업) | |
| o '93. 2월말 | o 시장접근 및 서비스 양허협상 완료<br>  (TRACK I - III 작업) | |
| o '93. 2월말 | o UR 최종 협정문안 확정<br><br>  - 협정문안 채택을 위한 각료급 TNC회의 개최<br><br>o 미행정부, 의회에 협상결과 제출 | |
| o '93. 10-11월경 | o GATT 체약국간 각료회의 개최<br><br>  - UR 협상 결과를 총괄하는 MTO(Multilateral<br>    Trade Organization) 협정 채택 | |
| o '94. 1. 1 -<br>  '95. 12. 31 | o 협정 발효<br><br>  - 각국의 가입 개방 | o MTO 협정에<br> 의거 |
| o '96. 1. 1 이후 | o 개별 신규 가입 | |

0092

## II. UR/TRIPs 협상 대책

### 1. 기본 입장

o '91. 12. 20 제출된 TRIPs 분야 최종 협정안을 수용하는데 큰 문제가 없다는 것이 특허청의 입장임.

o TRACK IV가 가동된다 하더라도 TRIPs 분야에서는 현저한 수정사항이 없을 것이라는 것이 지배적인 관측임.

o 다만, TRACK IV가 가동되어 TRIPs 분야에 대한 논의가 있을 경우,

- 우리 정부의 최대 관심사항인 농산물 협상에서 쌀등 기초 식량을 관세화의 예외로 인정받기 위한 협상의 leverage로 사용할 수 있도록 지원하고,

- 미.EC의 요구에 의해 TRIPs 협정 문안의 수정이 시도될 것에 대비하여 적극적으로 대처해 나감.

4

0093

## 2. 아국 제기사항 (협상의 leverage로 사용)

### 가. 정부제출 임상시험 자료 보호 (제39조 3항)

1) 협정안

   o 정부에 제출된 임상시험 자료등을 부정한 영업적 이용 (Unfair commercial use)으로 부터 보호

2) 협정안의 의미

   o 신약 제조.시판허가를 위해 제출된 임상실험 자료를 후에 다른 제약업자가 원용(rely on)하는 등 부정한 상업적 목적으로 이용 (unfair commercial use) 하는 것을 금지

   o 따라서, 신약 개발 능력이 부족하고 자체 임상실험 자료를 만들 능력이 없는 아국 제약업계에 부담을 줄 우려가 있음.

3) 협상 대책

   o 신약개발 능력이 부족한 중도 선진국 (Nordic, 호주등) 및 개도국과 연계하여, 일부 선진국의 제약시장 독점을 초래할 수 있다는 이유로 동 조항 삭제 주장

   o 다만, 동 조항을 더욱 강화하고자 하는 미국.EC의 주장이 제기될 우려도 있으므로 신중히 대처함.

0094

나. 대여권 (제10조, 제14조 4항)

1) 협정안

　o 컴퓨터 프로그램(CP), 음반, 영상저작물 (Video, 영화 film등)에 대한
　　배타적인 대여권을 권리자에게 부여

　　- 단, 영상저작물의 경우는 대여행위로 인해 저작권의 심각한 침해
　　　(materially impairing)가 발생했을 경우에 한함.

2) 협정안의 의미

　o CP, 음반, 영상저작물의 대여행위 자체를 허가 또는 금지할 수 있는
　　권리를 저작권자에게 부여

3) 협상대책

　o 대여권의 목적이 대여를 통해 입수한 저작물을 복제하는 것을 방지
　　하기 위한 것이므로 복제의 우려가 적은 영상저작물에 대해서는
　　대여행위는 인정하되 대여행위에 따르는 권리자의 손해를 보상하는
　　보상청구권으로 규정할 것을 주장

　o 배타적 대여권으로 채택할 경우에는 영상저작물에 대한 단서조항
　　(심각한 침해발생)을 명료화 할 필요가 있음.

0095

6

다. 음반소급보호 (제14조 6항 및 제70조 2항)

  1) 협정안

     ㅇ 음반의 제작자, 실연가의 권리에 베른협약 제18조를 적용

  2) 협정안의 의미

     ㅇ 베른협약 제18조의 규정이 원칙적인 소급보호를 천명하고 있는 규정
        이므로 음반에 관련한 권리를 소급보호할 의무가 발생

     ※ 베른협약 제18조를 적용한다해도 제18조 상의 예외규정 (3항)을
        원용하여 소급보호 의무를 회피할 수 있는 길은 있음.
        (문화부에서 계속 검토중)

  3) 협상 대책

     ㅇ 본 규정이 Rome 협약의 규정 (불소급보호 원칙 :제7조 3항)을 준수
        하도록 되어 있는 TRIPs 협정안 제2조 2항과 배치된다는 이유로 삭제
        주장

7.

0096

3. 미.EC 예상 제기사항

가. 강제실시권 요건 (제31조 6항) : 미국.EC

1) 협정안

o Public non-commercial use을 이유로 발동 가능

o 합리적 기간내 reasonable commercial terms 로 라이센스를 받지 못할 경우 발동 가능

2) 제기할 내용

o 강제실시권 발동 요건이 모호하여 강제실시권이 남용될 우려가 있음.

o 따라서, 동 규정을 명료화하거나 삭제할 것을 주장

3) 협상 대책

o 강제실시권 제도는 권리자의 권리남용을 방지할 수 있는 제도로서 중요한 것임.

  - 실제 발동되지 않더라도 기술도입자의 입지를 강화시켜주는 역할 수행

o 개도국의 관심사항이므로 연계하여 반대하되 최소한 파리협약 수준 (공익을 이유로 혹은 특허발명을 불실시 또는 불충분한 실시할 경우 발동)으로 규정 되도록 주장

8

0097

나. Pipeline products 보호 : 미국, EC

1) 협정안

o 없  음

2) 제기할 내용

o 의약, 농약등 물질특허의 경제적 효과가 발생하는 것에 장기간 (10년
이상) 이 소요되므로 조속한 보호를 위해 Pipeline products 보호
규정 삽입을 주장

3) 협상대책

o 아국으로서는 문제가 없으나 개도국의 입장을 고려하여 대응

다. 개도국에 대한 경과기간 : 미국, EC

1) 협정안 (제68조)

o 협정 발효일로 부터 5년
  - 물질특허 관련 규정은 5년을 추가 유보 가능

2) 제기 내용

o 개도국에 대해 너무 장기간의 경과기간 부여

3) 협상 대책

o 법제 및 업계의 준비를 위해 장기간이 소요되므로 현재의 규정 유지를
개도국과 연계하여 주장

o 궁극적으로 아국이 개도국 경과기간 (5년)을 적용받을 수 있도록 노력

9

**라. 지리적 표시 보호의 예외 : EC**

1) 협정안 (제24조)

ㅇ 지리적 표시를 보호하되 예외 인정

　- 예　외

　　· 상품의 일반 명칭화된 경우 자유로이 사용
　　· TRIPs 협정 발효 10년 전에 사용하고 있던 사용자를 인정 (4항)
　　· 협정 서명 이전 선의로 사용하는 자를 인정등 (4항)

2) 제기할 내용

ㅇ 포괄적인 예외 규정으로 지리적 표시 보호 자체를 저해할 우려가
　있음.

　- 예외 규정 축소 주장

3) 협상 대책

ㅇ 지리적 표시 자체가 협상 참가국에게 다소 생소한 개념이며, 10년
　이상 장기간 사용자 및 선의의 사용자 등은 보호되어야 된다는 이유로
　일본등과 연계하여 EC의 주장에 반대

10　　　　　　　　　0099

# UR/서비스分野 協商動向 및 對應方向

## 1992. 11. 27

經 濟 企 劃 院
對外經濟調整室

0100

# 1. 最近 協商動向과 展望

## 〈 서비스 一般協定(GATS) 〉

- 서비스 一般協定(GATS) 制定作業은 '91.12.20 제시된 최종 협정문안에 대해 각국간에 대체적인 合意가 이루어져 있는 상태

- 다만, 技術的事項에 국한하여 비공식협의가 진행되어 왔으나 현재 각국간에 큰 의견대립은 없는 상태이므로 餘他分野協商 이 마무리되는 시점까지 큰 문제없이 合意에 이르게 될 것으로 전망

    O 主要論議事項 : 용어의 정의(제1조, 제34조등), 양허수정 절차(제21조), 스케줄링 관련조문(제16조, 제17조)해석, 조세문제(제14조)등

## 〈 서비스 讓許協商 〉

- 서비스 讓許協商은 금년 1~10월간 5차례에 걸쳐 진행되었 으며, 12월중 한차례 讓許協商(12.7주부터 2주간 예상)을 가진후 '93.2말까지 1~2차례 마무리협상이 있을 것으로 보임.

- 앞으로 진행될 협상에서 金融, 基本通信, 海運分野가 서비스 협상 성패의 관건이 될 것으로 보이며, 이들 분야에 대하여 美·EC등의 주도로 Common Approach 추진중

    O 金融 : 11.20 美·EC間 농산물분야 타결시 共同步調宣言 (日本, 韓國 및 ASEAN등에 대하여 일부 선진국 들이 하고 있는 Negative方式에 따라 높은 수준의 自由化約束 요구예상)

0101

ㅇ 基本通信 : UR종료와 관계없이 基本通信分野 開放을 위한
           협상을 계속, 동 결과에 따라 MFN문제 결정
           (미국, 북구주도, 한국포함 12개국에 참여
           요청)

ㅇ 海運 : 共通讓許表에 따라 주요 해운국가들이 자유화약속
         을 함으로써 美國의 參與를 유도(EC주도, 한국포함
         13개국 참여중)

- 海運 및 基本通信은 주로 미·EC간 대립되어 온 분야로서
  양국간 農産物分野 合意를 바탕으로 하여 타결전망이 가능
  하나, 금융분야는 先·開途國間 對決構圖로서 동 분야의
  敏感性, 技術的 複雜性 때문에 많은 어려움이 예상됨.

  ㅇ 海運은 미국의 MFN일탈 완전철회(또는 일탈범위 축소),
     基本通信은 EC의 시장개방협상 참여동의, 美國의 MFN
     일탈 철회하는 식으로 타결전망

  ㅇ 先進國들은 금융분야에 가시적인 성과가 없을 경우 전체
     UR/서비스협상을 無意味한 것으로 해석

- 그러나 全體的으로 보아 다른 분야의 협상이 타결되는 것과
  병행하여 서비스協商도 合意를 도출하게 될 것으로 전망


2. 向後 對應課題 및 對應方向

 가. 서비스 一般協定(GATS)

 - 현재 協定文案에 대해 이견이 없는 상태이나 계속 제네바
   代表部를 중심으로 動向把握에 주력하고 우리의 實質的 讓許
   問題와 관련되는 사항이 제기될 경우 관련부처에서 신속히
   대응방안을 수립, 대처

0102

## 나. 서비스 讓許協商

- 最終讓許表案을 조속히 마련, 가능하면 12月中 協商에서
  각국에 제시

  ○ 最終讓許案은 현재의 양허안에 의한 自由化約束을 가급적
    견지하되 그동안 확정된 追加自由化 內容등을 반영

  ○ 作成樣式은 여타국과 보조를 맞추기 위해 서비스 供給
    形態를 명시적으로 구분하여 작성

- 그간 쟁점이 되어온 분야에 대한 立場整理를 명확히 하고
  향후 협상에서 우리 입장을 최대한 견지

  ○ 金融分野 : Blueprint 1,2단계 조치를 最終讓許表에 반영
    하는 선에서 대응

  ○ 基本通信分野 : 그동안 유보적 태도를 취해온 基本通信
    多者間協商에 참여의사 표명

  ○ 海運分野 : 각국의 주요구사항이었던 海上貨物周旋業등을
    개방('93.7까지)키로 함에 따라 쟁점해소

  ○ 建設,流通,環境分野등 : 각국 요구사항이 많으나 修正
    讓許表 範圍內에서 대응

  ○ 外國人 土地取得 : 外國人 土地取得을 점차 확대하겠다는
    입장이나 현재로서는 명시할 수 없음을
    표명

  ○ 人力移動 : 최근 美·日등이 讓許範圍擴大(전문직업인
    추가) 움직임을 보이고 있으나 현재까지 검토
    결과 우리는 추가양허가 어렵다는 입장

- 현재 GATT사무국에 보류되어 있는 MFN 逸脫申請件을 12월중
  협상에서 마무리 지을 예정

  ○ '92.10 양허협상시 外國人 土地取得, 對日 視聽覺 서비스
    등 2개분야를 추가하고 기존 항공 CRS외에 海運 waiver
    제도를 韓·日航路로 바꾸어 신청하기로 하였으나 시청각
    서비스문제와 관련 배포를 보류시켜 놓고 있는 상태

0103

다. 國內補完對策의 推進

- 협상타결이후의 서비스 開放擴大에 대비 國內補完對策을 추진

  ○ 서비스 業種別 現況分析 및 開放關聯對策(16개과제중 하나)

  ○ 서비스산업의 경쟁력강화를 위한 長期發展計劃과 개별
    서비스 산업의 특성에 맞는 漸進的 自由化計劃 수립

- 具體的인 作業計劃을 수립, '93년 상반기중 각 서비스 관련
  부처별로 작업추진 계획


3. 向後推進日程

- 12月中 協商對備
  ○ 最終讓許表(案) 作成 : 12.3일(목)까지
  ○ 爭點事項에 대한 입장정리 : 11월말까지

- UR/서비스 實務小委員會 開催(暫定) : 12.4일(금)

- UR/서비스 讓許協商 參加(暫定) : 12.14주부터 1주간

  * 最終讓許案은 내년초 對外協力委員會 議決을 거쳐 확정할
    방침임.

0104

# 발 신 전 보

번 호 : WGV-1839    921128 1214 WG    종별 : _____

수 신 : 주 제네바 대사. 총영사

발 신 : 장 관 (통 기)

제 목 : UR 대책 실무위원회 결과

　　　11.26. TNC 회의에서 결정된 협상계획과 관련, 11.27(금) 경기원 대조실장
주재로 UR대책 실무위원회를 개최(관계부처 국장급이 참석), 분야별 대책을
점검하고 향후 협상 대응방안을 논의한 바 주요내용 하기 통보하니 참고바람.

- 아 　　　래 -

1. 분야별 대책 : 별첨(FAX) 참조

　ㅇ 농산물분야를 제외한 현 협정초안이 대체로 수락가능한 것으로 평가

　　　　　　　　　검 토 필 (1992. 12. 31.)

　ㅇ 시장접근 분야의 무세화 협상 추가 참여 문제는 협상진행 추이를 보아 관계
　　부처간 협의를 거쳐 대처키로 함.

　　　　　　　　　검 토 필 (1993. 6. 30.)

2. 관세화 예외문제등 농산물분야 대책

　ㅇ 현 국내상황등 제반여건을 감안, 기존입장을 고수키로 함.

　　- ~~관세화 문제에 대한~~ 수정안 제시 검토
　　　　협정초안

3. 협상전략

　ㅇ 본부 협상대표 파견문제는 대표수준 및 파견시기에 대한 주제네바대표부의
　　구체적 건의에 따라 결정　　　　　　　　　　　　　/ 계속...

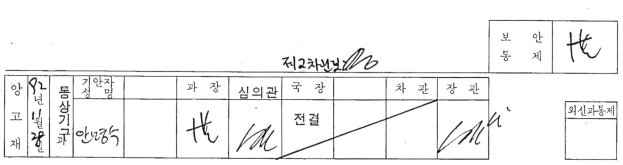

제2차변보

| | | | 보 안 통 제 | |
|---|---|---|---|---|

| 앙고재 | 92년 1월 28일 | 통상기구과 | 기안자 성명 안영숙 | 과 장 | 심의관 | 국 장 전결 | 차 관 | 장 관 | 외신과통제 |
|---|---|---|---|---|---|---|---|---|---|

o    농산물분야에서의 이해관계국가와의 공동보조는 주제네바대표부 추진계획에
      따름.

o    미국등 주요국가와의 개별교섭(농수산부 고위관리 파견등) 추진문제도 검토

첨부(FAX)  :  분야별 대책.  끝.

                                        (통상국장 대리    오 행 겸 )


예고  :  93.12.31.  일반


0106

# 경 제 기 획 원

우 427-760 / 경기도 과천시 중앙동1 정부제2청사 / 전화 503-9146 / 전송 503-9141

문서번호  통조이 10520-103

시행일자  1992. 11. 30

(경유)

수신      수신처 참조

참조

| 선결 | | | | 지시 | | |
|---|---|---|---|---|---|---|
| 접수 | 일자<br>시간 | 92. 12. 1<br>: | | 결재 · 공람 | | |
| | 번호 | 41468 | | | | |
| | 처리과 | | | | | |
| | 담당자 | 이시언 | | | | |

제목    UR대책 실무위원회 회의결과 통보

1. 통조이 10520-126('92.11.23) 관련임.

2. 분야별 향후 UR협상 대응방안 논의를 위하여 '92.11.27(금) 개최된 UR대책 실무위원회 회의결과를 다음과 같이 통보합니다.

- 다       음 -

가. 회의개요

- 일시 및 장소:  '92.11.27(금), 15:00-18:30  경제기획원 대회의실

- 참석자:  경제기획원  대외경제조정실장, 제2협력관
            외 무 부  통상심의관
            재 무 부  관세국장
            농림수산부  농업협력통상관
            상 공 부  국제협력관
            특 허 청  기획관리관

- 의제:  분야별 향후협상 대응방안

  ① 향후 예상작업 일정, MTO 등 제도분야 (외무부)
  ② 시장접근 분야 (재무부)
  ③ 비관세, 섬유 및 규범 제정분야 (상공부)
  ④ 지적재산권 분야 (특허청)
  ⑤ 서비스 분야 (경제기획원)
  ⑥ 농산물 분야 (농수산부)

0107

나. 회의결과

- 농산물분야에 있어서는 식량안보 관련 기초식량에 대한 관세화
  예외인정, 쌀의 최소시장 접근 예외인정등 기존입장을 확고히
  견지하고 그 반영을 위하여 최선의 협상노력을 계속 경주토록 함.

- 농산물 이외 분야에 있어서는 본회의 상정안건인 각 협상대응
  방안들을 중심으로 대응토록 함.

- 정부대표단 구성.파견등 협상 대응체제에 있어서는 제네바 대표부가
  협상 진전상황을 파악후 필요하다고 판단되어 파견 요청할 경우
  관계부처 협의를 거쳐 이에 대응토록 함.

- 홍보대책과 관련하여서는 정부입장의 일관성있는 홍보가 가능하도록
  개별 발표를 지양하도록 함.    끝.

경 제 기 획 원 장

수신처:  외무부장관, 재무부장관, 농림수산부장관, 상공부장관, 특허청장.

0108

최근 UR 協商 進行 現況 및 展望

(內部 報告用)

92. 12. 11.

通 商 局

0109

## - 目 次 -

0110

# 1. 分野別 協商 現況

가. T 1 (市場接近 分野)

　1) 工産品 分野 양자협상

　　ㅇ 미국. EC간 양자협상이 不振함에 따라 합의가 이루어지지
　　　 않고 양측이 國別履行計劃書(C/S)를 제출하지 않고 있어
　　　 전반적으로 양자간. 복수국간 양허협상이 이루어지지 못하고
　　　 있으며, 당분간 의미있는 進展 期待 難望

　　　 - 12. 8-9. 미. EC간 無稅化 및 關稅調和분야 협상 별무진전,
　　　　 차기회동 일정도 미정

　2) 農産物分野 주요국 협의

　　ㅇ 농산물분야 주요 14개국(core group)을 중심으로 우선
　　　 농산물분야의 政治的 爭點을 論議中이며, 미. EC간 보조금관련
　　　 합의사항 檢證 문제 및 例外없는 關稅化 문제가 주요 쟁점

　　ㅇ EC의 내부사정으로 인해 보조금 관련 미. EC간 合意事項의
　　　 Legal Text 公開를 遲延

　　　 - 아국, 일본, 카나다등은 미. EC 합의사항에 대한 검토
　　　　 필요성을 주장하나, EC측은 내부 절차상 내주말 이후에
　　　　 가서 제시할 가능성은 있다는 입장

　　ㅇ 關稅化 問題에 대해서는 各國의 意見 差異가 있으나, 多數
　　　 國家가 關稅化 原則 受容 態勢

　　　 - 미국, EC, 농산물 수출국(Cairns 그룹)등 다수국은
　　　　 관세화에 대한 예외설정에 적극 반대

　　　 - 일본은 예외없는 관세화에 대한 반대입장을 고수하고 있으나,
　　　　 이는 보다나은 대안들을 관철하기 위한 전략으로 관측

- 1 -

0111

(日本側 檢討代案)

. 쌀의 최소시장접근(MMA)을 3%로 6년간 유지하는 대신
여타품목의 MMA를 늘여주는 방안

. 최저 관세삭감폭 15%를 10%로 조정하는 방안

. 아주 높은 관세상당치(TE)를 설정하는 방안

- 예외없는 관세화에 유보적인 태도를 보이는 카나다, 스위스,
멕시코, 이스라엘, 인니등도 關税化 原則은 受容하되 猶豫
期間 確保 또는 履行期間 延長을 摸索

※ core group : 한국, 미, EC, 일본, 카나다, 호주, 뉴질랜드,
알젠틴, 브라질, 인도, 멕시코, 스위스, 태국,
핀랜드

3) 農産物分野 兩者協商

o 농산물분야의 政治的 爭點이 未決 상태이므로 兩者 協商도
不振

- EC의 농산물 분야 C/S은 내주말경에야 제출 가능


나. T 2 (서비스 분야)

o 서비스 일반협정(GATS)에 대한 技術的인 協議와 各國間 讓許
協商을 竝行

o 今年末까지 MFN 일탈문제등 政治的 爭點에 대해 合意를 이루고
來年 1, 2月中에 서비스 兩者協商을 集中 展開할 것으로 예상


다. T 3 (法制化)

o 12. 9 (수)부터 갓트협정문(GATT '93), 통합분쟁해결절차 협정문에
대한 검토중이나, 미국이 최근 MTO 협정문 검토에 소극적인
입장을 보임에 따라 전반적 협상 부진

- 2 -

- 미국의 반대로 MTO 협정등 정책적 결정을 요하는 사항은 추후
  검토(내년초 예상) 예정

라. T 4 (協定文 修正)

  o 공식 가동은 되고 있지 않으나 농산물 core group 회의를 통해
    事實上 T4 협상을 進行中

  o 농산물외에도 MTO, 서비스, 섬유, 반덤핑등이 잠재적인 쟁점으로
    대두                                              ⸍

# 2. 評價 및 展望

  o 협상이 全般的으로 不振하고 확실한 협정일정 제시되지 않고 있어
    年末까지 의미있는 political package에의 合意 展望 不透明

  o 그러나, 미국, EC, 던켈 갓트사무총장등이 主要 政治的 爭點에 대한
    年內 合意導出을 希望하고 있음에 비추어, 關稅化 문제를 浮刻시켜
    이를 年末以前에 結論 지으려고 할 可能性 尚存

  - 日本은 年末까지 미국의 강한 壓力이 예상되나, 서비스, MTO등
    여타분야 문제점을 함께 거론하여 結論을 늦춰나가는 方案
    構想中. 끝.

- 3 -

# UR 제도 분야 협상대책
## (MTO 관련 미국 수정안)


92.12.23.


통 상 국


0114

# 목 차

0115

# 1. 법제화 그룹(Track -3) 동향

o 11.26. TNC 회의 결정에 따라 법제화 그룹은 12.8. 전체 비공식 회의를
  개최하여 하기와 같은 작업계획 채택

  - 12.9부터 GATT '93, 분쟁해결절차, 개별협정문 순으로 검토 작업 진행
  - 정치적 결단을 요하는 MTO 협정안은 지침이 나온후에 논의

o 이에따라 법제화 그룹은 12.10. GATT '93을 검토하였으나, MTO 협정안에
  대한 정치적 타결이 선행되지 않는 상태에서 법제화 그룹의 작업계속이
  무의미하다는 인식에 따라 법제화 그룹 회의는 더이상 개최되지 못함.

o 이처럼 법제화 그룹에서 실질적인 진전이 이루어지지 못한 것은 미국이
  12.14. MTO 협정을 각료회의 결정 및 UR 의정서(Protocol)로 대체
  하는 내용의 수정안을 제시함으로써 MTO 설립 반대 의사를 표명한데
  기인함.

# 2. 미국 수정안 요지

> 미국 수정안은 UR 협상결과 이행을 위한 각료회의 결정안과 UR 의정서 안으로
> 구성

가. UR 협상결과 이행을 위한 각료회의 결정안의 주요내용

  o UR 의정서(UR 협상결과)의 국내비준절차 회부

  o GATT Ⅱ 체제에 의한 다자간 무역체제 운용

  o 일괄수락(Single undertaking) 원칙 명시

  o GATT '93의 GATT '47 대체

1

나. UR 의정서안의 주요내용

    ○ 다자간 무역체제(GATT Ⅱ)의 범위설정

    ○ GATT Ⅱ 체제 운용관련 기구정비 : 각료급 무역위원회(MTC),
       일반이사회(GC), 3개 분야(상품, 서비스, TRIPs) 이사회, 통합분쟁
       해결기구, TPRM 기구, 기타위원회(예산위원회, BOP 위원회, 무역개발
       위원회 및 무역환경위원회)

    ○ 의사결정방법 : 갓트의 consensus에 의한 의사결정 관행 유지

    ○ 수락(acceptance) 및 가입(accession) 관련절차 명시

    ○ single undertaking 구체화 : 전체협정에 대한 수락, 발효, 탈퇴등

    ○ GATT '93에 의한 갓트 '47 승계 및 경과규정

다. 각료회의 결정안과 UR 의정서안의 성격 및 관계

    1) 각료회의 결정안

       ○ 각료회의 결정안은 GATT '93 및 UR 협상결과를 부속협정으로
         포함하는 UR 의정서안의 국내비준절차 회부 의무(제1항), 기존
         갓트체제의 확대(GATT Ⅱ : 제2항) 및 일괄수락 원칙(제3항)을
         주요내용으로 하고 있음.

       ○ 따라서 동 결정문 채택은 UR 협상의 결과로서 생성되는 다자간
         무역체제를 운용하는데에 필수적인 기본원칙을 수락한다는 의미를
         갖는바, 각료회의 결정문 채택은 UR 협상 참가국들이 국내절차를
         거쳐서 UR 의정서를 수락하기 위한 예비단계 조치로서의 의미를
         가짐(이와관련, 미국은 91.12.15. 최종의정서 검토를 위한 비공식
         회의시 "UR 협상결과 이행문제에 대한 각료회의 결과없이는
         UR package를 의회에 제출키 어렵다"고 언급한 바 있음)

2

0117

o  각료회의 결정문 채택시기

   동 결정문 채택을 위한 각료급 회의는 푼타델에스테 각료선언
   마지막 항에 규정된 각료급 회의로서 UR 협상결과 채택을 위한
   TNC 회의와 동시에(즉 TNC 회의직후) 개최될 것으로 예상


2)  UR 의정서안

   o  UR 의정서안은 각료회의 결정안에 표명된 기본원칙에 따라
      기존 갓트체제 및 UR 협상결과를 모두 포함하는 다자간 무역체제
      (GATT II)의 현실적 운용을 위한 항구적인 법적근거를 제공

   o  즉 기존의 상품분야 뿐아니라 신분야 협정(서비스, TRIPs)의
      운영에 필요한 제도적 틀(일반이사회, 서비스이사회, TRIPs
      이사회, 분쟁해결기구등) 및 기타원칙(일괄수락, 컨센서스
      방식등)을 명시함으로써 MTO를 설립하지 않고도 UR 협상결과를
      이행하는 방안 제시

   o  UR 의정서 발효시기
      UR 의정서 발효시기를 결정키 위해 93년말 이전에 각료급 회의를
      개최할 것으로 예상(단, 동 각료급 회의개최 시기가 지연될
      가능성 상존)

3

## 3. MTO 협정문과 미국 수정안의 주요 차이점

|  | MTO 협정안 | 미국 수정안 |
|---|---|---|
| 채택 절차 | Final Act 채택을 통해 UR 협상 결과 채택(MTO 협정문 포함) | UR 협상결과 채택(TNC)後, 갓트 특별총회를 개최하여 UR 협상 결과 이행을 위한 각료회의 결정 채택 |
| UR협상결과 이행 방법 | 국내 절차後 MTO 협정문 수락 | 국내 절차後 UR의정서(Protocol) 수락 |
| 법적 기속 력의 정도 | 법적 기속력이 강한 협정문 | 법적 기속력이 약한 의정서 (현행 갓트체제와 동일) |
| 별도의 국제기구 설치 여부 | 국제법 인격을 갖는 기구설치 | - 기구 불설치(현 갓트 사무국이 모든 부속협정 이행 관장) <br> - 아울러 무역환경위원회 신설 |
| 의사결정 방식 | 다수결 방식 | 컨센서스 방식 |
| 조부조항 | 철    폐 | 존    치 |
| 국내법의 국제규범 일치 | 포    함 | 포    함 (단 Decision 형식으로 포함 시킴으로써 선언적 규정으로 격하) |
| 웨 이 버 | 포    함 | 삭    제 |
| 협정부적용 | 포    함 | 삭    제 |
| 개정 및 해석 | 포    함 | 삭    제 |

## 4. 미국의 수정안 제출 배경

o  MTO 설립에 대한 미국내(특히 의회)의 거부감

-  국제법 인격을 갖는 MTO가 창설되고 동 기구가 국제무역 문제를 포괄적
   으로 관할하게 되는 경우 통상에 관한 미의회의 권한(예 : 미 통상법
   301조)을 제약하는 결과를 초래할 우려가 있기 때문에 미의회가 MTO
   설립 협정안을 거부할 가능성이 있음.

4

0119

o MTO 설립 협정안의 일부 내용에 대한 불만

- 미국은 MTO 설립시 grandfather 조항이 철폐될 가능성이 크며, 기타 국내법 일치 노력 조항, 부적용 조항, 웨이버 조항, 표결에 의한 의사 결정 조항등에 대해 불만족스러운 입장인 바, 이들 조항을 수정하지 않고서는 MTO 설립 협정에 대한 미의회의 비준을 획득하는데 어려움이 예상됨.

o UR 협상결과 이행을 위한 대안 강구

- 통합분쟁해결 절차에 규정된 패널결과의 이행 관련규정 및 교차보복 인정이 UR 결과의 이행을 실질적으로 보장하고 있으므로 UR 협상 결과의 이행에 관한 법적문서는 어떠한 법적 형태를 취하더라도 무방하므로 미국은 MTO 설립 협정을 통한 UR 협상결과 이행보다는 의정서 방식을 선호함.

# 5. 평 가

## 가. 긍정적인 측면

o Single undertaking 원칙 유지

- Coverage, 수락(acceptance), 가입(accession) 발효(entry into force), 탈퇴(withdrawal) 관련 규정에 동 원칙이 반영되어 있음.

o UR 협상결과의 이행을 위한 기구 설치

- 각료급 무역위원회(Ministerial Trade Committee)
- 일반이사회(General Council)
- 3개 분야별 이사회(상품, 서비스, 지적소유권)
- 기타 위원회(예산위원회, BOP 위원회, 무역개발위원회, 무역환경 위원회)

o 따라서 UR 협상결과를 이행하는데 커다란 문제는 없음.

5

0120

## 나. 부정적인 측면

1) Single undertaking 원칙 관련

○ Single undertaking 원칙을 구현하는 기관인 MTC 또는 GC의 권한과 기능에 대한 규정이 미흡함.

○ 즉, 미국 수정안은 MTC(또는 GC)는 부속 협정을 관할하며, 필요한 하위기관을 두고, 결정은 콘센서스에 의한다고 규정하고 있으나, 전체협정 총괄기관으로서의 MTC 또는 CC는 하기 문제점을 내포하고 있음.
   - 협정간의 불일치가 발생하는 경우에 대비한 해석조항이 없음. (통합분쟁해결 절차에 의한 해석은 구체적인 분쟁을 전제로 함)
   - 웨이버 조항, 부적용 조항이 삭제됨으로써 UR 협상 과정에서 MTO 설립을 전제로 하였기 때문에 논의가 미흡하게 이루어진 부분이 있는 개별 협정이 최종적인 것으로 확정되는 경우 협상 분야 또는 국가간의 이익 불균형 초래(예컨대, TRIPs 협정에는 웨이버 조항 및 부적용 조항이 없으며, 이는 MTO 설립 협정에 관련조항이 포함된다는 것을 전제로 한 것임)

2) Definitive basis에 의한 UR 협상결과 적용 취지 약화
   ○ 미국 수정안은 grandfather clause의 존치를 상정하고 있는바, 이는 다자간 무역체제의 주요원칙의 적용을 제한하는 결과 초래 (예 : Jones Act의 경우 내국민 대우 원칙 배제)

3) 국내법의 다자간 무역협정 합치 노력 조항의 약화
   ○ 갓트기능의 강화를 위해 도입된 패널결과의 이행 관련조항(통합 분쟁해결 절차의 21항)과 교차보복인정(동 22항)에 대한 전제조건 또는 반대급부로서의 성격을 띠는 국내법의 갓트합치 조항이 포함은 되어 있으나 법적 구속력이 약한 Decision 형식으로 반영되어 있음.

6

0121

4) 환경관련 사항의 추가

　ㅇ 각료의 결정사항에 UR 협상 과정에서 논의되지 않은 "sustainable
development" 개념을 도입하고 있으며, Protocol에는 무역환경
위원회(Committee on Trade and the Environment)의 설치를
규정하고 있는 점.


## 6. 아국 대응 방향

### 가. 기본 입장

　ㅇ 아국은 기본적으로 MTO 설립을 선호하나 single undertaking 원칙등
UR의 기본원칙이 유지되고 통합분쟁 해결절차(특히 일방조치 발동
금지)의 핵심적 요소가 존중된다면 아국은 의정서 형식에 의한 UR 협상
결과의 이행을 신축성 있게 고려가능

　ㅇ 아국과 이해관계가 있는 사안인 grandfather clause 존치, 국내법의
다자간 무역협정 일치, 환경 문제등과 관련, 농산물 분야에서의 관세화
예외인정에 대한 미국의 태도에 따라 신축적으로 대처하는 것이
바람직함.


### 나. 사안별 검토의견

1) 일괄수락 원칙

UR 의정서 방식을 채택하더라도 동 의정서에 수락, 가입, 발효,
탈퇴, 대상협정의 범위등에 관한 원칙이 반영되어 있으므로 UR 협상
결과의 이행에 커다란 문제점은 없음.

2) 조부조항

조부조항을 존치시키려는 미국의 입장에 대해 다수 국가들이 무역
자유화 원칙에 반하는 결과를 초래할 것이라는 점에서 반발할 것으로
예상됨.  아국이 현재 특별법하에 유지하고 있는 수입제한조치를
조부조항으로 정당화 시키기가 어려운 점을 감안할때 조부조항 존치에
따른 실익은 없을 것으로 예상되므로 조부조항 존치에 대해서는
반대입장 표명

3) 국내법의 다자간 무역협정 합치문제

다자간 무역체제의 기능강화를 위해 국내법을 다자간 무역협정에
합치시키는 것이 중요함.  현재 MTO 설립 협정문에 권고사항 형태로
반영되어 있는 국내법의 다자간 무역협정 합치 조항이 미측 수정안에
따를 경우 Decision 형식을 취함으로써 법적 구속력이 더욱 약해
진다는 데에 문제점이 있음.
동 문제는 UR 협상결과의 이행을 MTO 설립 방식으로 할 것인지, 혹은
UR 의정서 형식으로 할 것인지의 문제와 관련됨.  아국은 UR 협상
결과를 의정서 형식으로 이행하는데 대해 신축성있게 고려할 수 있다는
입장이므로 동건관련 컨센서스에 따르도록 함.

4) 환경문제

무역환경위원회 설치와 UR 협상과는 별개의 사항이므로 UR 의정서
상에 무역환경위원회의 신설을 명시하는 것은 바람직하지 않음.끝.

8

# 最近의 UR 協商 動向 및 展望

92. 12. 30.

## 外 務 部

0124

# 1. 最近의 協商 經過 .

o 우루과이라운드 協商 進展의 障碍요소였던 美國. EC間 農業補助金
   관련 協商 妥結에 따라, 11. 26 우루과이라운드 무역협상위원회
   (TNC)에서는 今年末까지 政治的 妥結案 마련을 目標로 4 Track
   各 分野別로 協商키로 결정


o 이에따라 「던켈」 GATT 사무총장은 우리나라, 美國, EC등 主要
   18개국 大使가 참석하는 非公式協議會를 통하여 協定文 修正協商을
   年末까지 終結하고, 이를 토대로 다른 모든분야의 협상도 來年
   2月까지 마무리 한다는 전략하에 협상을 진행
   * 18개국   :   한국, 미국, EC, 일본, 카나다, 호주, 뉴질랜드,
                   싱가폴, 인도, 홍콩, 브라질, 알젠틴, 우루과이,
                   칠레, 스위스, 스웨덴, 헝가리, 모로코


o 「던켈」 總長은 協定文 修正의 最小化를 希望하였으나, 美國, EC등
   主要國家가 다자무역기구(MTO) 設置 문제, 반덤핑본야등 多數의
   政治的 爭點에 대해 협정문 修正을 要求, 예외없는 關稅化 問題를
   論議하기도 前에 協商은 교착상태에 봉착
   - 우리나라는 12. 22. 회의시 일본, 스위스 등과 함께 各各의 農産物
     協定 修正案 提出


0125

## 2. 向後 協商日程

### 가. 協商 延期 決定

○ 12.16 主要國 大使 協議會는 今年末까지 政治的 妥結案 합의가
  어려움을 인정, 協商을 來年初에 再開, 시장접근 협상과 협정문
  수정을 위한 主要國 協議를 병행하기로 하였으며 12.18. 貿易
  協商委員會(TNC)는 이를 공식 追認

### 나. 協商再開 日程

○ 市場接近 협상은 내년초 主要國 協議에 따라 가능한한 1.4.
  前後 즉각 再開

○ 협정문 修正을 위한 主要國 協議 日程은 1.4부터 Dunkel 총장이
  주요국과 협의, 決定豫定(1.11 週間부터 재개 예상)
    - 同 修正作業은 ① 반덤핑, TRIPs, 보조금등 규범분야,
      ② 농산물, 섬유분야, ③ MTO등 제도분야의 順으로 進行함.

○ 93.1.15. TNC 會議開催, 진전사항 점검, 평가
    - 이후 定期的으로 TNC 會議開催

## 3. 評價 및 展望

○ 미국, EC등 主要國들이 內部의 政治的 事情으로 「던켈」 總長의
  最終協定文案에 대한 修正要求를 最小限으로 自制하지 못한것이
  年內妥結失敗 原因
    - 美國의 경우, 졸속한 협상종결 추진에 대한 「클린턴」 대통령
      당선자 및 民主黨측의 憂慮表明, 다자무역기구(MTO) 창설에 대한
      議會의 不滿, 최근 對EC 協商에서 계속된 讓步에 대한 行政府,
      業界 등의 不滿 작용

0126

- EC의 경우, 農産物 분야 妥結에 집요하게 反對하고 있는
  불란서의 國內事情등 내부사정 고려

o 市場接近 分野에서의 美. EC間 懸隔한 立場差異, 다수의 협정문
  수정안 提出등 상황을 감안하면, 93. 1. 15까지 政治的 妥結을
  이루기는 어려울 것으로 展望

o 美. EC의 政治的 意志만 확고하다면 2월말까지의 妥結은 가능할
  수도 있음.
  - 12. 18자 美. EC 頂上會談에서 부시 미국 대통령, 메이저 영국
    수상, 들로어 EC 집행위 의장은 1월중순 協商妥結 目標
    達成을 위해 던켈총장의 努力을 적극 支援하겠다는 메세지를
    同人에게 傳達

o 우리로서는 어려운 상황에 처하지 않고 協商이 延期되어 다소
  時間的 餘裕를 가지고 對處할 수 있게 되었으나, 예외없는
  關稅化 문제는 未決事項으로 尙存
  - 1, 2월중 協商이 急進展하는 경우, 우리의 農産物 問題에
    대한 協商도 동기간중 本格化 될 可能性. 끝.

0127

# 1. UR 協商 現況

가. 年內 政治的 合議導出 失敗

o 농산물분야 미,EC간 최종합의 지연

- 11.28. 합의 발표하였으나 12.4. 최종합의, 12.16-17 합의문 및 EC의 양허표 제출

o 농산물 이외분야의 미,EC간 입장차 현격

- EC측의 공산품 양허계획에 대해 미국은 노골적 불만 표시

o 미,EC 兩側의 조기타결 意志도 不明

- 미국 : ① Clinton 次期 行政府의 立場 不透明

② 다수의 협정문 修正案 提出意圖 不明

- E C : 불란서의 집요한 반대

o 상당국이 다수의 협정문 수정안 제출

- 농산물, 반덤핑, 섬유, 보조금, 지적소유권, MTO등

나. 年初 協商 繼續 進行에 合意

o 12.18. 무역협상위원회(TNC)에서 연내 정치적 합의도출 실패를 인정하고, 내년초 협상을 속개, 조속 진전시키기로 합의

- 시장접근 협상(1.4주 개시 목표)과 협정문 수정 협상(1.11주 개시 전망)을 병행하고 수시로 무역협상위원회(TNC) 개최, 점검

o 12.18. 미,EC 정상회담에서 1월중순까지 정치적 합의를 도출 한다는 의지 재확인

0129

## 2. 年初 協商展望 : 3개 씨나리오 상정가능

가. 1.20以前 政治的 合意導出 期待難望
- ㅇ 미행정부 교체이전 실질적 협상 가능여부에 대해 회의적 시각 지배적
- ㅇ 교체후에도 통상외교진용 개편, UR에 대한 신행정부의 입장 결정등에 추가적 시간소요 가능성도 없지 않음.

나. 2月末까지 妥結 또는 政治的 合意導出
- ㅇ 산적한 미결과제에도 불구, 기본적으로 미. EC의 정치적 의지만 확고하면 가능할 것으로 전망
- ㅇ EC는 농산물 분야에서 미국으로부터 상당한 양보를 얻어낸 것으로 평가
- ㅇ 그러나 미국의 태도는 아직 불투명
  - 미국이 ① 시장접근 협상에서 Maximum Package를 표방하고, ② 반덤핑등 협정문의 실질적 변화를 요구하는 수정제안을 제시하고, ③ MTO 설립에 문제를 제기한 것등은 반드시 협상 전략적 차원만은 아니라는 관측도 가능(국내 일부업계 및 환경, 노동단체등의 로비)
  - Clinton 차기 행정부의 UR에 대한 확실한 태도 불표명
- ㅇ 2월말까지 완전 타결이 이루어지지 않더라도 신속승인 절차상의 시간적 요소는 다소의 유연성이 있을 것임.

다. 美國의 迅速處理 權限의 再附與 및 協商의 延長
- ㅇ 새로운 잇슈(환경, 노동문제등) 포합 여부에 따라 단기간 연장후 협상종결, 또는 장기연장을 통한 UR 협상 전면 재교섭의 2가지 가능성

0130

# UR 실무 대책 회의
# 참 가 자 료

( UR 협상 협정문 수정안 제안 현황 및 우리입장 )

## 92. 12. 28.

## 통 상 국

0131

## 3. 농산물 동식물 위생검역(SPS) 및 TBT

| 수정안 요지 (제안국) | 우리 입장 (주무부서) |
|---|---|
| **미 국** | |
| 가. SPS | ~~농림수산부~~ |
| ○ 과학적 정당성이 없는 SPS 조치 금지 | ○ 수입국의 SPS 조치를 가급적 넓게 인정한다는 점에서 수용 가능 |
| ○ 국제기준 합치시 국내의 보호 수준 하향조정 의무 배제 | ○ 아국으로서도 국제기준과 상이한 국내기준을 유지시킬 필요가 있으므로 수용가능 |
| ○ 위험평가시 고려요소로서 "동식물 해충 및 병의 유입 및 전파와 관련된 것"으로 구체화 | ○ 특별히 반대할 이유가 없음. |
| ○ SPS 조치는 무역왜곡 효과가 최소화 되도록 수립 | ○ 미국의 개념정의가 추상적 이므로 적용상 혼란을 초래할 우려가 있으므로 반대 |
| | ~~상 공 부~~ |
| 나. TBT | |
| ○ 기술규정의 무역제한 최소화 원칙 | ○ 미국의 제안은 무역제한 효과를 최소화 하도록 명확히 하려는 것으로 무역제한 효과를 객관화 하고 명료성을 제고할 수 있을 것으로 보임. 수락가능 |
| - '기술규정은 합법적인 목적을 이행하는데 있어 동 목적을 이행하지 않을 경우 야기되는 위험을 고려하여 필요이상의 무역규제 하지 않아야 한다는' 규정과 관련 "필요이상으로 무역을 규제하지 않아야 한다는 not more trade-restrictive than necessary)" 의미를 상당한 정도로 덜 무역 제한적 이며 합리적으로 이용 가능한 기술규정이 없는 경우로 정의 | |
| - 상기 규정 '동 목적을 이행하지 않을 경우 야기되는 위험을 고려하여'를 '기술적,경제적 가능성을 고려하여'로 수정 | - 최소한의 무역제한 조치를 취하는데 있어 기술적,경제적 가능성을 고려하도록 하여 객관적 기준 및 융통성을 부여함. 수락가능 |

0132

| 수정안 요지 (제안국) | 우리 입장 (주무부서) |
|---|---|
| ○ 국내규정과 국제표준의 조화문제<br><br>　- 회원국이 국제표준을 국내기술<br>　　규정의 기초로서 사용하는데<br>　　있어 국제표준이 인간의 안전,<br>　　동·식물의 생명, 환경보호<br>　　수준의 축소를 요구할 경우에는<br>　　동 규정을 원용하지 않음.<br><br>　- '국제기준에 합치되지 않는<br>　　기술규정이 TBT 협정에 위배<br>　　되는 것으로 추정하지 않는다는<br>　　규정 삽입 | ○ 인간, 동·식물 및 환경 보호면에서<br>　국제기준보다 강한 국내규정을<br>　유지·제정할 수 있는 근거 제공.<br>　이경우 무역에 있어 해당수입국의<br>　상이한 국내기준을 따라야 하는등<br>　무역에 제약이 따르게 됨으로<br>　반대 입장 |

0133

## 4. 보조금·상계관세

| 수정안 요지 (제안국) | 우리 입장 (주무부서) |
|---|---|
| E C | ~~재무부~~ |
| o 특별 협정이 있는 농산물, 항공기 분야에 대해서는 보조금·상계 관세 협정 적용 제외 | o 수락 가능 |
| o 보조금 비율이 일정수준(현행 5%)을 초과할 경우, 자동적으로 타국의 국내 산업에 심각한 손상을 초래한 것으로 간주하여 상계관세 조치가 가능하도록 한 규정과 관련 현행 보조금 비율 상한선인 5%를 15%로 인상 | o EC 제안은 보조금 허용 범위를 확대시키므로 찬성 |
| o 허용보조금에 개발보조금 포함 | o 찬 성 |
| o 현행 협정안에 열거된 심각한 손상의 사례와 관련 보조금의 효과가 현저한 (significant) 경우에만 심각한 손상이 있는 것으로 간주함. | o 찬 성 |
| 카 나 다 | ~~재무부~~ |
| o 지방정부 보조금 규제 반대<br><br>- 특정지역내의 기업에 대한 보조금 은 지급기관에 관계없이 특정적 (specific)으로 간주, 허용보조금 범위에서 제외한 조항(2조 2항)은 비연방국가, EC등 경제공동체보다 연방국가를 차별하는 조항이므로 삭제 필요 | o 지방정부가 지원하는 보조금도 동일하게 규제되어야 하며, 경제 공동체의 보조금도 공여기준 및 효과에 따라 역외국가에 차별적인 경우 규제되어야 함. |

0134

| 수정안 요지 (제안국) | 우리 입장 (주무부서) |
|---|---|
| 브 라 질 | 재 무 부 |
| ○ 허용보조금 범위 확대<br>  - 개도국 회원국의 민영화 계획과<br>    관련된 보조금을 허용보조금에<br>    명확하게 포함 | ○ 기존 협정안에 의해서도 사실상<br>  허용되며, 아국은 중립적 입장 |
| ○ 개도국 회원국에 대한 특별대우 범위<br>  확대<br>  - 최저 개도국 회원국등에 대해<br>    예외적으로 수입대체 보조금 인정 | ○ 중립적 입장 |

0135

# 5. 반덤핑

| 수정안 요지 (제안국) | 우리 입장 (주무부서) |
|---|---|
| 미 국 | 상 공 부 |
| ○ 패널심사 범위 축소<br><br>  - 조사 당국의 조치가 반덤핑 협정의 규정에 합치되면 패널은 다른 해석이 더 바람직해도 번복할 수 없음.<br>  - 패널은 조사당국에 의한 반덤핑 조사시 제시되지 않은 자료 및 주장을 인정하지 않음. | ○ 반 대 |
| ○ 우회덤핑 범위 확대<br><br>  - 우회 덤핑을 방지하기 위해 수입국 내 조립되는 부품에 대해 부과할 수 있는 반덤핑 관세를 제3국내 조립되는 부품에 대해서도 부과할 수 있도록 함. | ○ 반 대 |
| ○ 반덤핑 관세부과의 자동소멸 기간연장<br><br>  - '반덤핑 관세는 부과일로부터 5년내 종료' 규정을 '부과일 또는 최종 재심으로 부터 5년내 종료'로 변경<br><br>  - 예외조항으로 기존의 '피해 지속, 재발방지를 위해 계속적인 반덤핑 관세 부과가 필요하다고 결정할 경우'를 '피해 지속, 재발방지를 위해 계속적인 반덤핑 관세 부과가 필요 하지 않다고 결정할 경우'로 변경하여 조사 당국이 별도 결정을 하지 않을 경우 반덤핑 관세부과 기간은 자동 연장됨.(조사 당국의 입증책임 면제) | ○ 반 대 |

0136

# UR 실무대책위원회 회의 안건

 — 반덤핑, 섬유, TBT —

'92. 12. 30

상 공 부

0137

# 목 차

0138

# 1. 미국제안의 배경

o 미국의 반도체 및 철강업계는 현행 미국의 반덤핑제도를 유지할 수 있도록
  하기 위해 UR/반덤핑협정안의 채택을 반대

  - 현 협정안이 분쟁해결, 우회덤핑, 덤핑 및 피해의 결정등에 있어서 현행
    미국의 법률 및 관행과 상치되는 부분이 많아 핵심조항의 개선이 없이는
    수용 불가하다는 입장

o 미국 업계에서 개정을 필요로하는 핵심조항은
  - 반덤핑 분쟁해결절차상 패널검토 기준 설정
  - 소멸시효 설정에 따른 국내법률 개정 필요성 배제
  - 제3국 우회덤핑 방지를 위한 규정 필요
  - 피해의 누적적 평가(Cummulation) 인정 필요(보조금 상계관세협정에서 인정된
    Cummulation 과 균형 필요)
  - 덤핑을 제소할 경우 수입국 조사당국이 동 제소가 수입국 국내산업을 대표
    한다는 입증책임을 진다는 점의 개선 및 제소자의 범주에 노동조합 포함
  - 신규수출자에 대한 반덤핑 관세 부과시 새로운 조사수행 필요성 제한
  - 정상가격과 수출가격 비교시 가중평균 가격과 개별수출가격 비교가능 필요
  - 덤핑마진 및 덤핑 수입량의 De minimis 기준 제한(미국내법상 덤핑 마진이
    0.5% 이하인 경우에만 De minimis 를 인정하는 것 고려)
  - 창업초기의 비용고려 배제등임

o 미국은 12.14일자로 Russin 그룹회의에서 패널검토기준, 소멸시효, 우회덤핑에
  관해 수정제안
  - 동제안은 상기 불만사항 중 가장 필요한 것에 대한 문제제기이며,
    미국은 그중 패널의 검토기준에 가장 중점을 두고 있는 것으로 보임

0139

# 2. 미국제안의 내용

가. UR/ 반덤핑 협정상의 패널의 검토기준 설정 : 18.6항 신설

> o 분쟁해결절차가 국내절차와 중복되는 것을 방지하기 위해 패널의 검토
> 기준과 범위를 대폭 제한

o 미국제안

  (i) 조사당국에 의한 조치가 반덤핑협정의 합리적(reasonable)인 해석에
  일치하는 경우는 패널의 다른 해석 선호여부에 관련없이 이 협정에
  위배되지 않음

  (ii) 조사당국에 제시된 사실정보의 해석이 조사당국의 결정을 지지할
  수 없는 경우외에는 패널의 다른 결과 선호여부에 관련없이 이 협정에
  위배되지 않음

  (iii) 분쟁해결절차 이전에 제출되지 않은 주장, 또는 조사당시 제출된 주장과
  상이한 주장은 패널의 고려대상에서 제외

  (iv) 패널이 검토하는 증거자료를 제한하여 조사당국의 행정절차에 제출된
  자료, 최종조치,이 협정의 규정에 따른 회의나 청문회의 기록등만을
  토대로 판단

* 최종협정안

  - 반덤핑조치와 관련된 분쟁해결절차상 패널검토에 관해 특별한 규정을
  두지 않아 일반적인 분쟁해결절차의 패널검토 기준에 따름

  . 통상 상정된 사건의 사실과 GATT 규정 적용여부를 검토하고 동 문제의
  객관적 평가를 수행(분쟁해결에 관한 '79 양해)

0140

2

나. 소멸조항 (Sunset clause) 개정 : 11.3항 대체

> o 미국의 연례재심 제도 유지 기도
>   - 재심시 반덤핑관세 지속 필요여부에 대한 조사당국의 입증책임을 면제
>   - 3년연속 덤핑이 없는 경우에 한해 반덤핑 조치의 효력 소멸

o 미국제안

- 반덤핑 관세는 부과일 또는 최근의 피해의 재심일로부터 5년이내 철폐하되,

  . 피해에 대한 재심에서 반덤핑관세의 지속이 필요하지 않다고 결정하는 경우
    철폐되고,

  . 덤핑마진 이하로 관세가 부과될 때 피해가 모두 제거되지 않았다고
    결정하는 경우는 반덤핑조치 철폐대상에서 제외되며,

  . 3년연속 덤핑이 없는 경우만 반덤핑조치의 효력이 소멸

* 최종협정안

- 반덤핑 관세가 부과일 또는 최근 덤핑 및 피해의 재심일로부터 5년이내
  철폐하되,

  . 단, 조사당국이 재심으로 피해의 지속 또는 재발을 방지하기 위해 필요
    하다고 결정한 경우는 제외

0141

다. 우회덤핑 규율의 범위 확대

(1) 12.1 (iii) 항의 수정

> o 수입국내 조립의 경우 제3국으로부터의 부품도 우회덤핑 규율대상에 포함

o 미국제안

 - 부품 또는 구성품이

  (ⅰ) 반덤핑 부과중인 국가로 부터 조달

  (ⅱ) 반덤핑 부과중인 수출자 또는 생산자로부터 공급

  (ⅲ) 동 수출자에게 부품을 지속적으로 공급하는 공급자에 의하여 공급

  (ⅳ) 동 수출자 또는 생산자와 연결된 기업관계에 있는자에 의해 공급

 - 상기의 경우 그 부품 또는 구성품이 제3국으로부터 공급되었는지 여부는
   불문함

* 최종협정안

 - 부품 또는 구성품이

  (ⅰ) 확정 반덤핑 관세부과대상 국내수출자 또는 생산자에 의하여 공급

  (ⅱ) 당해 수출국내에서 수출자에게 지속적으로 부품을 공급하는 공급자에
      의하여 공급

  (ⅲ) 당해 수출국내에서 그러한 수출자 또는 생산자를 대신해서 부품 또는
      구성품을 공급하는 자로 부터 제공

 * 현행 미국반덤핑 법안 : 반덤핑 관세의 적용대상이 되는 외국에서 생산된
   부품이 미국내에서 조립되는 경우 수입부품에 기존의 반덤핑관세 부과

0142

(2) 제3국 조립의 경우도 우회덤핑에 포함 : '91.11.26일자 사무국안의 제3국

우회덤핑 규제조항 추가

---

o 최종협정초안이 제3국 조립의 경우 150일의 소급효만 인정하는데 비해,

미국제안은 제3국 조립의 경우도 조사없이 기존의 확정 반덤핑관세 부과

---

o 미국제안

- 반덤핑관세의 적용대상이 되는 물품의 동종물품이 제3국에서 조립되어
수입되는 경우, 수입국 조립의 경우와 같은 요건 충족시 별도의 조사없이
기존의 확정 반덤핑관세를 부과가능

- 상기 요건 충족의 경우 잠정조치 부과가능

* 최종협정안

- 수입국 조립의 경우와 같은 요건충족시 별도의 반덤핑조사를 실시한 결과
덤핑 및 피해 판정이 있는 경우 150일간 소급효 인정

* 현행 미국반덤핑 법안 : 반덤핑관세의 적용대상이 되는 물품 또는 반덤핑
관세 적용대상 외국에서 생산되는 물품이 제3국에서 조립되어 수입되는
경우 기존 확정반덤핑 관세 부과

---

o 만약 미국의 상기 제안이 반영되지 않을 경우 우회덤핑을 규정한 10.4(Country
hopping시 반덤핑 조사를 실시하여 150일간 소급효 인정), 10.5(제3국 조립의
경우 반덤핑조사를 실시하여 150일간 소급효 인정), 12조(수입국 조립의 경우
요건충족시 기존의 반덤핑관세 부과) 및 11.3(소멸조항 관련 규정)을 삭제하여
기존 반덤핑 협정상 체약국이 취할 수 있는 조치를 유지

---

0143

# 3. 검토의견

가. 패널검토 기준

(i) 조사당국에 의한 조치가 반덤핑협정의 합리적(reasonable)인 해석에
일치하는 경우는 패널의 다른 해석 선호여부에 관련없이 이 협정에
위배되지 않음

< 검토의견 >

o 미국의 제안은 패널의 협정에 대한 해석 권한을 제한하므로 수용곤란

- 조사당국이 근거하는 협정해석이 reasonable 하면 되므로
- 반덤핑 조치의 남용이 가능하게 되며, 수입국측에 일방적으로 유리
(예, 협정에 명확한 규정이 없는 우회덤핑의 경우등)

- 유사한 사안에 대해 국가에 따라 상이한 해석을 적용하여 상이한 적용
결과가 도출되므로 국제법상 통일성 문제제기

(ii) 조사당국에 제시된 사실정보의 해석이 조사당국의 결정을 지지할
수 없는 경우외에는 패널의 다른 결과 선호여부에 관련없이 이 협정에
위배되지 않음

< 검토의견 >

o 현행 협정안에서 패널은 당사국간 달리 합의하지 않는한 "standard term
of reference"에 따라 사안을 검토

- 따라서, 통상 상정된 사건의 사실과 GATT 규정 적용여부를 검토하고
동 문제의 객관적 평가를 수행하므로 사실문제에 대한 심사도 가능

o 미국의 제안과 같이 사실문제에 대한 판단에 있어 각국에 전적인 재량을
부여하고, 반덤핑 협정의 분쟁해결절차를 법률문제에 대한 것으로만
운영하는 것은 법률문제와 사실문제의 명확한 분류가 어려워 시행에
문제가 있으므로 국제분쟁의 해결이 어렵게 되어 수용곤란

- 적어도 일정범위내에서 패널의 사실문제에 대한 판단 권한은 필요

0144

(ⅲ) 분쟁해결절차 이전에 제출되지 않은 주장, 또는 조사당시 제출된 주장과
상이한 주장은 패널의 고려대상에서 제외하고,
패널이 검토하는 증거자료를 제한하여 조사당국의 행정절차에 제출된
자료, 최종조치, 이 협정의 규정에 따른 회의나 청문회의 기록등만을
토대로 판단

< 검토의견 >

o 현행 최종협정안은 패널에서 논거(Argument) 및 증거자료 제출에 대한
  제한은 없음

o 미국측의 의도는 수출업체가 조사당국의 심사과정에서 제기치 않았던
  새로운 논거 또는 증거자료를 패널에 제기하는 것은 일사부재리 원칙에
  반한다는 것임

o 그러나 현실적으로 객관적인 판단에 필요한 새로운 논거 및 증거자료의
  제출은 가능해야 하고, 패널과정이전에 제출하지 못한 이유가 타당한
  경우는 더욱 그러함

  - 각국 행정절차에 관련된 해당업계는 사실상 초기단계에서 국내 행정절차에
    완벽하게 대처할 능력이 없음

o 다만, 미국의 주장과 같이 관련업체가 조사당국의 조사과정에서 논거나
  증거자료를 제출하지 않고 패널과정에서만 제기한다면, 조사당국의 조사
  절차를 무의미하게 하므로 이에 대한 기준 설정이 필요한 점도 인정됨

o 따라서 패널의 사실판정은 조사당국에 의해 결정된 사실을 기초로 하되

  - 조사당시 존재한 증거로써 적절한 노력을 했으면 입수 가능하였을
    증거나, 객관적으로 제기할 수 있었던 논거의 제출은 금지하고,

  - 그렇지 않은 경우 신규증거나 논거의 제출이 동 사안의 결정을 번복할
    수 있는 중대한 것으로 패널이 인정한 경우 패널이 동 사건을 환송(Remand)
    할 수 있는 권한 부여

0145

나. 소멸조항

o 소멸조항의 설정은 단기간의 피해구제수단인 반덤핑 관세조치가 피해가
구제된 이후에도 특별한 사유없이 장기간 지속됨으로써 남용되는 사례를
방지하기 위해 일정기간이 지난후 자동적으로 소멸되도록 하려는 것임

o 그러나 미국의 제안은 현행 최종협정안에서 허용된 재심조항의 확대를 통해
미국의 연례재심제도를 유지하려는 의도로 보임
 - 재심시 반덤핑관세 지속 필요여부에 대한 조사당국의 입증책임을 면제하고,
 - 재심결과 3년연속 덤핑이 존재하지 않는 경우에만 철폐되도록 하고,
 - 덤핑이 없더라도 덤핑마진 이하로 반덤핑관세가 부과되었을 때에 피해가
   모두 제거되지 않은 경우는 반덤핑관세 유지

o 현행 최종협정안도 조사당국의 재심결정으로 반덤핑관세를 지속할 수
있는데, 미국제안과 같이 반덤핑관세 지속을 더욱 용이하게 하는 것은
균형이 맞지 않으며, 수입국 입장에 치우친 것으로 전반적으로 수용곤란

 - 다만, 미국의 경우 연례 재심이 이루어지는 것을 고려할때 양보가능한
   방안임


다. 우회덤핑 규정의 개정

o 미국의 제안은 (ⅰ) 반덤핑관세 부과대상 물품의 수입국내 조립의 경우
반덤핑관세 부과대상 수출자등으로부터의 부품뿐아니라 제3국에 있는 관련
있는 자로부터의 부품수입도 일정요건 충족시 별도의 조사없이 기존 반덤핑
관세 부과가 가능토록 하고, (ⅱ) 반덤핑관세 부과대상 상품이 제3국에서
조립되어 수입되는 경우 일정요건 충족시 별도의 조사없이 기존 반덤핑 관세
부과가 가능토록함

o 이는 반덤핑 협상의 근본적인 문제로서 정당한 해외투자를 저해하게 되므로
수용곤란

0146

## 4. 각국의 반응

o 카나다, EC, 한국, 홍콩, 싱가폴등 대부분의 국가

 : 미국의 제안은 (i) 패널의 기능을 무력화시키고, (ii) 우회의 개념을
  확대하는 등 반덤핑 협상의 균형파기라고 반발

o 일본 : 협상의 전체적 균형을 파괴하는 것으로, 이는 농산물의 예외없는
    관세화 문제에 관한 일본의 입장에 영향을 주는 것임을 언급

## 5. 향후전망

o 일본, 카나다, 한국, 싱가폴, 홍콩등 수출국이 미국제안에 대해 강력히
  반대하고 있고,
 - EC도 전체적 전략 차원에서 반덤핑협정의 협상재개를 원치 않고 있으므로
  미국제안이 수용될 가능성이 적음

o 다만, EC는 기본적으로 반덤핑 협정에 관한한 미국과 같은 입장이므로
  UR 협상 전체 Package 차원에서 타협안이 마련될 수 도 있음

## 6. 대응방향

o 기본적으로 미국의 제안은 짧은 일정의 Track 4 협상의 대상이 될 수 없다는
  입장에서 기존의 원칙론적 입장 견지

 - 전체 UR 협상에 비추어 볼때 반덤핑 협정초안이 수출.입국 입장을 균형있게
  반영하고 있고, 반덤핑 분야에서 만족할 만한 결과 없이는 균형된 UR 협상
  결과를 도출할 수 없음

 - 미국의 제안은 UR 협상과정에서 이미 미국이 주장했으나 각국간 입장이
  상반된 것으로서 사무국이 이러한 수출.입국의 입장을 최대한 균형있게
  반영한 바, 이러한 핵심이슈를 다시 미국의 입장대로 규정하자는 것은
  반덤핑 협상 전체의 균형을 깨뜨리게 되는 것임

0147

9

o 다만, 협상대세가 미국의 입장을 일부라도 수용할 경우

  - 패널의 검토기준과 관련하여 미국의 제안을 일부 수정하여 절충안으로
    패널의 사실판단 기능을 일부 제한하는 방안은 수용가능

  - 소멸조항의 경우
    : 미국의 연례재심 제도를 고려 수용가능

  - 우회덤핑의 경우
    : 제3국으로부터의 공급된 부품의 수입국내 조립 및 제3국에서 조립되어
      수입되는 경우 기존 반덤핑 관세 부과는 이를 저지토록 최대 노력 경주

/o

0148

# TBT 협정

## 1. 개정안의 주요내용

o 미국은 자국 환경단체 및 업계의 요청에 의해 현행 의장안에 전제조건등을 추가
하여 자국의 높은 SPS 조치 및 기술규정을 유지하기 위한 근거를 마련하여 이를
그대로 유지해 나감으로써 외국물품의 자국수입에 가능한 한 제한을 가하기 위한
목적에서 개정(안)을 제출

　　- SPS 와 TBT의 개별 협정문 및 양 협정문간 용어통일 및 명료성 제고를 이유로
한 정의 규정의 신설 포함

< 둔켈의장(안)과 미국개정(안)의 대비 >

| 둔켈 의장 (안) | 미국 개정 (안) | 아국 의견 |
|---|---|---|
| o 기술규정의 불필요한 무역장벽금지(Article2.2)<br><br>- 불 준수에 따라 야기될 위험을 고려<br><br>- 국가안보, 보건, 환경 등 합법적인 목적수행에 필요한 것 이상으로 제한하지 아니함 | 좌　　동<br><br>- 기술적, 경제적 실현 가능성 고려<br><br>좌　　동 | (수용 불가)<br><br>- 개정(안)이 보다 추상적인 용어를 사용하여 구체성 결여<br><br>* SPS에서 기술적·경제적 실현 가능성의 용어를 사용 |
| o 신 설<br><br>　Annex 1 | o 필요한것 이상으로 무역을 제한하지 않으며 덜 무역제한적인 방법<br><br>- 상당한 정도로 덜 무역제한적인 합리적으로 이용가능한 대체적인 기술규정이 없는 경우 | (수용 불가)<br><br>- 정의 규정이 추상적이며 구체성이 없음<br><br>- 본문(필요한것 이상으로 무역을 제한하지 않음)과 부속서 정의규정간의 용어 불일치 |

3-1

0149

| 둔켈 의장 (안) | 미국·개정 (안) | 아국 의견 |
|---|---|---|
| o 기술규정의 조화 (article 2.4) | 좌 동 |  |
| - 기후,지리,기술적 요인상 불가피한 경우를 제외하고는 국제표준을 자국의 기술규정으로 사용<br><br>( 추 가 ) | 좌 동<br><br><br><br>- 인간의 건강과 안전,동.식물의생명 및 건강, 환경의 보호 수준이 감축되지 않는다는 전제 | ( 수용 불가 )<br><br>- 미국이 국제표준과 다른 자국의 높은 수준의 기술 규정을 유지하기 위한 근거를 마련하여 아국수출시 기술장벽직면 가능성 증대 |
| o 국제표준관련 기술규정 해석 (2.5) | 좌 동 | - 아국의 기술규정은 대부분 국제표준에 부합하여 동 규정의 활용가능성이 없음 |
| - 국제표준과 일치된 기술규정은 불필요한 무역장벽이 없는 것으로 추정<br><br>( 추 가 ) | 좌 동<br><br><br><br>- 국제표준과 일치하지 않는 기술규정이 동협정문에 위반되는 것으로 추정되지는 아니함 |  |

2. 향후 대책

o TBT 와 SPS 협정안에 대한 개정(안)이 동시에 논의되고 있으며 아국의 경우
  SPS 개정(안)은 주로 수입국 입장에 있어 SPS 제도운영에 대한 근거제공등 득이
  되는 측면이 있으나, TBT 개정(안)은 아국 수출시 선진국의 높은 기술규정 직면
  우려등 부담이 되는 측면만이 있음
  - 그러나 SPS 개정(안)에 대해서도 케언즈 그룹을 중심으로한 농산물 수출국가
    의 반대가 극심할 것으로 예상되어 실제 의장안의 개정이 쉽지 않을 것이므로
    아국에 대한 실익을 기대하기 곤란한 면이 있음

3 - 2

0150

# 경 제 기 획 원

우 427-760 / 경기도 과천시 중앙동1 정부제2청사 / 전화 503-9146 / 전송 503-9141

문서번호  봉조이 10520- //5

시행일자  1992. 12. 31

(경유)

수신      수신처 참조

참조

| 선결 | | | 지시 | | |
|---|---|---|---|---|---|
| 접수 | 일자 시간 | 93. 1. 4 | 결재·공람 | | |
| | 번호 | 00149 | | | |
| 처리과 | | | | | |
| 담당자 | 이시청 | | | | |

제목    UR대책실무위원회 회의결과 통보

___

1. 봉조이 10520-126('92.12.24) 관련임.

2. 분야별 향후 UR협상 대응방안 협의를 위하여 '92.12.30(수) 개최된 UR대책
실무위원회 회의결과를 다음과 같이 통보합니다.

- 다    음 -

가. 회의개요

- 일시 및 장소 : '92.12.30(수) 15:00~17:30, 경제기획원 소회의실

- 참석자 :   경제기획원  대외경제조정실장, 제2협력관
             외 무 부  통상심의관
             재 무 부  관세국장
             농림수산부  농업협력통상관
             상 공 부  국제협력관
             특 허 청  국제협력담당관

- 의 제

① 최근의 UR협상 동향 및 전망 (외무부)

② 분야별 수정제안 검토 및 향후 협상대응방향 점검

0151

○ MTO (외무부)

○ 보조금 (재무부)

○ 반덤핑, 섬유, TBT (상공부)

○ 농산물, SPS (농림수산부)

○ TRIPS (특허청)

○ 서비스 (경제기획원)

나.회의결과

- 향후 각국의 DFA 수정제안에 대한 논의과정에서는 금일 대책
  회의시 각 부처가 준비하여 상정.설명한 분야별 대응방안을
  기본입장으로하여 대응하도록 하되, 동 입장의 적극적인 표명
  여부는 앞으로의 전반적인 협상 진전상황, DFA 수정범위에
  대한 논의 진전상황, 여타국의 대응동향, 그리고 농산물분야에
  있어서의 우리입장 반영 가능성과의 연계성 등을 감안하여
  판단.결정하기로 함.

- 다만, 반덤핑부문에 있어서는 미국 제안에 대한 반대입장을
  분명히 밝히기로 함.    끝.


경 제 기 획 원 장 관

수신처: 외무부장관, 재무부장관, 농림수산부장관, 상공부장관, 특허청장.

보기 │ 반·덤·핑 │ : 미국 수정안

가. 패널검토 기준

(i) 조사당국에 의한 조치가 반덤핑협정의 합리적(reasonable)인 해석에
    일치하는 경우는 패널의 다른 해석 선호여부에 관련없이 이 협정에
    위배되지 않음

    < 검토의견 >

    ㅇ 미국의 제안은 패널의 협정에 대한 해석 권한을 제한하므로 수용곤란

    ─ 조사당국이 근거하는 협정해석이 reasonable 하면 되므로

    ─ 반덤핑 조치의 남용이 가능하게 되며, 수입국측에 일방적으로 유리
      (예, 협정에 명확한 규정이 없는 우회덤핑의 경우등)

    ─ 유사한 사안에 대해 국가에 따라 상이한 해석을 적용하여 상이한 적용
      결과가 도출되므로 국제법상 통일성 문제제기

(ii) 조사당국에 제시된 사실정보의 해석이 조사당국의 결정을 지지할
    수 없는 경우외에는 패널의 다른 결과 선호여부에 관련없이 이 협정에
    위배되지 않음

    < 검토의견 >

    ㅇ 현행 협정안에서 패널은 당사국간 달리 합의하지 않는한 "standard term
      of reference"에 따라 사안을 검토

    ─ 따라서, 통상 상정된 사건의 사실과 GATT 규정 적용여부를 검토하고
      동 문제의 객관적 평가를 수행하므로 사실문제에 대한 심사도 가능

    ㅇ 미국의 제안과 같이 사실문제에 대한 판단에 있어 각국에 전적인 재량을
      부여하고, 반덤핑 협정의 분쟁해결절차를 법률문제에 대한 것으로만
      운영하는 것은 법률문제와 사실문제의 명확한 분류가 어려워 시행에
      문제가 있으므로 국제분쟁의 해결이 어렵게 되어 수용곤란

    ─ 적어도 일정범위내에서 패널의 사실문제에 대한 판단 권한은 필요

0153

(iii) 분쟁해결절차 이전에 제출되지 않은 주장, 또는 조사당시 제출된 주장과
상이한 주장은 패널의 고려대상에서 제외하고,
패널이 검토하는 증거자료를 제한하여 조사당국의 행정절차에 제출된
자료, 최종조치, 이 협정의 규정에 따른 회의나 청문회의 기록등만을
토대로 판단

< 검토의견 >

o 현행 최종협정안은 패널에서 논거(Argument) 및 증거자료 제출에 대한
제한은 없음

o 미국측의 의도는 수출업체가 조사당국의 심사과정에서 제기치 않았던
새로운 논거 또는 증거자료를 패널에 제기하는 것은 일사부재리 원칙에
반한다는 것임

o 그러나 현실적으로 객관적인 판단에 필요한 새로운 논거 및 증거자료의
제출은 가능해야 하고, 패널과정이전에 제출하지 못한 이유가 타탕한
경우는 더욱 그러함

 - 각국 행정절차에 관련된 해당업계는 사실상 초기단계에서 국내 행정절차에
완벽하게 대처할 능력이 없음

o 다만, 미국의 주장과 같이 관련업체가 조사당국의 조사과정에서 논거나
증거자료를 제출하지 않고 패널과정에서만 제기한다면, 조사당국의 조사
절차를 무의미하게 하므로 이에 대한 기준 설정이 필요한 점도 인정됨

o 따라서 패널의 사실판정은 조사당국에 의해 결정된 사실을 기초로 하되

 - 조사당시 존재한 증거로써 적절한 노력을 했으면 입수 가능하였을
증거나, 객관적으로 제기할 수 있었던 논거의 제출은 금지하고,

 - 그렇지 않은 경우 신규증거나 논거의 제출이 동 사안의 결정을 번복할
수 있는 중대한 것으로 패널이 인정한 경우 패널이 동 사건을 환송(Remand)
할 수 있는 권한 부여

0154

나. 소멸조항

o 소멸조항의 설정은 단기간의 피해구제수단인 반덤핑 관세조치가 피해가
  구제된 이후에도 특별한 사유없이 장기간 지속됨으로써 남용되는 사례를
  방지하기 위해 일정기간이 지난후 자동적으로 소멸되도록 하려는 것임

o 그러나 미국의 제안은 현행 최종협정안에서 허용된 재심조항의 확대를 통해
  미국의 연례재심제도를 유지하려는 의도로 보임
  - 재심시 반덤핑관세 지속 필요여부에 대한 조사당국의 입증책임을 면제하고,
  - 재심결과 3년연속 덤핑이 존재하지 않는 경우에만 철폐되도록 하고,
  - 덤핑이 없더라도 덤핑마진 이하로 반덤핑관세가 부과되었을 때에 피해가
    모두 제거되지 않은 경우는 반덤핑관세 유지

o 현행 최종협정안도 조사당국의 재심결정으로 반덤핑관세를 지속할 수
  있는데, 미국제안과 같이 반덤핑관세 지속을 더욱 용이하게 하는 것은
  균형이 맞지 않으며, 수입국 입장에 치우친 것으로 전반적으로 수용곤란

  - 다만, 미국의 경우 연례 재심이 이루어지는 것을 고려할때 양보가능한
    방안임

다. 우회덤핑 규정의 개정

o 미국의 제안은 ( i ) 반덤핑관세 부과대상 물품의 수입국내 조립의 경우
  반덤핑관세 부과대상 수출자등으로부터의 부품뿐아니라 제3국에 있는 관련
  있는 자로부터의 부품수입도 일정요건 충족시 별도의 조사없이 기존 반덤핑
  관세 부과가 가능토록 하고, ( ii ) 반덤핑관세 부과대상 상품이 제3국에서
  조립되어 수입되는 경우 일정요건 충족시 별도의 조사없이 기존 반덤핑 관세
  부과가 가능토록함

o 이는 반덤핑 협상의 근본적인 문제로서 정당한 해외투자를 저해하게 되므로
  수용곤란

0155

## 1. 협정문안의 주요사항별 주요국 입장

| 구 분 | 선진국 입장 | 개도국 입장 | 협정 초안 |
|---|---|---|---|
| o GATT 복귀시한 | 12 - 13년 | 6 - 8년(인도, 파키스탄) | 10 년 |
| o GATT 복귀비율 | 3단계로 5%, 10%, 15% | 20%, 25%, 30% | 12.%, 17%, 18% |
| o GATT 비복귀 품목의 쿼타 연증가율 | 3단계로 8%, 12%, 15% | 40%, 50%, 70% | 16%, 25%, 27% |
| o 대상품목의 범위 | 대상품목 확대 | MFA 규제품목으로 한정 | MFA 규제품목을 중심으로 하고 일부 기타품목을 포함 |

## 2. 수정제안 내용

미 국

o 그간 미국정부는 UR 섬유협정문안에 대해 공식입장을 표명하지 않고, 미국 섬유 업계와 연계되어 있는 카리브 연안국 (자메이카, 코스타리카)으로 하여금 GATT 복귀시한의 연장문제를 제기케 해왔음

0156
0155

- 제16차 ITCB (92.5.3~9) 회의에서 자메이카, 코스타리카는 UR 섬유협정문안중 GATT 복귀시한의 연장 (현행 10년 → 15년) 을 공식 제기

o 92.11.20 미국.EC간 주요쟁점에 관한 합의가 있고난 후 금년내로 UR 협상의 조기타결이 가능할 것이라는 전망이 나옴과 함께, 미국 섬유업계에서 섬유협정 문안 내용이 자국업계에 크게 불리하다는 입장을 강력히 제기

o 12.8 둔켈총장 만찬시 미국대표는 마무리 조정협상 (T4) 에서 섬유분야가 논의 되어야 한다는 미국정부의 입장을 공식 표명

- 구체적인 미국의 수정제안 내용 발표는 없었으나 GATT 복귀시한 15년 연장 문제가 핵심일 것으로 추정

인 도

o 인도는 12.14 주요 18개국 (Russin Group) 회의시 현행 섬유협정문안의 대상품목 범위, GATT 복귀비율, 연증가율의 수정을 주장

- 협정대상품목에 있어 MFA 규제품목이 아닌것은 협정대상에서 제외

- GATT 복귀비율 및 연증가율 상향조정

o 브라질은 12.18 둔켈총장앞 서한을 통해 섬유협정문안 제6조 12항 (잠정
  세이프가드 발동의 기간) 및 부속서 2항 (잠정세이프가드 발동의 대상품목)
  끝에 잠정 세이프가드 조치 운용에 있어, 발동기간 및 발동대상품목에 대한
  개도국의 예외를 인정하는 내용추가를 주장

---

< 제6조 12항 >

o 본 조에 의하여 발동된 조치는 : ⓐ 연장없이 3년간 또는 ⓑ 동 품목이 본
  협정의 적용대상에서 제외되는 시점중 먼저 도래하는 기간까지 지속될 수 있다

---

i ) 제6조 12항에 다음 문안 추가 주장 (발동기간에 대한 예외인정)

o 제6조에 의한 조치를 발동하게 되는 개도국은 제12항에 규정된 "3년" 기간을
  "5년"으로 연장할 수 있는 권한을 가지며, 또한 개도국은 제6조에 의한 세이프
  가드 조치 발동대상 품목이나 동 품목에 대한 세이프가드 조치가 2년이상
  발동되지 않은 경우, 그 이전에 동 품목에 대해 발동된 바 있는 SG 조치기간의
  1/2 기간동안 세이프가드 조치를 다시 발동 할 수 있는 권한을 가진다

( 원 문 )

o A developing contracting party applying a measure under the provisions
  of this Article shall have the right to extend the period of application
  provided for in (a) of this paragraph to five years. A developing
  contracting party shall have the right to apply a safeguard measure
  again under this Article, in relation to a product which has been
  subject to such a measure, for a period of time equal to half that
  during which such a measure has been previously applied, provided
  that the period of non-application is at least two years

0158

ⅱ) 부속서 2항에 다음문안 추가 주장 (발동대상품목에 대한 예외인정)
   o 동조치를 개도국이 발동할 경우는 제외되며 이 경우에는 이 항의 규정이
     가능한 모든 상황에 적용된다

( 원 문 )

   o except as when the action is taken by a developing contracting
     party, in which case the provisions of this paragraph will apply
     whenever possible.


3. 대응방안

o UR 섬유협정문안의 핵심내용인 GATT 복귀시한, 복귀비율, 비복귀 품목의
  연증가율에 있어 아국등 쿼타 다량보유국에 유리하게 되어있는바, 기본적으로
  아국으로서는 현행 최종협정문안의 기본골격이 변경되지 않도록 하는 방향에서
  대응토록 해야 할것이므로 협정문안의 핵심내용에 대한 구체적인 논의가
  진전되지 않도록 대처하고

 - 미국정부가 섬유협정문안의 수정·보완 문제를 공식적으로 제기하고 있기는
   하나, 구체적인 수정제안 내용을 공개하지는 않고 있으며, 그 내용은 미국
   업계가 기존에 주장해온 GATT 복귀시한의 연장 (10년 → 15년)일것인바,
   아국으로서는 복귀시한이 연장될 경우 국내섬유산업 구조조정을 위한 시간적
   여유를 더 갖게 되고, 쿼타의 조기상실로 인한 후발개도국의 시장잠식이 지연
   되므로 반대할 이유는 없음

0159

- 인도의 수정제안중 연증가율 상향조정 요구에 대해서는 수출국인 아국입장에서
유리하므로 반대할 이유가 없으나, 협정대상 품목의 범위를 MFA 규제품목만으로
축소시키려는 주장 (현 섬유협정문안에는 MFA 규제품목을 중심으로 하고 일부
기타 품목 포함됨) 및 GATT 복귀비율 상향조정요구는 쿼타다량 보유국인
아국입장에서 쿼타품목의 GATT 조기복귀를 초래, 후발개도국에 의한 아국시장의
조기침식 효과가 있는바 찬성할 수 없음

. 한편 인도의 이같은 섬유협정문안의 핵심사항 변경요구는 협정안의 기본틀에
영향을 미치게 되므로, 아국등 주요 섬유수출국 입장에서는 사안별로 수용
여부를 논하기 보다는 핵심사항에 대한 논의자체에 반대입장을 취해야 함

※ EC, 카나다, 일본, 홍콩등도 현 협정안이 수출·입국간 입장을 delicate하게
반영하고 있어 재협상을 원치않는다는 입장


- 브라질이 주장하고 있는 잠정세이프가드 조치 조항(제6조)과 관련한 개도국에
대한 예외인정요구 문제는 기본적으로 아국이 개도국 지위를 인정받을 수
있는지 여부의 문제와 직결되는 문제임

. 따라서 아국이 섬유분야에서 개도국지위를 인정받게 될 경우, 당연히 아국
으로서는 브라질의 수정제안에 반대할 이유가 없음

. 만약 섬유분야에서 아국이 개도국지위를 인정받지 못할경우에도 우리의
주요수출대상국이 선진수입국임을 감안할때, 브라질이 주장하는 개도국에
대한 잠정세이프가드 운용기간 연장 요구(3년 → 5년)는 향후 GATT 복귀시
까지 아국의 섬유류 수출에 큰 영향을 미치지 않을 것이므로 적극 반대할
필요는 없음

0160

## ┌ TBT 협정 ┐

### 1. 개정안의 주요내용

o 미국은 자국 환경단체 및 업계의 요청에 의해 현행 의장안에 전제조건등을 추가
하여 자국의 높은 SPS 조치 및 기술규정을 유지하기 위한 근거를 마련하여 이를
그대로 유지해 나감으로써 외국물품의 자국수입에 가능한 한 제한을 가하기 위한
목적에서 개정(안)을 제출

- SPS 와 TBT의 개별 협정문 및 양 협정문간 용어통일 및 명료성 제고를 이유로
한 정의 규정의 신설 포함

< 둔켈의장(안)과 미국개정(안)의 대비 >

| 둔켈 의장 (안) | 미국 개정 (안) | 아국 의견 |
|---|---|---|
| o 기술규정의 불필요한 무역장벽금지(Article2.2)<br><br>- 불 준수에 따라 야기될 위험을 고려<br><br>- 국가안보, 보건, 환경 등 합법적인 목적수행에 필요한 것 이상으로 제한하지 아니함 | 좌        동<br><br>- 기술적, 경제적 실현 가능성 고려<br><br>좌        동 | (수용 불가)<br><br>- 개정(안)이 보다 추상적인 용어를 사용하여 구체성 결여<br><br><br><br>* SPS에서 기술적·경제적 실현 가능성의 용어를 사용 |
| o 신 설<br><br>Annex 1 | o 필요한것 이상으로 무역을 제한하지 않으며 덜 무역 제한적인 방법<br><br>- 상당한 정도로 덜 무역 제한적인 합리적으로 이용가능한 대체적인 기술 규정이 없는 경우 | (수용 불가)<br><br>- 정의 규정이 추상적이며 구체성이 없음<br><br>- 본문(필요한것 이상으로 무역을 제한하지 않음)과 부속서 정의규정간의 용어 불일치 |

0161

| 둔켈 의장 (안) | 미국 개정 (안) | 아국 의견 |
|---|---|---|
| o 기술규정의 조화 (arti-cle 2.4) | 좌  동 | : ( |
| - 기후,지리,기술적 요인상 불가피한 경우를 제외하고는 국제표준을 자국의 기술규정으로 사용<br><br>( 추 가 ) | 좌  동<br><br>- 인간의 건강과 안전,동·식물의생명 및 건강, 환경의 보호 수준이 감축되지 않는다는 전제 | ( 수용 불가 )<br><br>- 미국이 국제표준과 다른 자국의 높은 수준의 기술규정을 유지하기 위한 근거를 마련하여 아국수출시 기술장벽직면 가능성 증대 |
| o 국제표준관련 기술규정 해석 (2.5) | 좌  동 | - 아국의 기술규정은 대부분 국제표준에 부합하여 동 규정의 활용가능성이 없음 |
| - 국제표준과 일치된 기술규정은 불필요한 무역장벽이 없는 것으로 추정<br><br>( 추 가 ) | 좌  동<br><br>- 국제표준과 일치하지 않는 기술규정이 동협정문에 위반되는 것으로 추정되지는 아니함 |  |

2. 향후 대책

o TBT 와 SPS 협정안에 대한 개정(안)이 등시에 논의되고 있으며 아국의 경우
  SPS 개정(안)은 주로 수입국 입장에 있어 SPS 제도운영에 대한 근거제공등 득이
  되는 측면이 있으나, TBT 개정(안)은 아국 수출시 선진국의 높은 기술규정 직면
  우려등 부담이 되는 측면만이 있음
  - 그러나 SPS 개정(안)에 대해서도 케언즈 그룹을 중심으로한 농산물 수출국가
    의 반대가 극심할 것으로 예상되어 실제 의장안의 개정이 쉽지 않을 것이므로
    아국에 대한 실익을 기대하기 곤란한 면이 있음

o 따라서 TBT 협정문만 미국 개정(안)과 같이 개정되어 결국 아국에 대해서는 이득이 없이 부담만 가중될 우려가 있으므로 아국은 협정문 개정안에 대해 개별대응하기 보다는 양협정문의 개정안을 동시에 고려하여 다음과 같은 논리 하에 양협정안 모두 개정이 필요하지 않다는 입장에서 대응함이 보다 바람직함

  - 미국 개정(안)은 명료성을 크게 개선시키지 못하며 오히려 저해하는 경우도 있음
  - TBT 와 SPS 협정문간에는 미국 주장과 달리 모순이 거의 없음
  - TBT 와 SPS 협정문이 모두 미국 개정(안)과 같이 개정되는 경우 TBT와 SPS 조치의 국가간 조화를 어렵게하여 결국 동 협정문의 효력을 크게 저해할 것임

o 실제 양협정안의 개정이 추진되는 경우에는 미국개정(안) 중 아국에 부담이 되어 수용이 불가능한 조항은 모두 삭제되도록 노력

0163

# 보조금

1. E C

| E C 제안 | 검 토 의 견 |
|---|---|
| ( i ) 특별법 조항 신설<br><br>· 특별다자간규범이 적용되는 보조금에 대해서는 본 규정 적용 배제 | - 특별다자간규범과 적용상 경합이 있을 경우 적용순위를 명시하는 것임.<br><br>- 그러나 "특별다자간규범"(special multilateral rules) 의 의미나 범위가 불분명함.<br><br>·· 몇개국어 참가한 다자간 규범이 본협정 적용을 배제할 것인지 등<br><br>- 굳이 본 협정에 이같은 특별법 조항을 두지 않더라도, 별도의 특별규범이 있을 경우 본협정 적용 배제는 당해 규범을 채택하는 협정에서 규정 가능<br><br>→ 중립적 입장 |
| ( ii ) 제6.1조 (a) 의 수치 (5%) 인상 및 신규 개시기업의 총보조금 상한선 (15%) 인상<br><br>- 보조금협정(안)은 조치가능보조금 규제와 관련하여 보조비율이 5%를 초과할 경우 심각한 피해가 있는 것으로 간주하여 상계조치 허용 (제6.1조)<br><br>- 신규사업 개시기업에 대해서는 투자비용의 15% 초과 불가 특례 | - 심각한 피해간주와 관련한 본 수량 기준 채택여부는 협상과정에서 가장 심각한 논쟁 대상이었음.<br><br>- 본 기준은 보조금규제 강화를 주장하는 미국의 입장을 반영하여 채택되고, 그 기준도 5%의 낮은 수준으로 채택<br><br>- 보조금의 정책수단으로서의 중요성을 강조하는 아국은 EC 입장에 동의<br><br>→ EC 입장 강력 지지 |

0164

| E C 제 안 | 검 토 의 견 |
|---|---|
| (iii) 허용보조금의 범위 확대<br><br>· 개발 보조금까지 허용<br>· 개발행위의 정의 명시 | · '90년중 협상의장안에는 다음 4가지 목적의 보조금이 허용되도록 규정되어 있었음<br><br>(연구개발, 지역개발, 구조조정, 환경보호)<br><br>- 91.12 Dunkel 안은 연구보조금 (개발 제외) 및 지역개발보조금만을 허용토록 규정됨.<br>(미국입장 반영)<br><br>- 연구 및 개발은 통상적으로 결합되어 나타나거나 그 구분이 용이하지 않음.<br><br>- 또한 개발보조금이 직접적으로 제품가격에 영향을 미친다고 볼 수도 없음.<br><br>→ 개발보조금까지 허용하자는 EC 입장 동의<br><br>- 허용보조금의 범위가 조정될 경우 구조조정 보조금도 포함 주장<br><br>· 사양산업으로 인한 사회적 문제 발생을 방지하기 위한 구조조정 보조금은 정당성 인정 필요<br><br>· 수출입에 지속적인 영향을 미치지 않음. |

0165

| EC 제안 | 검토의견 |
|---|---|
| (iv) 경미한 보조금효과의 용인<br><br>- 보조금협정(안)은 조치가능보조금 규제와 관련하여 심각한 피해 발생이 가능한 경우를 열거 (제6.3조)<br><br>  (i) 보조금의 효과가 유사물품의 수입을 대체하거나 저해할 경우<br><br>  (ii) 보조금의 효과가 타체약국의 제3국 시장으로의 유사물품 수출을 대체하거나 저해할 경우<br><br>  (iii) 보조금의 효과가 현저한 가격 인하, 하락 압박 또는 판매 감소인 경우<br><br>  (iv) 보조금의 효과가 세계시장의 점유율 증가인 경우<br><br>- EC는 이같은 효과가 현저한 경우에만 심각한 피해의 간주를 인정하자는 것임. | - 현 협정(안) 제6.3조는 심각한 피해 인정과 관련하여, 다만 그같은 효과의 존부만의 판정으로 심각한 피해를 인정(피해정도 불문)하는 결과를 초래할 수 있음.<br><br>- 물론 제6.3조는 (i)~(iv)호의 경우 심각한 피해가 "발생할 수 있다" (may arise)고 규정하였으므로 보조금의 효과가 경미한 경우에 심각한 피해가 반드시 인정되는 것은 아님.<br><br>- 그러나 실제운용과정에서 이들 상황이 발생하면 그 효과의 경미성에 불구하고 심각한 피해가 인정될 가능성이 큼.<br><br>⇒ EC 주장은 타당함. |
| (v) 본협상 종료전 보조금 상계관세 협정의 적용범위에 관한 토의 및 합의가 이루어져야 함.<br><br>- 타협상그룹의 협상내용 기초 | - 본 협정의 적용여부가 결정되지 않은 것은 농업보조금임.<br><br>  · 미·호·카·브라질등은 농업 보조금 포함 주장<br><br>  · 일본·EC·북구·한국 등은 농산물협상에서 취급 주장<br><br>- 아국입장<br><br>  · 보조금에 관한 일반규범인 본 협정은 별도 협정이 없는 경우에 적용됨.<br><br>  · 농업보조금은 농산물협상 그룹의 논의 결과에 따름 |

0166

## Ⅱ. 카나다 입장 및 제안검토

1. 주장내용

- 지방 (sub-national) 정부가 제공하는 보조금은 모두 특정적인 것으로 보는 보조금협정 초안 (제2.2조)에 반대함.

> ─(초안 제2.2조)─
>
> . 특정지역내에 위치하는 모든 기업에 대한 보조금은 그 공여기관의 성격에 관계없이 특정적인 것으로 봄.
>
> 일반적으로 적용되는 세율의 결정·변경은 그 결정기관이 중앙 또는 지방정부이던간에 본조에 의해 특정적 보조금으로 간주되지 않음.

- 본 규정은 연방정부와 비연방(단일) 정부를 차별함.

  . 연방국가의 支邦(sub-federal) 정부 보조금의 일반적 가용성 (general availability) 은 완전히 무시

- EC 에게 유리

  . EC는 각회원국이 독자적인 중앙정부를 갖고 있음.

  . EC 는 공동체와 각회원국 차원의 보조금이 모두 일반적 가용성 인정 가능

  ⇒ 정부체제에 따른 차별 초래

- 제2.2조는 기존의 상계관세 관행과도 배치

  . 예를 들면, 미국에서는 중앙정부와 주정부가 공여하는 보조금에 모두 일반적 가용성이 인정됨.

0167

- 카나다입장

    . 카나다 대표단은 던켈초안의 제2.2조를 수락할 수 없음을 분명히
      해왔음.

    . 지방정부 보조금의 일반적 가용성을 부정하고 이를 규제하는 본
      규정은 차별적임.

    . 국내 헌법적 체제에 따른 차별은 정부구조에 무관하게 동일한 수준의
      국제적 권리와 의무를 달성하려는 UR 기본정신에 위배

    . 카나다는 본 협정의 이같은 불평등의 배제를 위해 노력할 것임.

2. 카나다

가. 아국입장

    - 아국과 같이 지방재정 자립도가 낮은, 중앙집권적 국가에서는
      지방정부 보조금의 예는 많지 않을 것임.

    - 반면, 주정부가 독자적인 과세권을 갖는 미국과 같은 연방국가의
      경우에는 각 지방(주) 정부가 별도의 기업유치, 육성조치등을
      시행하므로 상당한 정도의 보조금적 지원이 예상됨.

      ⇒ 지방정부 보조금에 대한 특정성을 인정하고 이를 엄격히 규제하는
        기존초안의 내용이 유지되는 한 아국은 중립적 입장 견지

나. 연방·비연방국간 차별해소 방안
    (제1안)
    - 제2.2조 삭제
      . 지방정부 보조금에 대한 규제완화를 의미하므로 아국입장에 위배
    (제2안)
    - 일정기준에 따라 EC 회원국 정부 보조금의 특정성 판단

0168

( ⅰ ) EC 통합정도의 기준채택 여부

. EC 의 각 회원국을 연방국가의 支邦으로 보아 그 보조금을 특정적인 것으로 볼 것인지는 EC 통합의 정도에 따라 판단되어야 함.

. 즉 EC 의 경제정책이 주로 공동체 차원에서 이루어지고, 각 회원국 은 제한된 분야에 대해서만 경제정책 시행의 권한이 부여될 경우, 이는 기존 연방국가 정도의 통합을 이룬 것으로 보아 각 회원국 보조금에 대해 규제가 필요함. (→ 회원국보조금의 특정성 인정)

. 한편 EC'의 경제정책이 공동체 차원에서는 단순한 정책조정 정도에 그칠 경우에는 각 회원국을 지방정부로 간주하는 것은 무리임.

. 그러나 이같은 정책의 권한분배 정도는 객관적으로 불명확하므로 보조금 특정성의 기준으로는 적합치 않음.

( ⅱ ) 보조금 공여기준 및 효과에 따른 특정성 판단

. EC 각 회원국의 보조금을 연방국가의 지방정부 보조금으로 보아 특정성을 인정할 것인지는 당해 보조금 공여기준 및 효과에 따라 판단하는 것이 보다 합리적임.

. 당해 보조금이 EC 회원국과 역외국을 차별할 경우 (수출보조금의 경우 역외국으로의 수출만을 인정하며, 수입대체보조금의 경우 역외국으로부터의 수입만을 인정하는 경우, 또는 타회원국과의 협의를 거쳐 타회원국 기업에는 별도의 보상조치가 허용될 경우 등)

→ 지방정부 (특정지역) 보조금으로 보아 특정성 인정

0169

| Dunkel 초안 | 브라질 수정안 |
|---|---|
| 경우 본협정 제3부의 규정이 적용되지 않음. (The provisions of Part III of this Agreement shall not be applicable) | .... 제8.1조의 규정에 무관하게 허용보조금으로 인정됨. (Without prejudice to the provisions of Article 8.1, signatories agree that the following shall be considered non-actionable:) |

※ 제3부 : 조치가능보조금에 관한 제규정

제8.1조 : 허용보조금 열거 (비특정적 보조금, 연구보조금,

지역개발보조금)

(제2안) : 제27.12조를 다음과 같이 수정

| Dunkel 초안 | 브라질 수정안 |
|---|---|
| 8.1 서명국은 아래의 것은 허용됨을 합의함. | 8.1 ..... |
| (a) 비특정적인 보조금 | (a) ..... |
| (b) 특정적이기는 하나 이래 2(a)항 및 3(b)의 항의 요건을 충족하는 보조금 | (b) ..... |
| | (c) 정부세입의 포기 및 기타 채무의 이전등 그 형태 여하를 불문하고 개발도상 가맹국의 민영화 계획의 범위내에서 동 계획과 관련된 사회적 비용 충당을 위한 직접적 채무 면제 및 보조금으로서 당해 계획과 보조금이 한시적으로 공여되고, 위원회에 통보되며, 동 계획이 궁극적으로 기업의 민영화를 초래하는 것 |

0170

· 당해 보조금이 EC 회원국과 역외국을 차별하지 않을 경우

(수출보조금 또는 수입대체 보조금의 공여와 관련하여 회원국간의 거래도 역외국과의 수출입과 동일하게 취급되거나, 당해 보조금 효과가 역내외 국가에 동일하게 나타날 경우)

→ 중앙정부 보조금으로 인정하여 보조금에 대한 일반원칙 적용

(ⅲ) 결론

· 제2.2조에 다음과 같은 단서 신설

"다만 경제공동체 또는 국가연합에 속하는 국가의 중앙정부 (national government) 가 공여하는 보조금의 공여기준 및 효과가 당해 공동체 또는 국가연합의 역내외 국가에 차별적인 경우에도 특정적인 것으로 봄."

· 이같은 아국입장은 향후 협상추이에 따라 제시여부 검토

Ⅲ. 브라질 제안 및 검토

1. 허용보조금의 범위 확대

(제1안) : 제27.12조를 다음과 같이 수정

| Dunkel 초안 | 브라질 수정안 |
|---|---|
| 27.12 정부세입의 포기 및 기타 채무의 이전 등 그 형태 여하를 불문하고 개발도상 가맹국의 민영화 계획의 범위내에서 동 계획과 관련된 사회적 비용 충당을 위한 직접적 채무면제 및 보조금에 대해서는 당해 계획과 보조금이 한시적으로 공여되고, 위원회에 동보 되며, 동 계획이 궁극적으로 기업의 민영화를 초래할 | 27.12 ........ |

브라질 제안의 의도

- 개발도상국이 국영기업의 민영화 계획과 관련하여 공여하는 보조금을 허용보조금으로 명시

- Dunkel 안에는 제3부 (조치가능보조금) 적용을 배제하여 소극적으로 규정됨.

- 검토의견

- 개도국의 민영화 보조금은 기존 문안의 규정에 의해서도 사실상 허용됨.

- 중립적 입장

## 2. 개도국에 대한 특별 및 차별대우 범위 확대

| Dunkel 초안 | 브라질 수정안 |
|---|---|
| 27.2 제3.1조(a)의 금지는 다음의 경우 적용되지 않음. | 27.2 제3.1조(a) 및 (b)의 금지는 다음의 경우 적용되지 않음. |
| (a) Annex Ⅶ 에 열거된 개발도상체약국 | (a) ... |
| (b) 기타 개발도상체약국으로서 아래 제3항의 조건을 준수하는 조건으로 본협정 효력 발생후 8년간 | (b) ... |

※ 제3.1조 (a) : 수출보조금의 금지

제3.1조 (b) : 수입대체보조금의 금지

Annex Ⅶ : 29개 최저개발국 및 1인당 소득 1000불 도달시 일반개도국으로서의 의무가 적용되는 21개국 열거

0172

- 브라질 제안의 의도

  . 개발도상국에 대해 제2°조에 의한 시장경제전환국가에 준하는
    정도의 특례 인정

  . 다만 보조금 감축기간만 차이 (개도국 8년, 시장경제전환국 7년)

- 검토의견

  . 개발도상국에 대해 수출보조금금지의 예외를 인정하면서 수입대체
    보조금에 대해서는 예외를 인정하지 않을 이유가 없음.
    (국제무역 왜곡효과는 수출보조금이 더 직접적임.)

  . 브라질 제안 지지

0173

# 농산물분야 주요국 수정제안 검토

### 1. 미·EC공동 수정제안

o 미.EC 합의사항 다자화 과정에서 동 합의사항의 부당성을 제기하고, 아국을 포함한 여타국의 중요한 문제가 함께 논의될 수 있도록 추진

o 협상요소간 균형측면에서 국내보조, 수출보조분야의 규율을 완화하고 융통성을 인정해 준데 상응하게 시장개방분야의 의무를 완화시켜 주도록 요구

   - 생산감축 조건부 직접지불정책을 삭감대상에서 면제시켜 준것은 일부 선진국에게만 혜택이 돌아간다는 점에서 문제 제기

   - Peace Clause를 강화시킴으로서 보조금을 받고 수입되는 품목에 대하여 국내 산업을 보호할 수입국의 권리를 크게 제약하고 있는데 대한 문제점 지적

### 2. 일  본

o 관세화에 대한 예외인정을 part B annex본문에 반영할 것을 제안함으로서 최근 일본언론에 보도된 관세화를 전제로한 이행상의 융통성 인정과는 내용상의 기본적인 차이가 있음.

o 정식 법적 수정제안으로 보기는 어려우며 concept만 제시하고 있는바 향후 협상 진전과정에서 정식 수정 제안가능성도 있는 것으로 판단

o 기준년도의 생산통제 품목에 대한 수출보조 금지의무 배제를 Part B에 신설토록 제안한 것을 제외하고는 여타 세부사항에 대한 DFA수정요구는 하지 않은 점에 비추어 최대한 자제를 한것으로 관측

0174

## 3. 스 위 스

○ 포괄적 관세화 원칙을 수용하되, 관세화 이행상 융통성을 인정 받으려는 것으로서 관세화 원칙의 예외를 주장하는 아국입장과 상치

○ 추가적인 시장접근기회를 보장하고 있어 쌀의경우 MMA를 보장할 수 없는 아국 입장과 차이

○ Footnote 개정형식을 취한점에 있어서는 아국과 같은 접근방식

○ GATT 11조를 관세화예외 범주에 넣고있는 점에서 아국과 같은 입장

## 4. 이 집 트

○ 식량순수입 개도국(NFIDCs) 및 최저개발개도국(LDCs)에 대한 특별대우 요청

- 물량기준 Special Safeguard의 적용세율을 현행 DFA상의 당해년도 TE의 30%에서 50%로 인상

- 수출신용, 수출신용보증, 수출보험에 있어서 NFIDCs 및 LDCs에 특별고려

- 시장접근분야에서 NFIDCs 및 LDCs에 특별고려

　. 감 축 율 : 선진국의 2/3에서 1/2수준

　. 이행기간 : 10년에서 15년으로 연장

　. MMA 수준 : 기존 DFA상 기준기간 국내소비의 3%에서 5%까지 확대에서 1.5%에서 2.5% 확대로 축소조정

○ NFIDCs 및 LDCs의 식량원조보장 강조

○ NFIDCs 및 LDCs의 생산성향상 및 하부구조개선을 위한 기술적. 재정적 지원 강조

0175

5. 인도네시아

  ○ 쌀에 대한 관세화 및 최소시장접근의 이행연기

    - 정식 수정제안이 아니고 문제제기에 그침

0176

TRIPs

1. 미국측 수정제안

　가. 사적 복제에 대한 부과금 제도(제14조의 2)

　　1) 제안 내용

　　　1.　Notwithstanding the provisions of Article 3. 1, 4(b), and
(c) and 14. 6 of this Agreement, right holders in works,
phonograms and videograms shall be entitled to any benefit,
including remuneration from levies for private copying or rental
activity, on the basis of national treatment without formalities,
in accordance with the contractual relationships among the
persons involved.　A Member may require persons claiming such
rights and benefits to present appropriate evidence supporting
their claim.

　　　2.　Where on the date of initialing of this Agreement, a Member
treats nationals of another Member as eligible for any benefit,
including remuneration, such eligibility shall be continued on
the basis of national treatment.

　　2) 검토 의견

　　　가) 1 항

　　　　① 검토 내용

　　　　　o 1항의 내용은 일반저작물, 음반, videograms의 사적복제에 대해

　　　　　　저작권자의 이익을 보호하기 위한 Levy system에 관한 것임.

　　　　　* Levy system

　　　　　　- 일부 유럽국가에서 채택하고 있는 제도

　　　　　　- 저작물을 복제할 수 있는 기기(복사기, Audio Cassette, VCR등)

　　　　　　　의 발달로 저작물을 손쉽게 복제할 수 있는 길이 열려있고 실제

　　　　　　　그러한 사적복제로 말미암아 사실상 저작권의 침해가 발생

　　　　　　- 이에 대한 저작권의 이익을 보상하기 위해 복제기기 혹은

　　　　　　　audio, video 공 Tape 제조업자에 대한 일정한 부과금(levy)

　　　　　　　을 부과하여 저작권자에게 배분하는 제도

0177

o 다음사항을 고려해볼때 EC를 겨냥한 제안으로 생각됨.

- TRIPs 협정안 제3조 1항 및 제4조 b항에 의해 부과금제도등에 관한 사항이 내국민대우 및 최혜국대우의 예외로 인정됨으로써 미국의 저작권자가 EC내의 부과금 제도에 의한 혜택을 받을 수 없게된 것에 대해 미국의 저작권 관련단체가 계속 불만을 표시해 온점.

- 행의 "제3조1항, 제4조 b항에도 불구하고" 라는 점을 명시하고 제4행의 "내국민대우에 의해"라고 명시한 점.

o 따라서, 1항의 내용은 우리나라로 하여금 부과금 제도등을 도입할 것을 의무화하는 내용이 아니고 미국의 저작권자가 EC내에서 차별없이 부과금 제도에 의한 혜택을 받고자 하는 제안

② 아국 입장

o 이러한 점을 고려할때 우리가 미국제안에 대해 반대할 실익은 없음.

o 종래 미국의 요청에 의해 문화부에서도 부과금제도 도입을 검토하고 있으나, 복제관련 기기 산업과의 의견조정에 상당한 기간이 소요되므로 공식적인 입장표명 유보

나) 2 항

① 검토내용

o TRIPs 협정개시일 현재 부과금 제도를 적용하고 있는 국가는 내국민대우에 의해 타국의 저작권자에게도 부과금 제도를 적용해야 한다는 내용으로, 1항의 적용시점을 정한 것.

0178

② 아국입장

o 1항에 대한 아국입장과 동일 (1, 2항은 함께 논의)


나. pipeline products 보호(제70조 (iv) 신설)


1) 제안 내용

(iv)　provide ~lusive marketing rights, notwithstanding the
provisions of Part IV above, for any such product for which market
approval was obtained in that Member, if a patent was granted on that
product in another Member based on an application filed between the
date of the Punta del Este Ministerial Declaration on the Uruguay
Round and the entry into force of this Agreement, and market approval
was also obtained in such other Member. The term of such exclusive
marketing rights shall expire either at the same time as the patent
granted for that product in such other Member or on the date a
patent on that product is issued by that Member, whichever occurs
first.


(iv)　Part IV의 규정에도 불구하고, (회원국은), 타회원국에서 Puntal

del Este 선언(86.9)과 본협정 발효시점 사이의 출원을 기초로 물질에

대해 특허가 허여되고 제조시판허가를 타회원국에서 받았을 경우 자국

내에서 제조시판 허가를 받아야 하는 그 물질에 대한 배타적인 시판권을

부여한다. 독점시판권의 기간은 타회원국에서 그 물질에 대해 부여받은

특허권의 종료시점 혹은, 자국내에서의 특허권 종료시점중 선일(先日)에

종료한다.

* 제70조 9항은 삭제


2) 검토 의견

o 본항이 보호하고자 하는 내용은 다음과 같음.

- 보호대상: '86.9에서 TRIPs 협정 발효시점까지의 물질특허 출원분


0179

- 보호요건

　. 물질특허제도가 있는 타회원국에서 특허를 받고

　. 제조시판 허가를 타회원국에서 취득

- 보호방법 : 물질특허가 없는 회원국에서 배타적인 시판권 보유

- 보호기간 : 물질특허권의 종료시점까지


o 본항은 '86년 아국이 미국에 취해준 pipeline products 보호조치와 유사한
　내용이며 종전의 70조 9항보다 강화된 내용

- 보호요건 및 보호방법은 사실상 동일하나 보호대상, 보호요건 및 보호
　기간을 획대한 내용임.

　① 보호대상의 측면

　. 대미 보호조치 (pipeline products)와 비교하면 보호대상이 확대
　　되지는 않음.

　　* '87. 7. 1 이후 출원분은 아국이 87. 7. 1 물질특허제도를 도입
　　　했으므로 동 조항의 적용대상이 되지 않고 '86. 9-'87. 7. 1 출원
　　　분은 대미 보호조치에 의해 기보호되고 있거나 보정조치에 의해
　　　물질특허 출원으로 보정된 상태

　. 제70조 9항과 비교하면 보호대상을 완전히 변화시킨 것.
　- 70조 4항 : TRIPs 협정 발효이전 출원분
　- 70조 9항 : '93. 1. 1부터 2004. 12. 31 출원분
　　　　　　　　(TRIPs 협정발효 이후 출원분)

　　* TRIPs 협정이 '94. 1. 1 발효한다고 가정하고 우선권 주장기간
　　　1년을 고려하면 '93. 1. 1부터 물질특허 출원이 가능하고 70조
　　　8항에 의해 이 규정이 적용되는 출원은 물질특허제도 도입을
　　　위한 경과기간 (물질특허제도는 협정 발효후 10년간 유예가능)
　　　이 지난 2004. 12. 31 까지임.

0180

② 보호요건 : 대미 보호조치와는 달리 미시판된 물질이라는 전제가
없어서 시판된 물질까지를 포함할 우려가 있음.

③ 보호기간의 측면

. 대미 보호조치가 '87. 7. 1~'97. 6. 30 까지 10년간 한시적인 제도
이나 미국제안은 당해 특허권의 종료시점까지(15년-20년)이므로
보호기간 연장

. 제70조 9항(5년)에 비해서도 보호기간이 연장된 것임.

〈 항목별 비교 〉

| 구 분 | 대미 보호조치 | 제70조 9항 | 제70조 4항 (미국 제안) | 비 고 |
|---|---|---|---|---|
| 보호대상 | o '80. 1. 1이후 미국에서 물질 특허를 받은 것 | o TRIPs 협정 발효시 부터 출원가능한 물질(물질특허제도 가 적용될 시점까지) | o 86. 9에서 TRIPs 에서 협정발효 시점까지의 출원분 | |
| 보호요건 | o 한.미 양국에서 미시판된 물질 - 물질특허취득 및 시판허가 취득이 내포 됨. | o 물질특허취득 o 제조시판허가 취득 | o 물질특허 취득 o 제조시판허가 취득 | |
| 보호내용 | o 배타적인 시판 권 | 좌 동 | 좌 동 | |
| 보호기간 | o '87. 7. 1 - '97. 6. 30 | o 시판허가일 혹은 특허허여일로 부터 5년 | o 특허권 종료 시점까지 | |

0181

3) 아국 입장

o 아국이 미국에 대해 취해준 pipeline products 보호조치에 비해

　- 기시판 물질을 포함할 우려가 있고

　- 보호기간이 연장

됨으로써 ‘추가적인 부담을 주기 때문에 반대하고 우리에게는 부담이 없는 현행 제70조 9항을 지지하는 것이 바람직.

o 따라서, 미국 제안은 신규성을 상실한 물질에 대해서 배타적인 시판권 부여라는 형태로 사실상 소급보호를 초래하는 내용이므로 반대

　- 개발된 물질을 조속히 보호해야 한다는 필요성을 인정하나 이는 아직 다수국이 불만을 갖고 있는 현행 제70조 9항으로도 충분하다고 생각함.


## 2. 이집트 제안에 대한 검토의견

### 가. 권리소진 (제 6 조)

#### 1) 제안 내용

　- 현행 제6조를 다음 내용으로 대체

"Subject to the provision of Articles 3 and 4 above, nothing in this agreement imposes any obligation on, or limits the freedom of, PARTIES with respect to the determination of their respective regimes regarding the exhaustion of any intellectual property rights conferred in respect of the use, sale, importation or other distribution of goods once those goods have been put on the market by or with the consent of the right holder."

0182

2) 검토의견

o 이집트의 제안은 '90년 12월 TRIPs 협정안(Revision I) 제6조의 내용을
  다시 주장한 것임.

o 현행 규정('91년, Revision II)은 권리소진에 관해서는 TRIPs 협정상의
  분쟁해결절차의 대상이 되지 않는다고 규정한데 반해 Revision I의 규정
  은 협정에서 명시적으로 권리소진을 인정하고 있는 내용

  - 이집트의 제안의도는 Revision II의 규정이 권리소진에 관한 사항이
    다자간 분쟁해결절차의 대상이 되지 않는다고만 규정함으로써 양자
    협의의 대상이 될 수 있는 가능성이 있다고 판단하고 명시적으로
    이를 배제하기 위한 것임.

  - 다수 개도국 및 홍콩등의 지지를 얻을 것으로 전망

3) 아국 입장

o 권리소진의 명시적인 인정을 위해 Revision I의 규정이었던 이집트의
  제안을 지지

나. Computer Program 보호 (제10조 1항)

1) 제안

o computer program을 일반저작물로서 보호

  * 어문저작물(literary works)에서 "literary" 삭제

2) 검토 의견

o 동 사항에 대한 아국입장은 '91. 10월까지 이집트등과 동일한 것이었음.

0183

o 협상과정에서 어문저작물(literary works)로 보호할 경우 computer program의 특성(reverse engineering 인정등)이 인정되지 않을 우려가 있다는 이유로 반대해 왔으나,

- 보호의 예외 설정을 통해 computer program의 특성이 인정되게 되어 현행 협정안을 수용하였음.

o 어문저작물로 보호할 경우 보호기간이 늘어난다는(사후 50년) 개도국의 주장은 computer program의 life-cycle 특성상 주장실익이 없다고 판단됨.

- 따라서, computer program을 어문저작물로서 보호하는 것이 대세라면 이집트의 제안을 반대하고 현행 협정안을 수용해도 좋을 것임.
(이집트의 주장이 채택될 가능성은 적음)

o 다만, 협상의 추이에 따라 이집트 제안 지지를 협상의 leverage로 사용할 수는 있음.


3) 아국 입장

o 협상의 대세에 따라 대처

- 소극적으로 지지하되 향후 협상의 leverage로 사용


다. 특허보호대상(제 27 조)

1) 제안 내용

o 1 항 : 대체

Subject to the provisions of paragraphs 2 and 3 below, patent shall be available for inventions in all field of technology provided that they are new, involve an inventive step and are capable of

0184

industrial application.  Subject to paragraph 4 of Article 65 and paragraph 3 of this Article, patents shall be available and patents rights enjoyable without discrimination as to the place of invention.

o 3항(C) : 신설

(C)  Developing Countries Parties to this agreement may exclude from patentability certain products, and processes for the manufacture of these products on grounds public interest, national security, public health including chemical and pharmaceutical products.

2) 검토의견

o 1항은 현행규정에서 물질 혹은 제법에 관계없이 (whether products or process) 특허허여라는 것과 기술분야(field of technology), 물건의 생산지(whether products are imported or locally produced)에 관한 차별없이 특허권이 획득되고 향유된다는 내용을 삭제한 것임.

- "물질 혹은 제법에 관계없이 특허가 허여된다"는 내용이 삭제된 것은 제3항 불특허대상과 관련하여 선언적으로 물질특허를 제한할 수 있는 가능성을 부여하기 위한 것임.

- "기술분야에 따른 차별금지" 내용이 삭제된 것은 제3항(C)의 내용과 같이 기술분야에 따라 특허를 허여 않거나, 강제실시권 요건을 완화 하는등 차별적인 규정을 두려는 의도

- "물건의 생산지에 따른 차별금지"를 삭제한 것은 특허권이 계속 향유 되기 위해서는 국내에서 생산되어야 한다는 국내 제조요건을 추가하기 위한 것으로 제28조, 29조, 33조 수정제안과 밀접한 연관을 갖는 것임.

o 제3항(C)는 화학.의약분야의 발명을 불특허대상으로 하려는 내용

3) 아국 입장

o 제28조 1항 수정제안 반대

- 기술분야에 따라 차별을 부과하여 화학, 의약 분야의 특허권 보호를
  저해하므로 반대

- 특히, 제품생산지에 따른 차별금지 조항을 삭제하여 국내제조 요건을
  부과하게 되면 특허권자가 권리를 획득한 모든 국가에서 직접 생산
  실시해야 하는 의무가 발생하므로 권리자에게 과도한 부담을 줌.

o 3항의 수정제안에 반대

- 종전의 아국입장에 배치되고 우리기업의 특허권 보호를 위해서도 화학,
  의약분야등의 특허 인정이 바람직

라. 권리내용(제 28 조)

1) 제안 내용

o 제 1 항

- (a) : 권리내용에서 수입권 삭제
- (b) : 제법 특허권의 권리내용중 제법특허로 생산된 제품에 대한
  배타권 삭제

2) 검토의견

o 제27조 1항의 제안과 관련이 있는 것으로 권리내용에서 수입권(importing
right)를 삭제함으로써 권리자의 "국내제조 의무"의 근거를 부여

- 즉, 특허권을 받은 국가내에서 생산하지 않고 수입을 할 경우 실시로
  보지 않아 강제실시권등의 적용대상이 될 수 있도록 하는 내용

o 제법 특허권의 경우(b) 권리내용을 제법에 대한 사용권으로 축소

0186

3) 아국입장

o 수입권을 삭제함으로써, 권리자에게 특허권을 받는 국가에서 직접 생산 토록 하는 것은 권리자에게 과도한 부담을 주는 것이므로 이집트의 제안을 반대

  - 산업재산권 보호를 위한 파리협약 제5조 A 에서도 수입권을 사실상 인정하고 있음.

o 제법특허권의 경우에도 권리자의 권리를 과도하게 제한하는 것이므로 반대

  - 제품에 대한 권리를 인정하지 않는 경우 그 물건에 대한 제법 특허권아 등록되지 않는 제3국에서 제법특허권을 침해한 물품을 생산하여 수입 되는 것을 막을 수 있는 길이 없음.

  - 침해물품의 생산, 수입을 정당화하는 결과 초래

마. 특허권자의 의무(제29조 3항 신설)

 1) 제안 내용

   3. "Parties may provide that a patent owner shall have the obligation to ensure the exploitation of the patented invention in order to satisfy the reasonable requirement of the public."

 2) 검토의견

  o 권리자에게 특허발명의 실시를 통해 합리적인 공중의 요구(국내수요등)를 충족해야 한다는 것을 의무화 할 수 있다는 내용

0187

- "합리적인 공중의 요구(reasonable requirement of the public)"의 의미가 불명확하여 권리자의 의무를 과도하게 제한하는 근거규정이 될 우려가 있으며,

- "합리적인 공중의 요구"를 국내수요 충족으로 해석한다면 이는 강제 실시권(제31조) 규정과 중복

3) 아국입장

o 이집트 제안의 의미가 불명확하며, 동 제안의 내용이 사실상 제31조(강제 실시권)의 규정과 중복되므로 반대함.

바. 보호기간(제 33 조)

1) 제안 내용

o 제33조 대체

The term of protection available shall not end before the expiration of a period of 10 years counted from filing date.  However this period may be extended by 10 years if the patent is locally manufactured.

2) 검토의견

o 보호기간을 출원일로부터 10년으로 하고 국내에서 특허발명을 통한 생산이 이루어져야만 10년 연장될 수 있다는 내용으로,

o 사실상 특허 존속기간을 10년으로 하겠다는 내용

3) 아국입장

o 특허권자가 특허를 받온 국가에서 반드시 특허발명을 실시해야 한다는 것은 권리자에게 과도한 부담이며,

0188

# 서비스分野 EC의 DFA修正提案 檢討

'92. 12. 30

1. EC의 修正提案 內容

┌ 서비스협정초안 제14조(일반적 예외)에 다음사항 추가

　ㅇ 地方, 國家, 地域次元의 文化的 同質性 保存·振興政策
　　　遂行을 위한 시청각서비스 공급규제 조치

　※ Note : EC는 계속하여 서비스협정에 視聽覺 서비스分野의
　　　　　 特殊性을 분명히 규정하고자 하였음.  이와 같은
　　　　　 목적하에 EC는 同 分野에 대한 附屬書制定을
　　　　　 제안한 바 있음.

　　　　　 각국 정부가 同 分野에 있어서 특히 文化的 同質性
　　　　　 振興과 관련된 것으로서 경제외적인 사유에 의한
　　　　　 정책을 수행할 수 있도록 하기 위하여 그와 같은
　　　　　 분명한 규정이 필요함.  이와 같은 관점에서 視聽覺
　　　　　 서비스分野는 상대적으로 한정된 經濟的比重을 훨씬
　　　　　 능가하는 重要性을 가지고 있음.

　　　　　 EC의 提案은 사실 무역에 미치는 효과가 별로 없음.
　　　　　 왜냐하면 例外範圍가 특정분야에 한정되어 있고
　　　　　 또한 同 條項을 원용하기 위해서는 협정에 규정된
　　　　　 政策目標와 當該措置와의 關係를 설명하여야만 하기
　　　　　 때문임.

　　　　　 1991년 12월에 EC는 妥協을 위한 최후의 노력으로서
　　　　　 이와같은 정책을 추구하기 위한 필요성을 서문에
　　　　　 반영하고자 하였음.  同 妥協案에 대하여 광범위한
　　　　　 지지가 있었음에도 불구하고 GNS議長은 最終議定書
　　　　　 草案에 이를 반영할 수 없었음.  현재로서 EC는
　　　　　 과거의 同 提案을 유지할 수 없음.

　※ 別添 : EC의 修正提案

0189

## 2. 修正提案의 背景 및 評價

### 가. 背景

- 視聽覺 서비스分野의 規制措置를 개별적인 MFN일탈이나 시장 접근에 관한 양허협상보다는 協定規定自體에 의하여 보호 하기 위한 것으로서 다음 두가지가 대표적 사례

    ○ 유럽산 방송프로그램의 50%이상 義務放映制度(MFN 및 市場 接近問題)

    ○ 放送社 및 映畵製作社등의 設立에 대한 市場開放約束 (市場接近問題)

### 나. 評價

- 금번 EC의 修正提案은 EC의 기존입장의 연장으로서 協定規定 에 반영하는 방법만 일부 변화된 것임.

    ○ 당초 EC는 同 分野를 대상으로 한 附屬書制定을 주장하였 으나 協商過程에서 반영되지 않았음.

- 그러나 현 싯점에서 EC가 동 문제를 다시 제기한 것은 美國에 대한 協商力을 제고하려는 協商戰略의 一環이라고도 평가할 수 있음.

## 3. GNS에서의 協商現況

- EC는 視聽覺 서비스分野에 대하여는 offer를 제출하지 않았 으며 아래 3개사항에 대하여 MFN逸脫을 신청

    ○ EC 및 유럽국가, 유사언어 국가산 프로그램의 TV 最低放映 比率(오지리, 헝가리도 신청)

    ○ Media and Eurimages 프로그램에 의한 제3유럽국가업체에 대한 필름생산·배급상의 혜택부여(오지리 및 스위스도 신청)

    ○ 필름 共同生産協定 會員國業體에 대한 內國民待遇(EC외에 캐나다, 濠洲, 뉴질랜드, 노르웨이, 브라질, 오지리, 스위스, 체코, 헝가리등 총 10개국이 신청)

0190

- 美·EC間 兩者協商 過程에서 상기문제와 관련 상당한 진통을 겪고 있는 것으로 추측


4. 우리의 立場

- EC의 修正提案은 예외조항의 범위를 과도하게 확대하는 것으로서 受容될 可能性이 희박한 것으로 판단됨.

  ○ 一般的 例外條項은 본래 貿易外的인 國家政策目標를 달성하기 위한 것으로서 각국이 공유하는 사항에 대하여 協定規定의 適用을 배제토록 하는 것인 반면, EC의 視聽覺 서비스問題는 ① 同 問題가 일부국가에 한정된 사항이고 ② 文化政策에 따른 것이라고 하나 同 措置의 經濟的 影響이 크기 때문에 一般的 例外事由로서 적합한 요건을 결여하고 있다고 볼 수 있음.

  ○ 同 問題는 MFN逸脫이나 市場接近協商時 讓許拒否등을 통하여 개별적으로 解決해야 할 사안임.


- 따라서 서비스協定의 기본 메카니즘과 예외조항의 취지에 어긋나는 同 提案에 대하여는 지지할 수 없는 입장임.

  ○ 我國도 視聽覺 서비스分野에 일부문제가 있었으나 協定의 틀 안에서 개별적으로 解決한 바 있음.


- UR全體 協商戰略次元에서도 EC의 제안을 지지하기는 어려운 것으로 판단됨.

  ○ EC提案을 지지할 경우 農産物分野에 추가하여 서비스分野에서도 例外範圍를 확대하는 것으로 비춰져 協商相對國들에게 否定的 印象을 초래할 우려가 있음.


0191

**외교문서 비밀해제: 우루과이라운드2 7**
**우루과이라운드 협상 실무대책위원회**

초판인쇄 2024년 03월 15일
초판발행 2024년 03월 15일

지은이  한국학술정보(주)
펴낸이  채종준
펴낸곳  한국학술정보(주)
주  소  경기도 파주시 회동길 230(문발동)
전  화  031-908-3181(대표)
팩  스  031-908-3189
홈페이지  http://ebook.kstudy.com
E-mail  출판사업부 publish@kstudy.com
등  록  제일산-115호(2000. 6. 19)

ISBN    979-11-7217-109-4  94340
        979-11-7217-102-5  94340 (set)